国家出版基金项目
NATIONAL PUBLICATION FOUNDATION

中国中药资源大典

「十三五」国家重点出版物出版规划项目

中国中药资源大典

资源大典

河北卷

④

黄璐琦 / 总主编

郑玉光　姜建明 / 主　编

北京科学技术出版社

图书在版编目（CIP）数据

中国中药资源大典 . 河北卷 . 4 / 郑玉光，姜建明主编 . — 北京：北京科学技术出版社，2023.9
ISBN 978-7-5714-2813-6

Ⅰ . ①中… Ⅱ . ①郑… ②姜… Ⅲ . ①中药资源－资源调查－河北 Ⅳ . ①R281.4

中国版本图书馆 CIP 数据核字（2022）第 253398 号

责任编辑：侍　伟　李兆弟　吕　慧　庞璐璐
责任校对：贾　荣
图文制作：樊润琴
责任印制：李　茗
出 版 人：曾庆宇
出版发行：北京科学技术出版社
社　　　址：北京西直门南大街16号
邮政编码：100035
电　　　话：0086-10-66135495（总编室）　0086-10-66113227（发行部）
网　　　址：www.bkydw.cn
印　　　刷：北京博海升彩色印刷有限公司
开　　　本：889 mm × 1 194 mm　　1/16
字　　　数：754千字
印　　　张：34
版　　　次：2023年9月第1版
印　　　次：2023年9月第1次印刷
审　图　号：GS京（2023）1758号
ISBN 978-7-5714-2813-6

定　　价：490.00元

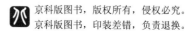

《中国中药资源大典·河北卷4》

编写人员

总 主 编 黄璐琦

主　　编 郑玉光　姜建明

副 主 编 吴兰芳　何　培　郭　龙

编　　委（按姓氏笔画排序）

马东来　马晓莉　王　亮　王　乾　王丽芳　王国慧　木盼盼　申亚君

田　伟　冯　媛　司明东　刘　铭　刘灵娣　刘晓清　齐兰婷　闫建功

安　琪　许　晴　严玉平　苏　畅　苏芳芳　李新蕊　杨贵雅　吴兰芳

何　培　沈正先　张　丹　张慧康　陈占洲　陈家宝　周海平　郑玉光

赵　军　赵志海　赵艳云　姜建明　贺伟丽　贾东升　郭　龙　郭　梅

郭利霄　唐宏亮　黄璐琦　常雅晴　常鑫鑫　崔清卓　崔潇轩　康　帅

景永帅　焦　倩　温子帅　温春秀　蔡景竹　薛紫鲸

资料收集（按姓氏笔画排序）

马孟硕　王红坤　石　欢　李向阳　忻晓东　陈友润　曹松云

摄　　影（按姓氏笔画排序）

王红芳　王志民　张清清　陈　光　郝丽静　魏智东

主编简介

>> 郑玉光

　　教授，博士生导师，河北化工医药职业技术学院党委副书记、院长，全国中药炮制技术传承基地（河北省）负责人，孙宝惠全国名老中医药专家传承工作室负责人，国家级一流课程（中药鉴定学）负责人，河北省中药炮制技术创新中心负责人，河北省中药材产业技术研究体系岗位专家。兼任国家科学技术奖励评审专家，国家中医药管理局项目评审专家，中华中医药学会中药鉴定分会委员，《中国中药杂志》特约审稿人，《中国现代中药》编委。担任河北省第四次中药资源普查工作专家组主任委员，指导开展了河北省第四次中药资源普查工作。作为河北省中药材产业技术研究体系岗位专家，他主要负责河北省道地中药材产地无硫加工的指导及加工规范的制订，为河北省中药材产业的发展提供了技术支撑。

　　他毕业于黑龙江中医学院（现黑龙江中医药大学）中药资源专业，多年来一直从事中药鉴定及中药资源学领域的教学、科研工作，主要研究方向为中药材规格等级质量标准研究、道地中药材生产区划研究、中药材产地采收及无硫加工技术研究。主持国家级及省部级课题 11 项，发表学术论文 60 余篇，主编、副主编学术专著 6 部及规划教材 5 部，获得专利 9 项，制定国家级中药材商品规格标准 28 项。

主编简介

>> **姜建明**

男，汉族，中共党员，1968 年 7 月出生，河北临城人。1993 年 7 月参加工作，1995 年 6 月加入中国共产党。本科毕业于河北中医学院（现河北中医药大学）中医学专业。

历任河北省中医药管理局医政科科长，原河北省卫生厅医政处副处长、处长，原河北省卫生和计划生育委员会医政医管处处长，原河北省卫生和计划生育委员会党组成员，河北省中医药管理局分党组书记、局长，河北中医药大学党委书记。

目录

Contents

被子植物

角蒿
Incarvillea sinensis Lam.

| **植物别名** | 羊角草。

| **药 材 名** | 角蒿透骨草（药用部位：全草。别名：羊角草、羊角蒿、羊羝角棵）。

| **形态特征** | 一年生至多年生草本，具分枝的茎，高达 80 cm；根近木质而分枝。叶互生，不聚生于茎的基部，2 ~ 3 回羽状细裂，形态多变异，长 4 ~ 6 cm，小叶不规则细裂，末回裂片线状披针形，具细齿或全缘。顶生总状花序，疏散，长达 20 cm；花梗长 1 ~ 5 mm；小苞片绿色，线形，长 3 ~ 5 mm；花萼钟状，绿色带紫红色，长和宽均约 5 mm，萼齿钻状，萼齿间折皱 2 浅裂；花冠淡玫瑰色或粉红色，有时带紫色，钟状漏斗形，基部收缩成细筒，长约 4 mm，直径 2.5 mm，花冠裂片圆形；雄蕊 4，二强，着生于花冠筒近基部，花药成对靠合；

花柱淡黄色。蒴果淡绿色，细圆柱形，先端尾状渐尖，长 3.5 ~ 5.5（ ~ 10）cm，直径约 5 mm；种子扁圆形，细小，直径约 2 mm，四周具透明的膜质翅，先端具缺刻。花期 5 ~ 9 月，果期 10 ~ 11 月。

| **生境分布** | 生于海拔 500 ~ 2 500（ ~ 3 850）m 的山坡、田野。分布于河北武安、赞皇、张北等。

| **资源情况** | 野生资源丰富，栽培资源丰富。药材主要来源于栽培。

| **采收加工** | 夏、秋季采收，切段，晒干。

| **药材性状** | 本品全草长 30 ~ 80 cm。茎圆柱形，多分枝，表面淡绿色或淡黄色，略具细棱或纵纹，光滑无毛；质脆，易折断，断面黄白色，髓白色。叶多破碎或脱落。茎上部具总状排列的蒴果，呈羊角状，长 4 ~ 9.8 cm，直径 0.4 ~ 0.6 cm；多开裂，内具中隔。种子扁平，具有膜质的翅。气微，味淡。

| **功能主治** | 苦、辛，寒；有小毒。祛风除湿，杀虫止痒，止痛。用于风湿痹痛，口疮，齿龈溃烂，耳疮，湿疹，疥癣，带下，滴虫性阴道炎。

| **用法用量** | 外用适量，烧存性研末掺；或煎汤洗。

厚萼凌霄 *Campsis radicans* (L.) Seem.

| **植物别名** | 杜凌霄、美国凌霄、北美凌霄。

| **药材名** | 凌霄花（药用部位：花。别名：芰华、紫葳）。

| **形态特征** | 藤本，具气生根，长达 10 m。小叶 9 ~ 11，椭圆形至卵状椭圆形，长 3.5 ~ 6.5 cm，宽 2 ~ 4 cm，先端尾状渐尖，基部楔形，边缘具齿，上面深绿色，下面淡绿色，被毛，至少沿中肋被短柔毛。花萼钟状，长约 2 cm，口部直径约 1 cm，5 浅裂至萼筒的 1/3 处，裂片齿卵状三角形，外向微卷，无凸起的纵肋；花冠筒细长，漏斗状，橙红色至鲜红色，筒部为花萼长的 3 倍，长 6 ~ 9 cm，直径约 4 cm。蒴果长圆柱形，长 8 ~ 12 cm，先端具喙尖，沿缝线具龙骨状突起，宽约 2 mm，具柄，硬壳质。

| **生境分布** | 生于山谷、溪边、疏林下。分布于河北涉县等。 |

| **资源情况** | 野生资源丰富，栽培资源丰富。药材主要来源于栽培。 |

| **采收加工** | 夏、秋季花盛开时采摘，干燥。 |

| **药材性状** | 本品完整者长 6 ~ 7 cm。萼筒长 1.5 ~ 2 cm，硬革质，先端 5 齿裂，裂片短三角状，长约为萼筒的 1/3，萼筒外无明显的纵棱；花冠内表面具明显的深棕色脉纹。 |

| **功能主治** | 甘、酸，寒。归肝、心包经。活血通经，凉血祛风。用于月经不调，经闭癥瘕，产后乳肿，风疹发红，皮肤瘙痒，痤疮。 |

| **用法用量** | 内服煎汤，5 ~ 9 g。 |

| **附 注** | 本种的中文名原味美洲凌霄。本种喜光，也稍耐阴，耐寒力较强，耐干旱，耐水湿；对土壤条件要求不严，能生长在偏碱性土壤中，在土壤含盐量为 0.31% 时也能正常生长。深根性，萌蘖力、萌芽力均较强，适应性强。 |

紫葳科 Bignoniaceae 凌霄属 Campsis

凌霄 *Campsis grandiflora* (Thunb.) Schum.

植物别名	苕华、紫葳、堕胎花。
药 材 名	凌霄花（药用部位：花。别名：芰华、紫葳）。
形态特征	攀缘藤本。茎木质，表皮脱落，枯褐色，以气生根攀附于他物之上。叶对生，为奇数羽状复叶；小叶7~9，卵形至卵状披针形，先端尾状渐尖，基部阔楔形，两侧不等大，侧脉6~7对，两面无毛，边缘有粗锯齿；叶轴长4~13 cm；小叶柄长5~10 mm。顶生疏散的短圆锥花序，花序轴长15~20 cm；花萼钟状，长3 cm，分裂至中部，裂片披针形，长约1.5 cm；花冠内面鲜红色，外面橙黄色，长约5 cm，裂片半圆形；雄蕊着生于花冠筒近基部，花丝线形，细长，长2~2.5 cm，花药黄色，"个"字形着生；花柱线形，长约

3 cm，柱头扁平，2裂。蒴果先端钝。花期5～8月。

| **生境分布** | 攀缘于树上、石壁上。分布于河北昌黎、涉县等。

| **资源情况** | 野生资源丰富，栽培资源丰富。药材主要来源于栽培。

| **采收加工** | 夏、秋季花盛开时采摘，干燥。

| **药材性状** | 本品多皱缩卷曲，黄褐色或棕褐色，完整花朵长4～5 cm。萼筒钟状，长2～2.5 cm，裂片5，裂至中部，萼筒基部至萼齿尖有5纵棱。花冠先端5裂，裂片半圆形，下部联合成漏斗状，表面可见细脉纹，内表面较明显。雄蕊4，着生在花冠上，2长2短，花药"个"字形，花柱1，柱头扁平。气清香，味酸。

| **功能主治** | 甘、酸，寒。归肝、心包经。活血通经，凉血祛风。用于月经不调，经闭癥瘕，产后乳肿，风疹发红，皮肤瘙痒，痤疮。

| **用法用量** | 内服煎汤，5～9 g。

| **附　注** | 本种喜温湿环境，用压条、扦插及分根繁殖。

紫葳科 Bignoniaceae 梓属 Catalpa

楸
Catalpa bungei C. A. Mey

| 植物别名 |

楸树、木王。

| 药 材 名 |

楸叶（药用部位：叶）、楸木果（药用部位：果实）、楸木皮（药用部位：树皮或根皮的韧皮部。别名：楸白皮、楸树白皮）。

| 形态特征 |

小乔木，高 8 ~ 12 m。叶三角状卵形或卵状长圆形，长 6 ~ 15 cm，宽达 8 cm，先端长渐尖，基部截形、阔楔形或心形，有时基部具有 1 ~ 2 牙齿，叶面深绿色，叶背无毛；叶柄长 2 ~ 8 cm。顶生伞房状总状花序，有花 2 ~ 12；花萼蕾时圆球形，2 唇开裂，先端有；2 尖齿；花冠淡红色，内面具有 2 黄色条纹及暗紫色斑点，长 3 ~ 3.5 cm。蒴果线形，长 25 ~ 45 cm，宽约 6 mm；种子狭长椭圆形，长约 1 cm，宽约 2 cm，两端生长毛。花期 5 ~ 6 月，果期 6 ~ 10 月。

| 生境分布 |

生于海拔 200 ~ 3 000 m 的山坡灌丛中。分布于河北阜平、武安等。

| 资源情况 | 野生资源一般，栽培资源丰富。药材主要来源于栽培。

| 采收加工 | 楸叶：春、夏季采摘，鲜用或晒干。
楸木果：秋季采摘，除去果柄，拣净，晒干。
楸木皮：全年均可采收，鲜用或晒干。

| 功能主治 | 楸叶：苦，凉。消肿拔毒，排脓生肌。用于肿疡，发背，痔疮，瘰疬，白秃疮。
楸木果：苦，凉。利尿通淋，清热解毒。用于热淋，石淋，热毒疮疖。
楸木皮：苦，凉。降逆气，解疮毒。用于吐逆，咳嗽，痈肿疮疡，痔瘘。

| 用法用量 | 楸叶：外用适量，捣汁涂；或熬膏涂；或研末撒。
楸木果：内服煎汤，30 ~ 60 g。
楸木皮：内服煎汤，3 ~ 9 g。外用适量，捣敷；或熬膏涂。

| 附　注 | 本种花序无毛，叶背无毛，与灰楸不同（但与滇楸相同）。此外，本种与灰楸的不同之处在于叶三角形，基部间或有 1 ~ 2 牙齿；花序少花，第 2 回枝多简单；分布区域较靠北。

紫葳科 Bignoniaceae 梓属 Catalpa

梓 *Catalpa ovata* G. Don

| 植物别名 | 臭梧桐、黄金树、梓树。

| 药材名 | 梓白皮（药用部位：根皮或树皮的韧皮部。别名：梓皮、梓木白皮）、梓木（药用部位：木材。别名：雷电子）、梓叶（药用部位：叶）、梓实（药用部位：果实）。

| 形态特征 | 乔木，高达15 m。树冠伞形，主干通直，嫩枝具稀疏柔毛。叶对生或近对生，有时轮生，阔卵形，长宽近相等，长约25 cm，先端渐尖，基部心形，全缘或浅波状，常3浅裂，叶片上面及下面均粗糙，微被柔毛或近于无毛，侧脉4～6对，基部掌状脉5～7；叶柄长6～18 cm。顶生圆锥花序；花序梗微被疏毛，长12～28 cm；花萼蕾时圆球形，2唇开裂，长6～8 mm；花冠钟状，淡黄色，内面具2黄色条纹及紫色斑点，长约2.5 cm，直径约2 cm；能育雄蕊2，花丝插生于花冠筒上，花药叉开，退化雄蕊3；子房上位，棒状，花柱丝形，柱头2裂。蒴果线形，下垂，长20～30 cm，直径5～7 mm；种子长椭圆形，长6～8 mm，宽约3 mm，两端具有平展的长毛。

| **生境分布** | 生于海拔（500 ~ ）1 900 ~ 2 500 m 处。分布于河北平泉、沙河、涉县等。多栽培于村庄附近及公路两旁。

| **资源情况** | 野生资源一般，栽培资源丰富。药材主要来源于栽培。

| **采收加工** | 梓白皮：全年均可采收，除去杂质，洗净，润透，切丝，晒干。
梓木：全年均可采收，切薄片，晒干。
梓叶：春、夏季采摘，鲜用或晒干。
梓实：秋、冬季间摘取成熟果实，晒干。

| **药材性状** | 梓白皮：本品呈块片状、卷曲状，大小不等，长 20 ~ 30 cm，直径 2 ~ 3 cm，厚 3 ~ 5 mm。外表面栓皮易脱落，棕褐色，皱缩，有小支根痕；内表面黄白色，平滑细致，具细网状纹理。折断面不平整，纤维性，撕之不易成薄片。气微，味淡。以皮块大、厚实、内面色黄者为佳。
梓木：本品呈不规则块状，主干通直，长短不一、树皮灰褐色，纵向有深裂纹，表面粗糙，质硬。气微，味苦。
梓叶：本品呈片状、卷曲状，大小不等，呈阔卵形，长宽近相等，长约 25 cm，先端渐尖，基部心形，全缘或浅波状，常 3 浅裂，叶片上面及下面均粗糙，微被柔毛或近于无毛。气微，味苦。
梓实：本品呈狭线形，鲜时具强黏性，成熟时渐次消失，长 20 ~ 30 cm，直径 5 ~ 7 mm，微弯转，暗棕色或黑棕色，有细纵皱，并有光泽细点，粗糙而脆，先端常破裂，露出种子，基部有果柄。种子菲薄，淡褐色，长 5 mm，直径 2 ~ 3 mm，上下两端具白色光泽毛茸，长约 1 cm，中央内面有暗色脐点，种皮除去可见子叶 2。气微，味淡。

| **功能主治** | 梓白皮：苦，寒。清热利湿，降逆止吐，杀虫止痒。用于湿热黄疸，胃逆呕吐，疗疮，湿疹，皮肤瘙痒。
梓木：苦，寒。催吐，止痛。用于霍乱不吐不泻，手足痛风。
梓叶：苦，寒。归心、肺经。清热解毒，杀虫止痒。用于小儿发热，疮疖，疥癣。
梓实：甘，平。利水消肿。用于小便不利，浮肿，腹水。

| **用法用量** | 梓白皮：内服煎汤，5 ~ 9 g。
梓木：内服煎汤，5 ~ 9 g。外用适量，煎汤熏蒸。
梓叶：外用适量，煎汤洗；或煎汁涂；或鲜品捣敷。
梓实：内服煎汤，9 ~ 15 g。

| **附 注** | 本种花黄白色，花冠喉部内面具 2 黄色条纹及紫色细斑点；叶阔卵形，先端常 3 裂，上下两面均粗糙，近无毛，易于区别。

爵床科 Acanthaceae 孩儿草属 Rungia

孩儿草
Rungia pectinata (L.) Nees

| 植物别名 | 红鼻王、火炭草。

| 药 材 名 | 孩儿草（药用部位：全草。别名：蓝色草、鱼尾草）。

| 形态特征 | 一年生纤细草本。枝圆柱状，干时黄色，无毛。叶薄纸质，下部的叶长卵形，长可达 6 cm，通常 4 cm 左右，先端钝，基部渐狭或有时近急尖，两面被紧贴疏柔毛；侧脉每边 5，常不甚明显；叶柄长 3 ~ 4 mm 或过之。穗状花序密花，顶生和腋生，长 1 ~ 3 cm；苞片 4 列，仅 2 列有花，有花的苞片近圆形或阔卵形，长约 4 mm，背面被长柔毛，膜质边缘宽约 0.5 mm，被缘毛，无花的苞片长圆状披针形，长约 6.5 mm，先端具硬尖头，一侧或有时两侧均有狭窄的膜

质边缘和缘毛；小苞片稍小；花萼裂片线形，等大，长约 3 mm；花冠淡蓝色或白色，长约 5 mm，除下唇外无毛，上唇先端骤然收狭，下唇裂片近三角形。蒴果长约 3 mm，无毛。花期早春。

| 生境分布 | 生于草地上。分布于河北迁西等。

| 资源情况 | 野生资源丰富。药材主要来源于野生。

| 采收加工 | 夏、秋、冬季采收，洗净，鲜用或晒干。

| 药材性状 | 本品长 20 ～ 40 cm。茎细而稍硬，有分枝，青绿色，直径约 2 mm，表面有纵向纹理，近基部的数节上着生细须根，节稍膨大；质脆，易折断，断面黄白色，髓部针孔状。叶对生，青绿色，完整者展平后呈狭披针形，长 3 ～ 5 cm，宽 1 ～ 2 cm，全缘，具短叶柄。穗状花序短，顶生或腋生，压扁，形似蟑螂，青绿色。蒴果卵形或长圆形，长约 3 mm。每室有种子 2。气微，味淡。

| 功能主治 | 微苦、辛，凉。消积滞，泻肝火，清湿热。用于小儿食积，目赤肿痛，湿热泻痢，肝炎，瘰疬痈肿，毒蛇咬伤。

| 用法用量 | 内服煎汤，9 ～ 15 g。外用适量，鲜品捣敷。

| 附　注 | 《岭南采药录》云本品能"消小儿积食"，故有"孩儿草"之称。

胡麻科 Pedaliaceae 胡麻属 Sesamum

芝麻 *Sesamum indicum* L.

| 植物别名 | 胡麻、脂麻、油麻。

| 药 材 名 | 黑芝麻（药用部位：种子。别名：胡麻、巨胜）。

| 形态特征 | 一年生直立草本。高 60 ~ 150 cm，分枝或不分枝，中空或具有白色髓部，微有毛。叶矩圆形或卵形，长 3 ~ 10 cm，宽 2.5 ~ 4 cm，下部叶常掌状 3 裂，中部叶有齿缺，上部叶近全缘；叶柄长 1 ~ 5 cm。花单生或 2 ~ 3 同生于叶腋内；花萼裂片披针形，长 5 ~ 8 mm，宽 1.6 ~ 3.5 mm，被柔毛；花冠长 2.5 ~ 3 cm，筒状，直径 1 ~ 1.5 cm，长 2 ~ 3.5 cm，白色而常有紫红色或黄色的彩晕；雄蕊 4，内藏；子房上位，4 室（云南西双版纳栽培植物可至 8 室），被柔毛。蒴果矩圆形，长 2 ~ 3 cm，直径 6 ~ 12 mm，有纵棱，直立，被毛，

分裂至中部或至基部；种子有黑、白之分。花期夏末秋初。

| **生境分布** | 分布于河北抚宁、行唐、邱县等。常栽培于排水良好的砂壤土或壤土地区。河北多地有栽培。

| **资源情况** | 野生资源一般，栽培资源丰富。药材主要来源于栽培。

| **采收加工** | 秋季果实成熟时采割植株，晒干，打下种子，除去杂质，再晒干。

| **药材性状** | 本品呈扁卵圆形，长约3 mm，宽约2 mm。表面黑色，平滑或有网状皱纹。尖端有棕色点状种脐。种皮薄，子叶2，白色，富油性。气微，味甘，有油香气。

| **功能主治** | 甘，平。归肝、肾、大肠经。补肝肾，益精血，润肠燥。用于精血亏虚，头晕眼花，耳鸣耳聋，须发早白，病后脱发，肠燥便秘。

| **用法用量** | 内服煎汤，9 ~ 15 g。

| **附　　注** | 本种的种子有黑、白之分，黑者称黑脂麻，白者称白脂麻。其中，黑脂麻为含有脂肪油类之缓和性滋养强壮剂，有滋润营养之功，对于高血压也有疗效。

苦苣苔科 Gesneriaceae 珊瑚苣苔属 Corallodiscus

珊瑚苣苔

Corallodiscus cordatulus (Craib) Burtt

药 材 名

虎耳还魂草（药用部位：全草。别名：还魂草、九倒生、滴滴花）。

形态特征

多年生草本。叶全部基生，莲座状，外层叶具柄；叶片革质，卵形，长圆形，长 2 ~ 4 cm，宽 1 ~ 2.2 cm，先端圆形，基部楔形，边缘具细圆齿，上面平展，有时具不明显的折皱，稀呈泡状，疏被淡褐色长柔毛至近无毛，下面多为紫红色，近无毛，侧脉每边约 4，上面明显，下面隆起，密被锈色绵毛；叶柄长 1.5 ~ 2.5 cm，上面疏被淡褐色长柔毛，下面密被锈色绵毛。聚伞花序 2 ~ 3 次分枝，1 ~ 5 条，每花序具 3 ~ 10 花；花序梗长 5 ~ 14 cm，与花梗疏生淡褐色长柔毛至无毛；苞片不存在；花梗长 4 ~ 10 mm；花萼 5 裂至近基部，裂片长圆形至长圆状披针形，长 2 ~ 2.2 mm，宽约 1 mm，外面疏被柔毛至无毛，内面无毛，具 3 脉；花冠筒状，淡紫色、紫蓝色，长 11 ~ 14 mm，外面无毛，内面下唇一侧具髯毛和斑纹，筒部长约 7 mm，直径 3.5 ~ 5.5 mm，上唇 2 裂，裂片半圆形，长 1.2 ~ 1.4 mm，宽 1.5 ~ 2.5 mm，下唇 3 裂，裂片宽卵形至卵形，长 2.5 ~ 4 mm，宽 2.5 ~ 3 mm；雄蕊 4，上雄蕊长 3 ~ 4 mm，着生于距花冠基部 2.5 mm 处，下雄蕊长 3.5 ~ 5 mm，着生于距花冠基部约 3.5 mm 处，花丝线形，无毛，花药长圆形，长约 0.6 mm，药室汇合，基部极叉开，退化雄蕊长约 1 mm，着生于距花冠基部 2 mm 处；花盘高约 0.5 mm；雌蕊无毛，子房长圆形，长约 2 mm，花柱与子房等长或稍短于子房，柱头头状，微凹。蒴果线形，长约 2 cm。花期 6 月，果期 8 月。

| 生境分布 | 生于海拔 1 000 ~ 2 300 m 的山坡岩石上。分布于河北阜平、武安等。

| 资源情况 | 野生资源一般。药材主要来源于野生。

| 采收加工 | 6 ~ 10 月采收，鲜用或晒干。

| 功能主治 | 淡，平。健脾，化瘀，止血。用于小儿疳积，跌打损伤，刀伤出血。

| 用法用量 | 内服煎汤，3 ~ 9 g；或浸酒。外用适量，捣敷。

| 附 注 | FOC 已将本种修订为西藏珊瑚苣苔 *Corallodiscus lanuginosus* (Wallich ex R. Brown) B. L. Burtt。

苦苣苔科 Gesneriaceae 旋蒴苣苔属 Boea

旋蒴苣苔 _Boea hygrometrica_ (Bunge) R. Br.

| 植物别名 | 猫耳朵、牛耳草、八宝茶。

| 药材名 | 牛耳草（药用部位：全草。别名：翻魂草、石花子）。

| 形态特征 | 多年生草本。叶全部基生，莲座状，无柄，近圆形、圆卵形、卵形，长 1.8 ~ 7 cm，宽 1.2 ~ 5.5 cm，上面被白色贴伏长柔毛，下面被白色或淡褐色贴伏长绒毛，先端圆形，边缘具牙齿或波状浅齿，叶脉不明显。聚伞花序伞状，2 ~ 5，每花序具 2 ~ 5 花，花序梗长 10 ~ 18 cm，被淡褐色短柔毛和腺状柔毛，苞片 2，极小或不明显，花梗长 1 ~ 3 cm，被短柔毛；花萼钟状，5 裂至近基部，裂片稍不等，上唇 2 略小，线状披针形，长 2 ~ 3 mm，宽约 0.8 mm，外面被短柔毛，先端钝，全缘；花冠淡蓝紫色，长 8 ~ 13 mm，直径 6 ~ 10 mm，

外面近无毛，筒长约 5 mm，檐部稍二唇形，上唇 2 裂，裂片相等，长圆形，长约 4 mm，比下唇裂片短而窄，下唇 3 裂，裂片相等，宽卵形或卵形，长 5 ~ 6 mm，宽 6 ~ 7 mm；雄蕊 2，花丝扁平，长约 1 mm，无毛，着生于距花冠基部 3 mm 处，花药卵圆形，长约 2.5 mm，先端连着，药室 2，先端汇合，退化雄蕊 3，极小；无花盘；雌蕊长约 8 mm，不伸出花冠外，子房卵状长圆形，长约 4.5 mm，直径约 1.2 mm，被短柔毛，花柱长约 3.5 mm，无毛，柱头 1，头状。蒴果长圆形，长 3 ~ 3.5 cm，直径 1.5 ~ 2 mm，外面被短柔毛，螺旋状卷曲；种子卵圆形，长约 0.6 mm。花期 7 ~ 8 月，果期 9 月。

| 生境分布 | 生于海拔 200 ~ 1 320 m 的山坡路旁、岩石上。分布于河北磁县、抚宁、井陉等。

| 资源情况 | 野生资源丰富，栽培资源一般。药材主要来源于栽培。

| 采收加工 | 全年均可采收，鲜用或晒干。

| 功能主治 | 苦，平。归肺经。散瘀止血，清热解毒，化痰止咳。用于吐血，便血，外伤出血，跌打损伤，聤耳，咳嗽痰多。

| 用法用量 | 内服煎汤，9 ~ 15 g；或研末冲服，每次 3 g；或浸酒。外用适量，研末撒；或鲜品捣敷。

列当科 Orobanchaceae 列当属 Orobanche

黄花列当

Orobanche pycnostachya Hance

| 植物别名 | 独根草。

| 药材名 | 列当（药用部位：全草。别名：草苁蓉、花苁蓉）。

| 形态特征 | 二年生或多年生草本，株高 10 ~ 40（~ 50）cm，全株密被腺毛。茎不分枝，直立，基部稍膨大。叶卵状披针形或披针形，干后黄褐色，长 1 ~ 2.5 cm，宽 4 ~ 8 mm，连同苞片、花萼裂片和花冠裂片外面及边缘密被腺毛。花序穗状，圆柱形，长 8 ~ 20 cm，先端锥状，具多数花；苞片卵状披针形，长 1.6 ~ 4.8 cm，宽 4 ~ 6 mm，先端尾状渐尖或长尾状渐尖；花萼长 1.2 ~ 1.5 cm，2 深裂至基部，每裂片又再 2 裂，小裂片狭披针形或近线形，不等长，长 4 ~ 6 mm；花冠黄色，长 2 ~ 3 cm，筒中部稍弯曲，在花丝着生处稍上方缢缩，

向上稍增大，上唇 2 浅裂，偶见先端微凹，下唇长于上唇，3 裂，中裂片常较大，全部裂片近圆形，边缘波状或具不规则的小圆齿状牙齿；雄蕊 4，花丝着生于距筒基部 5 ~ 7 mm 处，长 1.2 ~ 1.4 cm，基部稍膨大并疏被腺毛，向上渐变无毛，花药长卵形，缝线被长柔毛；子房长圆状椭圆形，花柱稍粗壮，长约 1.5 cm，疏被腺毛，柱头 2 浅裂。蒴果长圆形，干后深褐色，长约 1 cm，直径 3 ~ 4 cm；种子多数，干后黑褐色，长圆形，长 0.35 ~ 0.38 mm，直径 0.27 mm，表面具网状纹饰，网眼底部具蜂巢状凹点。花期 4 ~ 6 月，果期 6 ~ 8 月。

| 生境分布 | 生于海拔 250 ~ 2 500 m 的沙丘、山坡及草原上。分布于河北滦平、涉县、涿鹿等。

| 资源情况 | 野生资源丰富。药材主要来源于野生。

| 采收加工 | 春、夏季采收，洗去泥沙、杂质，晒至七八成干，扎成小把，再晒至全干。

| 药材性状 | 本品被短腺毛。茎肥壮，肉质，表面黄褐色或暗褐色，具纵皱纹。鳞片互生，卵状披针形，先端尖，黄褐色皱缩，稍卷曲。花序顶生，长 7 ~ 10 cm，黄褐色，花冠筒状，黄色，略弯曲，稍长。蒴果卵状椭圆形，长 1 cm。气微，味微苦。

| 功能主治 | 甘，温。归肾、肝、大肠经。补肾壮阳，强筋骨，润肠。用于肾虚阳痿，遗精，宫冷不孕，小儿佝偻病，腰膝冷痛，筋骨软弱，肠燥便秘；外用于小儿肠炎。

| 用法用量 | 内服煎汤，3 ~ 9 g；或浸酒。外用适量，煎汤洗。

列当科 Orobanchaceae 列当属 Orobanche

列当

Orobanche coerulescens Steph.

| 植物别名 |

兔子拐棍、独根草。

| 药 材 名 |

列当（药用部位：全草。别名：栗当、草苁蓉、花苁蓉）。

| 形态特征 |

二年生或多年生寄生草本，株高（10～）15～40（～50）cm，全株密被蛛丝状长绵毛。茎直立，不分枝，具明显的条纹，基部常稍膨大。叶干后黄褐色，生于茎下部的较密集，上部的渐变稀疏，卵状披针形，长 1.5～2 cm，宽 5～7 mm，连同苞片和花萼外面及边缘密被蛛丝状长绵毛。花多数，排列成穗状花序，长 10～20 cm，先端钝圆或呈锥状；苞片与叶同形并近等大，先端尾状渐尖；花萼长 1.2～1.5 cm，2 深裂达近基部，每裂片中部以上再 2 浅裂，小裂片狭披针形，长 3～5 mm，先端长尾状渐尖；花冠深蓝色、蓝紫色或淡紫色，长 2～2.5 cm，筒部在花丝着生处稍上方缢缩，口部稍扩大，上唇 2 浅裂，极少先端微凹，下唇 3 裂，裂片近圆形或长圆形，中间的较大，先端钝圆，边缘具不规则小圆齿；

雄蕊 4，花丝着生于筒中部，长 1 ～ 1.2 cm，基部略增粗，常被长柔毛，花药卵
形，长约 2 mm，无毛；雌蕊长 1.5 ～ 1.7 cm，子房椭圆体状或圆柱状，花柱与
花丝近等长，常无毛，柱头常 2 浅裂。蒴果卵状长圆形或圆柱形，干后深褐色，
长约 1 cm，直径 0.4 cm；种子多数，干后黑褐色，不规则椭圆形或长卵形，
长约 0.3 mm，直径 0.15 mm，表面具网状纹饰，网眼底部具蜂巢状凹点。花期
4 ～ 7 月，果期 7 ～ 9 月。

| 生境分布 | 生于海拔 850 ～ 4 000 m 的沙丘、山坡及沟边草地上。分布于河北行唐、怀安、宽城等。

| 资源情况 | 野生资源丰富，栽培资源一般。药材主要来源于栽培。

| 采收加工 | 5 ～ 7 月采收，晒至七八成干，扎成小把，再晒至全干。

| 药材性状 | 本品被白色柔毛。茎肥壮，肉质，表面黄褐色或暗褐色，具纵皱纹。鳞片互生，卵状披针形，先端尖，黄褐色皱缩，稍卷曲。花序顶生，长 7 ～ 10 cm，黄褐色，花冠筒状，蓝紫色或淡紫色，略弯曲。蒴果卵状椭圆形，长 1 cm。气微，味微苦。

| 功能主治 | 甘，温。归肾、肝、大肠经。补肾助阳，强筋骨，润肠。用于肾虚阳痿，遗精，宫冷不孕，小儿佝偻病，腰膝冷痛，筋骨软弱，肠燥便秘；外用于小儿肠炎。

| 用法用量 | 内服煎汤，3 ～ 9 g；或浸酒。外用适量，煎汤洗。

| 附　注 | 黄花列当 *Orobanche pycnostachya* Hance 与本种形态相似，二者的主要区别在于黄花列当的花黄色，全株密生腺毛，穗状花序较短。分布于东北及河北、山东等地。黄花列当与列当同等入药。西藏列当 *Orobanche clarkei* Hook. f. 的鳞片状叶基部密集，向上渐疏散，肉质，黄色，花冠蓝紫色。西藏列当在西藏地区作列当入药。

透骨草科 Phrymaceae 透骨草属 Phryma

透骨草

Phryma leptostachya subsp. *asiatica* (Hara) Kitamura

| **植物别名** | 药曲草。

| **药 材 名** | 透骨草（药用部位：全草）。

| **形态特征** | 多年生草本，高（10～）30～80（～100）cm。茎直立，四棱形，绿色或淡紫色，不分枝或于上部有带花序的分枝，分枝叉开，遍布倒生短柔毛或于茎上部有开展的短柔毛，少数近无毛。叶对生；叶片卵状长圆形、卵状披针形、卵状椭圆形至卵状三角形或宽卵形，草质，先端渐尖、尾状急尖或急尖，稀近圆形，基部楔形、圆形或截形，中、下部叶基部常下延，边缘有 3～5 至多数钝锯齿、圆齿或圆齿状牙齿，两面散生但沿脉被较密的短柔毛，长（1～）3～11（～16）cm，宽（1～）2～8 cm；侧脉每侧 4～6；叶柄被短柔毛，

有时上部叶柄极短或无柄，长 0.5 ~ 4 cm。穗状花序生茎顶及侧枝先端，被微柔毛或短柔毛；花序梗长 3 ~ 20 cm；花序轴纤细，长（5 ~）10 ~ 30 cm；苞片钻形至线形，长 1 ~ 2.5 mm；小苞片 2，生于花梗基部，与苞片同形但较小，长 0.5 ~ 2 mm；花多数，疏离，出自苞腋，在序轴上对生或于下部互生，具短梗，于蕾期直立，开放时斜展至平展，花后反折；花萼筒状，外面常有微柔毛，内面无毛，有 5 纵棱，萼齿直立，花期萼筒长 2.5 ~ 3.2 mm，上方萼齿 3，钻形，长 1.2 ~ 2.3 mm，先端多少钩状，下方萼齿 2，三角形，长约 0.3 mm；花冠漏斗状筒形，长 6.5 ~ 7.5 mm，蓝紫色、淡红色至白色，外面无毛，内面于筒部远轴面被短柔毛，筒部长 4 ~ 4.5 mm，口部直径约 1.5 mm，基部上方直径约 0.7 mm，檐部二唇形，上唇直立，长 1.3 ~ 2 mm，先端 2 浅裂，下唇平伸，长 2.5 ~ 3 mm，3 浅裂，中央裂片较大；雄蕊 4，着生于花冠筒内面基部上方 2.5 ~ 3 mm 处，无毛，花丝狭线形，长 1.5 ~ 1.8 mm，远轴 2 枚较长，花药肾状圆形，长 0.3 ~ 0.4 mm，宽约 0.5 mm；雌蕊无毛，子房斜长圆状披针形，长 1.9 ~ 2.2 mm；花柱细长，长 3 ~ 3.5 mm，柱头二唇形，下唇较长，长圆形。瘦果狭椭圆形，包藏于棒状宿存花萼内，反折并贴近花序轴，萼筒长 4.5 ~ 6 mm，上方 3 萼齿，长 1.2 ~ 2.3 mm；种子 1，基生，种皮薄膜质，与果皮合生。花期 6 ~ 10 月，果期 8 ~ 12 月。

| 生境分布 | 生于海拔 380 ~ 2 800 m 的阴湿山谷或林下。分布于河北青龙、昌黎、武安等。

| 资源情况 | 野生资源丰富。药材主要来源于野生。

| 采收加工 | 全年均可采收，除去杂质，干燥。

| 功能主治 | 甘、辛，温。归肺、肝经。祛风除湿，舒筋活血，散瘀消肿，解毒止痛。用于风湿痹痛，筋骨挛缩，寒湿脚气，腰部扭伤，瘫痪，闭经，阴囊湿疹，疮疖肿毒。

| 用法用量 | 内服煎汤，9 ~ 15 g。外用适量，煎汤洗；或捣敷。

| 附　　注 | 民间用本种的全草入药，用于感冒、跌打损伤，外用于毒疮、湿疹、疥疮。

车前科 Plantaginaceae 车前属 Plantago

大车前 *Plantago major* L.

植物别名

钱贯草。

药材名

大车前草（药用部位：全草）。

形态特征

二年生或多年生草本。须根多数。根茎粗短。叶基生，呈莲座状，平卧、斜展或直立；叶片草质、薄纸质或纸质，宽卵形至宽椭圆形，长 3 ~ 18（~ 30）cm，宽 2 ~ 11（~ 21）cm，先端钝尖或急尖，边缘波状、疏生不规则牙齿或近全缘，两面疏生短柔毛或近无毛，少数被较密的柔毛，脉（3 ~）5 ~ 7；叶柄长（1 ~）3 ~ 10（~ 26）cm，基部鞘状，常被毛。花序 1 至数个；花序梗直立或弓曲上升，长（2 ~）5 ~ 18（~ 45）cm，有纵条纹，被短柔毛或柔毛；穗状花序细圆柱状，（1 ~）3 ~ 20（~ 40）cm，基部常间断；苞片宽卵状三角形，长 1.2 ~ 2 mm，宽与长约相等或略超过，无毛或先端疏生短毛，龙骨突宽厚；花无梗；花萼长 1.5 ~ 2.5 mm，萼片先端圆形，无毛或疏生短缘毛，边缘膜质，龙骨突不达先端，前对萼片椭圆形至宽椭圆形，后对萼片宽椭圆形至近圆形；花冠白色，无毛，花冠筒等长或略长于萼片，裂片披针形至狭卵形，长 1 ~ 1.5 mm，于花后反折；雄蕊着生于花冠筒内面近基部，与花柱明显外伸，花药椭圆形，长 1 ~ 1.2 mm，通常初为淡紫色、稀白色，干后变淡褐色；胚珠 12 ~ 40 余。蒴果近球形、卵球形或宽椭圆球形，长 2 ~ 3 mm，于中部或稍低处周裂。种子（8 ~ ）12 ~ 24（ ~ 34），卵形、椭圆形或菱形，长 0.8 ~ 1.2 mm，具角，腹面隆起或近平坦，黄褐色；子叶背腹向排列。花期 6 ~ 8 月，果期 7 ~ 9 月。

| **生境分布** | 生于海拔 5 ~ 2 800 m 的草地、草甸、河滩、沟边、沼泽地、山坡路旁、田边或荒地。分布于河北昌黎、阜平、怀安等。

| **资源情况** | 野生资源丰富。药材主要来源于野生。

| **采收加工** | 夏季采挖，除去泥沙，洗净，阴干或晒干。

| **药材性状** | 本品为干燥皱缩的全草。根茎粗短，根丛生，须根。叶片皱缩，展平后呈宽卵形至宽椭圆形，长 5 ~ 22 cm，宽 3 ~ 14 cm；表面灰绿色或墨绿色，具明显弧形脉 5 ~ 7；先端钝尖或急尖，基部钝圆或宽楔形，全缘或有不规则波状浅齿，两面疏生短柔毛或近无毛；叶柄基部常扩大成鞘状。穗状花序数条，上端穗状花序长 5 ~ 40 cm，细圆柱状。蒴果近球形至宽椭圆形，中部或稍低处周裂。气微香，味微苦。

| **功能主治** | 甘、涩，凉。止泻，愈伤。用于腹泻。

| **用法用量** | 内服煎汤，3 ~ 6 g。

| **附　注** | 本种是一个多型种，曾被划分为许多种下等级，甚至不同的种。由于上述类群间存在大量的过渡式样，故本书将其作为一个广义种进行处理。

车前科 Plantaginaceae 车前属 Plantago

平车前 *Plantago depressa* Willd.

| 植物别名 | 车串串、小车前。

| 药 材 名 | 车前草（药用部位：全草。别名：当道、牛舌草）、车前子（药用部位：种子。别名：车前实、虾眼衣子）。

| 形态特征 | 一年生或二年生草本。直根长，具多数侧根，多少肉质。根茎短。叶基生呈莲座状，平卧、斜展或直立；叶片纸质，椭圆形、椭圆状披针形或卵状披针形，长 3 ～ 12 cm，先端急尖或微钝，边缘具浅波状钝齿、不规则锯齿或牙齿，基部宽楔形至狭楔形，下延至叶柄，脉 5 ～ 7，上面略凹陷，于背面明显隆起，两面疏生白色短柔毛；叶柄长 2 ～ 6 cm，基部扩大成鞘状。花序 3 ～ 10 余；花序梗长 5 ～ 18 cm，有纵条纹，疏生白色短柔毛；穗状花序细圆柱状，

上部密集，基部常间断，长 6 ～ 12 cm；苞片三角状卵形，长 2 ～ 3.5 mm，内凹，无毛，龙骨突宽厚，宽于 2 侧片，不延至或延至先端；花萼长 2 ～ 2.5 mm，无毛，龙骨突宽厚，不延至先端，前对萼片狭倒卵状椭圆形至宽椭圆形，后对萼片倒卵状椭圆形至宽椭圆形；花冠白色，无毛，花冠筒等长或略长于萼片，裂片极小，椭圆形或卵形，长 0.5 ～ 1 mm，于花后反折；雄蕊着生于花冠筒内面近先端，同花柱明显外伸，花药卵状椭圆形或宽椭圆形，长 0.6 ～ 1.1 mm，先端具宽三角状小突起，新鲜时白色或绿白色，干后变淡褐色；胚珠 5。蒴果卵状椭圆形至圆锥状卵形，长 4 ～ 5 mm，于基部上方周裂；种子 4 ～ 5，椭圆形，腹面平坦，长 1.2 ～ 1.8 mm，黄褐色至黑色；子叶背腹向排列。花期 5 ～ 7 月，果期 7 ～ 9 月。

| **生境分布** | 生于海拔 5 ～ 4 500 m 的草地、河滩、沟边、草甸、田间及路旁。分布于河北内丘、迁安、迁西等。

| 资源情况 | 野生资源丰富。药材主要来源于野生。

| 采收加工 | **车前草：**夏季采挖，除去泥沙，晒干。

车前子：夏、秋季种子成熟时采收果穗，晒干，搓出种子，除去杂质。

| 药材性状 | **车前草：**本品根丛生，须状。叶基生，具长柄；叶片皱缩，展平后呈卵状椭圆形或宽卵形，长6～12 cm，宽2.5～8 cm；表面灰绿色或污绿色，具明显弧形脉5～7；先端钝或短尖，基部宽楔形，全缘或有不规则波状浅齿。穗状花序数条，花茎长。蒴果盖裂，萼宿存。气微香，味微苦。

车前子：本品呈椭圆形、不规则长圆形或三角状长圆形，略扁，长约2 mm，宽约1 mm。表面黄棕色至黑褐色，有细皱纹，一面有灰白色凹点状种脐。质硬。气微，味淡。

| 功能主治 | **车前草：**甘，寒。清热利尿通淋，祛痰，凉血，解毒。用于热淋涩痛，水肿尿少，暑湿泄泻，痰热咳嗽，吐血衄血，痈肿疮毒。

车前子：苦，凉。清热利尿通淋，渗湿止泻，明目，祛痰。用于热淋涩痛，水肿胀满，暑湿泄泻，目赤肿痛，痰热咳嗽。

| 用法用量 | **车前草：**内服煎汤，9～30 g。

车前子：内服煎汤，9～15 g，包煎。

| 附　注 | 苞片增大成叶状的畸形现象，在车前属 *Plantago major* L.、*Plantago lanceolata* L.、*Plantago maritima* L.、*Plantago asiatica* L. 和 *Plantago depressa* Willd. 等种中已有多次报道。*Plantago depressa* Willd. var. *magnibracteata* T. Tanaka et T. K. Zheng 和 *Plantago huadianica* S. H. Li et T. K. Zheng 具有类似变异，其余特征与 *Plantago depressa* Willd. 无异，故作后者的异名处理，但畸形特征不在这些种的描述中。

忍冬科 Caprifoliaceae 荚蒾属 Viburnum

鸡树条

Viburnum opulus subsp. *calvescens* (Rehder) Sugimoto

| 植物别名 | 山竹子、天目琼花。

| 药 材 名 | 鸡树条（药用部位：枝、叶。别名：鸡树条子、山竹子）、鸡树条果（药用部位：果实。别名：荚蒾果）。

| 形态特征 | 树皮质厚而多少呈木栓质。小枝、叶柄和总花梗均无毛。叶下面仅脉腋集聚簇状毛或有时脉上亦有少数长伏毛。花药紫红色。

| 生境分布 | 生于海拔 1 000 ~ 1 650 m 的溪谷边疏林下或灌丛中。分布于河北平泉、迁安、蔚县等。

| 资源情况 | 野生资源丰富。药材主要来源于野生。

| 采收加工 | 鸡树条：夏、秋季采收嫩枝叶，鲜用，或切段，晒干。
鸡树条果：秋季采摘，鲜用或晒干。

| 功能主治 | 鸡树条：甘、苦，平。通经活络，解毒止痒。用于腰腿疼痛，闪腰岔气，皮肤瘙痒。

鸡树条果：甘、苦，平。止咳。用于咳嗽。

| 用法用量 | 鸡树条：内服煎汤，9 ~ 15 g，鲜品加倍；或研末。外用适量，捣敷；或煎汤洗。
鸡树条果：内服煎汤，6 ~ 15 g，鲜品 15 ~ 30 g；或捣汁。

忍冬科 Caprifoliaceae 荚蒾属 Viburnum

欧洲荚蒾 Viburnum opulus L.

| **植物别名** | 欧洲绣球。

| **药 材 名** | 鸡树条（药用部位：枝、叶。别名：鸡树条子、山竹子）、鸡树条
果（药用部位：果实。别名：荚蒾果）。

| **形态特征** | 落叶灌木，高达 1.5 ~ 4 m。当年生小枝有棱，无毛，有明显凸起
的皮孔，二年生小枝带色或红褐色，近圆柱形，老枝和茎干暗灰色，
树皮质薄而非木栓质，常纵裂。冬芽卵圆形，有柄，有 1 对合生的
外鳞片，无毛，内鳞片膜质，基部合生成筒状。叶圆卵形至广卵形
或倒卵形，长 6 ~ 12 cm，通常 3 裂，具掌状 3 出脉，基部圆形、
截形或浅心形，无毛，裂片先端渐尖，边缘具不整齐粗牙齿，侧裂
片略向外开展；位于小枝上部的叶常较狭长，椭圆形至矩圆状披针

形而不分裂，边缘疏生波状牙齿，或浅 3 裂而裂片全缘或近全缘，侧裂片短，中裂片伸长；叶柄粗壮，长 1 ~ 2 cm，无毛，有 2 ~ 4 至多枚明显的长盘形腺体，基部有 2 钻形托叶。复伞形聚伞花序直径 5 ~ 10 cm，大多周围有大型的不孕花，总花梗粗壮，长 2 ~ 5 cm，无毛，第 1 级辐射枝 6 ~ 8，通常 7，花生于第 2 至第 3 级辐射枝上，花梗极短；萼筒倒圆锥形，长约 1 mm，萼齿三角形，均无毛；花冠白色，辐状，裂片近圆形，长约 1 mm，大小稍不等，筒与裂片几等长，内被长柔毛；雄蕊长至少为花冠的 1.5 倍，花药黄白色，长不到 1 mm，花柱不存，柱头 2 裂；不孕花白色，直径 1.3 ~ 2.5 cm，有长梗，裂片宽倒卵形，顶圆形，不等形。果实红色，近圆形，直径 8 ~ 10（~ 12）mm；核扁，近圆形，直径 7 ~ 9 mm，灰白色，稍粗糙，无纵沟。花期 5 ~ 6 月，果期 9 ~ 10 月。

| **生境分布** | 生于海拔 1 000 ~ 1 600 m 的河谷云杉林下。分布于河北赤城等。

| **资源情况** | 野生资源一般。药材主要来源于野生。

| **采收加工** | 鸡树条：夏、秋季采收嫩枝叶，鲜用，或切段，晒干。

鸡树条果：秋季采摘，鲜用或晒干。

| **功能主治** | 鸡树条：甘、苦，平。通经活络，解毒止痒。用于腰腿疼痛，闪腰岔气，皮肤瘙痒。

鸡树条果：甘、苦，平。止咳。用于咳嗽。

| **用法用量** | 鸡树条：内服煎汤，9 ~ 15 g，鲜品加倍；或研末。外用适量，捣敷；或煎汤洗。

鸡树条果：内服煎汤，6 ~ 15 g，鲜品 15 ~ 30 g；或捣汁。

忍冬科 Caprifoliaceae 荚蒾属 Viburnum

陕西荚蒾
Viburnum schensianum Maxim.

| 植物别名 | 土栾条、冬栾条。

| 药 材 名 | 陕西荚蒾（药用部位：根、枝、叶）。

| 形态特征 | 落叶灌木，高可达 3 m。幼枝、叶下面、叶柄及花序均被由黄白色
簇状毛组成的绒毛；芽常被带锈褐色簇状毛；二年生小枝四角状，
灰褐色，老枝圆筒形，散生圆形小皮孔。叶纸质，卵状椭圆形、宽
卵形或近圆形，长 3 ~ 6 cm，先端钝或圆形，有时微凹或稍尖，基
部圆形，边缘有较密的小尖齿，初时上面疏被叉状或簇状短毛，侧
脉 5 ~ 7 对，近缘处互相网结或部分直伸至齿端，连同中脉上面凹
陷，下面凸起，小脉两面稍凸起；叶柄长 7 ~ 10 mm。聚伞花序直
径 6 ~ 7 cm，结果时可达 9 cm，总花梗长 1 ~ 1.5 cm 或很短，第

1 级辐射枝 5 条，长 1 ~ 2 cm，中间者最短，花大部生于第 3 级分枝上；萼筒圆筒形，长 3.5 ~ 4 mm，宽约 1.5 mm，无毛，萼齿卵形，长约 1 mm，顶钝；花冠白色，辐状，直径约 6 mm，无毛，筒部长约 1 mm，裂片圆卵形，长约 2 mm；雄蕊与花冠等长或略较长，花药圆形，直径约 1 mm。果实红色而后变黑色，椭圆形，长约 8 mm；核卵圆形，长 6 ~ 8 mm，直径 4 ~ 5 mm，背部龟背状凸起而无沟或有 2 不明显的沟，腹部有 3 沟。花期 5 ~ 7 月，果期 8 ~ 9 月。

| 生境分布 | 生于海拔 700 ~ 2 200 m 的山谷混交林和松林下或山坡灌丛中。分布于河北邢台及磁县、平山等。

| 资源情况 | 野生资源丰富。药材主要来源于野生。

| 采收加工 | 夏、秋季采集，晒干或鲜用。

| 功能主治 | 涩脉止血，清热解毒，生肌愈疮。

| 用法用量 | 内服煎汤，25 ~ 50 g。

| 附　注 | 本种的果核背部隆起，在组内颇为凸出。它的叶形颇似绣球荚蒾 *Viburnum macrocephalum* Fort.、琼花 *Viburnum macrocephalum* Fort. f. *keteleeri* (Carr.) Rehd. 及聚花荚蒾 *Viburnum glomeratum* Maxim.；本种与前两者的区别在于本种花序无大型的不孕花，果核无背沟；本种与后者的区别在于本种萼筒无毛，叶的侧脉于近叶缘前互相网结或仅部分伸至齿端。

忍冬科 Caprifoliaceae 接骨木属 Sambucus

接骨木 *Sambucus williamsii* Hance

| 植物别名 | 续骨草、九节风、木蒴藋。

| 药 材 名 | 接骨木（药用部位：茎枝。别名：木蒴藋、续骨木）。

| 形态特征 | 落叶灌木或小乔木，高 5 ~ 6 m。老枝淡红褐色，具明显的长椭圆形皮孔，髓部淡褐色。羽状复叶有小叶 2 ~ 3 对，有时仅 1 对或多达 5 对，侧生小叶片卵圆形、狭椭圆形至倒矩圆状披针形，长 5 ~ 15 cm，宽 1.2 ~ 7 cm，先端尖、渐尖至尾尖，边缘具不整齐锯齿，有时基部或中部以下具 1 至数枚腺齿，基部楔形或圆形，有时心形，两侧不对称，最下 1 对小叶有时具长 0.5 cm 的柄，顶生小叶卵形或倒卵形，先端渐尖或尾尖，基部楔形，具长约 2 cm 的柄，初时小叶上面及中脉被稀疏短柔毛，后光滑无毛，叶搓揉后有臭气；托叶

狭带形，或退化成带蓝色的突起。花与叶同出，圆锥形聚伞花序顶生，长 5 ～ 11 cm，宽 4 ～ 14 cm，具总花梗，花序分枝多成直角开展，有时被稀疏短柔毛，随即光滑无毛；花小而密；萼筒杯状，长约 1 mm，萼齿三角状披针形，稍短于萼筒；花冠蕾时带粉红色，开后白色或淡黄色，筒短，裂片矩圆形或长卵圆形，长约 2 mm；雄蕊与花冠裂片等长，开展，花丝基部稍肥大，花药黄色；子房 3 室，花柱短，柱头 3 裂。果实红色，极少蓝色、紫色、黑色，卵圆形或近圆形，直径 3 ～ 5 mm；分核 2 ～ 3，卵圆形至椭圆形，长 2.5 ～ 3.5 cm，略有皱纹。花期一般 4 ～ 5 月，果期 9 ～ 10 月。

| **生境分布** | 生于海拔 540 ～ 1 600 m 的山坡、灌丛、沟边、路旁、宅边等。分布于河北赤城、丰宁、阜平等。

| **资源情况** | 野生资源丰富。药材主要来源于野生。

| **采收加工** | 全年均可采收，晒干或鲜用。

| **药材性状** | 本品茎呈圆柱形，长短不等，直径 5 ～ 12 mm。表面绿褐色，有纵条纹及棕黑色点状突起的皮孔，有的皮孔呈纵长椭圆形，长约 1 cm，皮部剥离后呈浅绿色至浅黄棕色。体轻，质硬。加工后的药材为斜向横切片，呈长椭圆形，厚约 3 mm，切面皮部褐色，木部浅黄白色至浅黄褐色，有环状年轮和细密放射状的白色纹理，髓部疏松，海绵状。体轻气无，味微苦。

| **功能主治** | 甘、苦，平。归肝、肾经。接骨续筋，祛风通络，消肿止痛。用于骨折，跌打损伤，风湿痹痛，腰痛，肾病水肿，皮肤瘙痒。

| **用法用量** | 内服煎汤，10 ～ 20 g。外用适量，捣敷；或煎汤熏洗；或研末撒；或熬膏涂。

忍冬科 Caprifoliaceae 锦带花属 Weigela

锦带花 *Weigela florida* (Bunge) A. DC.

| 植物别名 |

锦带、海仙。

| 药 材 名 |

锦带花花（药用部位：花）。

| 形态特征 |

落叶灌木，高达 1 ~ 3 m。幼枝稍四方形，有 2 列短柔毛；树皮灰色。芽先端尖，具 3 ~ 4 对鳞片，常光滑。叶矩圆形、椭圆形至倒卵状椭圆形，长 5 ~ 10 cm，先端渐尖，基部阔楔形至圆形，边缘有锯齿，上面疏生短柔毛，脉上毛较密，下面密生短柔毛或绒毛，具短柄至无柄。花单生或成聚伞花序生于侧生短枝的叶腋或枝顶；萼筒长圆柱形，疏被柔毛，萼齿长约 1 cm，不等，深达萼檐中部；花冠紫红色或玫瑰红色，长 3 ~ 4 cm，直径 2 cm，外面疏生短柔毛，裂片不整齐，开展，内面浅红色；花丝短于花冠，花药黄色；子房上部的腺体黄绿色，花柱细长，柱头 2 裂。果实长 1.5 ~ 2.5 cm，顶有短柄状喙，疏生柔毛；种子无翅。花期 4 ~ 6 月。

| 生境分布 | 生于海拔 100 ~ 1 450 m 的杂木林下或山顶灌丛中。分布于河北迁安、迁西、兴隆等。

| 资源情况 | 野生资源一般，栽培资源丰富。药材主要来源于栽培。

| 采收加工 | 春末夏初，于晨露干后采摘含苞待放的花蕾或刚开的花朵，及时晒干或低温干燥。

| 功能主治 | 清热解毒，活血止痛。用于感冒发热，头疼咽干，喉痹，痈肿疔疮，丹毒。

| 用法用量 | 内服煎汤，6 ~ 15 g。

| 附　　注 | 据《东北木本植物图志》记载，我国东北及朝鲜分布有早锦带花 *Weigela praecox* (Lemoine) Bailey。本种与早锦带花外形极相似，很易混淆，其主要区别在于本种叶下面主脉上密生白色毡毛。

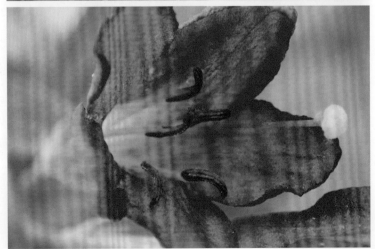

六道木 *Zabelia biflora* (Turcz.) Makino

| **植物别名** | 六条木。

| **药 材 名** | 交翅木（药用部位：果实）。

| **形态特征** | 落叶灌木，高 1 ~ 3 m。幼枝被倒生硬毛，老枝无毛。叶矩圆形至矩圆状披针形，长 2 ~ 6 cm，宽 0.5 ~ 2 cm，先端尖至渐尖，基部钝至渐狭成楔形，全缘或中部以上羽状浅裂而具 1 ~ 4 对粗齿，上面深绿色，下面绿白色，两面疏被柔毛，脉上密被长柔毛，边缘有睫毛；叶柄长 2 ~ 4 mm，基部膨大且成对相连，被硬毛。花单生于小枝上叶腋，无总花梗；花梗长 5 ~ 10 mm，被硬毛；小苞片三齿状，齿 1 长 2 短，花后不落；萼筒圆柱形，疏生短硬毛，萼齿 4，狭椭圆形或倒卵状矩圆形，长约 1 cm；花冠白色、淡黄色或带浅红

色，狭漏斗形或高脚碟形，外面被短柔毛，杂有倒向硬毛，4 裂，裂片圆形，筒为裂片长的 3 倍，内密生硬毛；雄蕊 4，二强，着生于花冠筒中部，内藏，花药长卵圆形；子房 3 室，仅 1 室发育，花柱长约 1 cm，柱头头状。果实具硬毛，冠以 4 宿存而略增大的萼裂片；种子圆柱形，长 4 ~ 6 mm，具肉质胚乳。早春开花，8 ~ 9 月结果。

| **生境分布** | 生于海拔 1 000 ~ 2 000 m 的山坡灌丛、林下及沟边。分布于河北阜平、涞源、灵寿等。

| **资源情况** | 野生资源一般。药材主要来源于野生。

| **采收加工** | 秋季采收，鲜用或晒干。

| **功能主治** | 微苦、涩，平。祛风除湿，解毒消肿。用于风湿痹痛，热毒痈疮。

| **用法用量** | 内服煎汤，10 ~ 30 g。外用适量，捣敷。

北京忍冬 *Lonicera elisae* Franch.

| 植物别名 | 破皮袄、四月红、狗骨头。

| 药 材 名 | 北京忍冬（药用部位：花）。

| 形态特征 | 落叶灌木，高达 3 m。幼枝无毛或连同叶柄和总花梗均被短糙毛、刚毛和腺毛；二年生小枝常有深色小瘤状突起。冬芽近卵圆形，有数对亮褐色、圆卵形外鳞片。叶纸质，卵状椭圆形至卵状披针形或椭圆状矩圆形，长（3 ~）5 ~ 9（~ 12.5）cm，先端尖或渐尖；两面被短硬伏毛，下面被较密的绢丝状长糙伏毛和短糙毛；叶柄长 3 ~ 7 mm。花与叶同时开放，总花梗出自二年生小枝先端苞腋，长 0.5 ~ 2.8 cm；苞片宽卵形至卵状披针形或披针形，长（5 ~）7 ~ 10 mm，下面被小刚毛；相邻 2 萼筒分离，有腺毛和刚毛或几

无毛，萼檐长 1 ～ 2 mm，有不整齐钝齿，其中 1 较长，有硬毛及腺缘毛或无毛；花冠白色或带粉红色，长漏斗状，长（1.3 ～）1.5 ～ 2 cm，外被糙毛或无毛，筒细长，基部有浅囊，裂片稍不整齐，卵形或卵状矩圆形，长约为筒的 1/3；雄蕊不高出花冠裂片；花柱稍伸出，无毛。果实红色，椭圆形，长 10 mm，疏被腺毛和刚毛或无毛；种子淡黄褐色，稍扁，矩圆形或卵圆形，长 3.5 ～ 4 mm，平滑。花期 4 ～ 5 月，果期 5 ～ 6 月。

| 生境分布 | 生于海拔 500 ～ 1 600 m 的沟谷或山坡丛林或灌丛中。分布于河北阜平、滦平、武安等。

| 资源情况 | 野生资源丰富。药材主要来源于野生。

| 采收加工 | 春末夏初，于晨露干后采摘含苞待放的花蕾或刚开的花朵，及时晒干或低温干燥。

| 功能主治 | 甘，寒。归肺、心、胃经。清热解毒。用于温病发热，热毒血痢，痈疽疔毒等。

| 用法用量 | 内服煎汤，6 ～ 15 g。

| 附　注 | *Lonicera infundibulum* Franch. 的叶较狭，多呈长卵形、卵状矩圆形或卵状披针形，质地稍厚，总花梗较长；而本种的叶较宽而呈卵状椭圆形至椭圆状矩圆形，总花梗较短。由于二者区别的界限并不分明，再加上它们在地理分布上的连续性，故笔者认为把 *Lonicera infundibulum* Franch. 归并于本种而作为异名可能是合适的。

忍冬科 Caprifoliaceae 忍冬属 Lonicera

刚毛忍冬

Lonicera hispida Pall. ex Roem. et Schult.

| 植物别名 | 刺毛忍冬、异萼忍冬。

| 药 材 名 | 刚毛忍冬（药用部位：花）。

| 形态特征 | 落叶灌木，高达 2（~ 3）m。幼枝常带紫红色，连同叶柄和总花梗
均具刚毛或兼具微糙毛和腺毛，很少无毛，老枝灰色或灰褐色。冬
芽长达 1.5 cm，有 1 对具纵槽的外鳞片，外面有微糙毛或无毛。叶
厚纸质，形状、大小和毛被变化很大，椭圆形、卵状椭圆形、卵状
矩圆形至矩圆形，有时条状矩圆形，长（2 ~ ）3 ~ 7（~ 8.5）cm，
先端尖或稍钝，基部有时微心形，近无毛或下面脉上有少数刚伏
毛或两面均有疏或密的刚伏毛和短糙毛，边缘有刚睫毛。总花梗长
（0.5 ~ ）1 ~ 1.5（~ 2）cm；苞片宽卵形，长 1.2 ~ 3 cm，有时

带紫红色，毛被与叶片同；相邻两萼筒分离，常具刚毛和腺毛，稀无毛，萼檐波状；花冠白色或淡黄色，漏斗状，近整齐，长（1.5 ～）2.5 ～ 3 cm，外面有短糙毛或刚毛或几无毛，有时夹有腺毛，筒基部具囊，裂片直立，短于筒；雄蕊与花冠等长；花柱伸出，至少下半部有糙毛。果实先黄色后变红色，卵圆形至长圆筒形，长 1 ～ 1.5 cm；种子淡褐色，矩圆形，稍扁，长 4 ～ 4.5 mm。花期 5 ～ 6 月，果期 7 ～ 9 月。

| 生境分布 | 生于海拔 1 700 ～ 4 200 m 的山坡林中、林缘灌丛中或高山草地上。分布于河北涿鹿等。

| 资源情况 | 野生资源丰富。药材主要来源于野生。

| 采收加工 | 春末夏初，于晨露干后采摘含苞待放的花蕾或刚开的花朵，及时晒干或低温干燥。

| 功能主治 | 甘，寒。归肺、心、胃经。清热解毒。用于温病发热，热毒血痢，痈疽疔毒等。

| 用法用量 | 内服煎汤，6 ～ 15 g。

忍冬科 Caprifoliaceae 忍冬属 Lonicera

华北忍冬

Lonicera tatarinowii Maxim.

| **植物别名** | 藏花忍冬。

| **药 材 名** | 华北忍冬（药用部位：花）。

| **形态特征** | 落叶灌木，高达 2 m。幼枝、叶柄和总花梗均无毛。冬芽有 7 ~ 8 对宿存、顶尖的外鳞片。叶矩圆状披针形或矩圆形，长 3 ~ 7 cm，先端尖至渐尖，基部阔楔形至圆形，上面无毛，下面除中脉外有灰白色细绒毛，后毛变稀或秃净；叶柄长 2 ~ 5 mm。总花梗纤细，长 1 ~ 2（~ 2.5）cm；苞片三角状披针形，长约为萼筒之半，无毛；杯状小苞长为萼筒的 1/5 ~ 1/3，有缘毛；相邻 2 萼筒合生至中部以上，很少完全分离，长约 2 cm，无毛，萼齿三角状披针形，不等形，比萼筒短；花冠黑紫色，唇形，长约 1 cm，外面无毛，筒长为唇瓣

的 1/2，基部一侧稍肿大，内面有柔毛，上唇两侧裂深达全长的 1/2，中裂较短，下唇舌状；雄蕊生于花冠喉部，约与唇瓣等长，花丝无毛或仅基部有柔毛；子房 2 ~ 3 室，花柱有短毛。果实红色，近圆形，直径 5 ~ 6 mm；种子褐色，矩圆形或近圆形，长 3.5 ~ 4.5 mm，表面颗粒状而粗糙。花期 5 ~ 6 月，果熟期 8 ~ 9 月。

| 生境分布 | 生于海拔 400 ~ 1 750 m 的山坡杂木林或灌丛中。分布于河北隆化等。

| 资源情况 | 野生资源丰富。药材主要来源于野生。

| 采收加工 | 春末夏初，于晨露干后采摘含苞待放的花蕾或刚开的花朵，及时晒干或低温干燥。

| 功能主治 | 甘，寒。归肺、心、胃经。清热解毒。用于温病发热，热毒血痢，痈疽疔毒等。

| 用法用量 | 内服煎汤，6 ~ 15 g。

| 附　　注 | 库页忍冬 *Lonicera sachalinensis* (Fr. Schmidt) Nakai 与本种的形态相似，二者的区别在于前者叶下面初时被微柔毛而后变秃净。

忍冬科 Caprifoliaceae 忍冬属 Lonicera

金花忍冬

Lonicera chrysantha Turcz.

| **植物别名** | 黄花忍冬。

| **药 材 名** | 黄花忍冬（药用部位：花）。

| **形态特征** | 落叶灌木，高达 4 m。幼枝、叶柄和总花梗常被开展的直糙毛、微糙毛和腺。冬芽卵状披针形，鳞片 5 ~ 6 对，外面疏生柔毛，有白色长睫毛。叶纸质，菱状卵形、菱状披针形、倒卵形或卵状披针形，长 4 ~ 8（~ 12）cm，先端渐尖或急尾尖，基部楔形至圆形，两面脉上被直或稍弯的糙伏毛，中脉毛较密，有直缘毛；叶柄长 4 ~ 7 mm。总花梗细，长 1.5 ~ 3（~ 4）cm；苞片条形或狭条状披针形，长 2.5（~ 8）mm，常高出萼筒；小苞片分离，卵状矩圆形、宽卵形、倒卵形至近圆形，长约 1 mm，为萼筒的 1/3 ~ 2/3；相邻

2萼筒分离，长2～2.5 mm，常无毛而具腺，萼齿圆卵形、半圆形或卵形，先端圆或钝；花冠先白色后变黄色，长（0.8～）1～1.5（～2）cm，外面疏生短糙毛，唇形，唇瓣比花冠筒长2～3倍，筒内有短柔毛，基部有1深囊或有时囊不明显；雄蕊和花柱短于花冠，花丝中部以下有密毛，药隔上半部有短柔伏毛；花柱全被短柔毛。果实红色，圆形，直径约5 mm。花期5～6月，果期7～9月。

| 生境分布 | 生于海拔250～2 000 m的沟谷、林下或林缘灌丛中。分布于河北隆化、武安、涿鹿等。

| 资源情况 | 野生资源一般。药材主要来源于野生。

| 采收加工 | 5～6月间，在晴天清晨露水刚干时摘取花蕾，鲜用，晾晒或阴干。

| 药材性状 | 本品花蕾呈棒状，下端较细，长0.7～1.2 cm，上部直径2～3 mm，浅黄色，毛极少。花萼筒绿色。

| 功能主治 | 苦，凉。清热解毒，散痈消肿。用于疔疮痈肿。

| 用法用量 | 内服煎汤，6～12 g；或鲜品捣汁。外用适量，捣敷。

忍冬科 Caprifoliaceae 忍冬属 Lonicera

金银忍冬

Lonicera maackii (Rupr.) Maxim.

植物别名

金银木、王八骨头。

药材名

金银忍冬叶（药用部位：叶。别名：木金腾、树金银）。

形态特征

落叶灌木，高达 6 m，茎干直径达 10 cm。凡幼枝、叶两面脉上、叶柄、苞片、小苞片及萼檐外面都被短柔毛和微腺毛。冬芽小，卵圆形，有 5 ~ 6 对或更多鳞片。叶纸质，形状变化较大，通常卵状椭圆形至卵状披针形，稀矩圆状披针形或倒卵状矩圆形，更少菱状矩圆形或圆卵形，长 5 ~ 8 cm，先端渐尖或长渐尖，基部宽楔形至圆形；叶柄长 2 ~ 5（~ 8）mm。花芳香，生于幼枝叶腋，总花梗长 1 ~ 2 mm，短于叶柄；苞片条形，有时条状倒披针形而呈叶状，长 3 ~ 6 mm；小苞片多少连合成对，长为萼筒的 1/2 至几相等，先端截形；相邻 2 萼筒分离，长约 2 mm，无毛或疏生微腺毛，萼檐钟状，为萼筒长的 2/3 至相等，干膜质，萼齿宽三角形或披针形，不相等，顶尖，裂隙约达萼檐之半；花冠先白色后变黄色，长

（1～）2 cm，外被短伏毛或无毛，唇形，筒长约为唇瓣的 1/2，内被柔毛；雄蕊与花柱长约达花冠的 2/3，花丝中部以下和花柱均有向上的柔毛。果实暗红色，圆形，直径 5～6 mm；种子具蜂窝状微小浅凹点。花期 5～6 月，果期 8～10 月。

| 生境分布 | 生于海拔 1 800 m 以下的林中或林缘溪流附近的灌丛中。分布于河北井陉、滦平、平泉等。

| 资源情况 | 野生资源一般，栽培资源丰富。药材主要来源于野生和栽培。

| 采收加工 | 7～9 月采摘，晾干。

| 药材性状 | 本品多破碎，叶片完整者呈卵状椭圆形至卵状披针形，长 5～8 cm，宽 2.5～4 cm，先端长渐尖，基部阔楔形，全缘，沿脉有疏短毛；叶柄 3～5 mm，有腺毛及柔毛。

| 功能主治 | 辛、苦。归肺、脾经。镇咳，消炎，祛痰，平喘。用于急、慢性支气管炎，感冒咳嗽。

| 用法用量 | 内服煎汤，15～25 g。

忍冬科 Caprifoliaceae 忍冬属 Lonicera

小叶忍冬

Lonicera microphylla Willd. ex Roem. et Schult.

| 植物别名 | 瘤基忍冬。

| 药 材 名 | 小叶忍冬（药用部位：花）。

| 形态特征 | 落叶灌木，高达 2（~ 3）m；幼枝无毛或疏被短柔毛，老枝灰黑色。叶纸质，倒卵形、倒卵状椭圆形至椭圆形或矩圆形，有时倒披针形，长 5 ~ 22 mm，先端钝或稍尖，有时圆形至截形而具小凸尖，基部楔形，具短柔毛状缘毛，两面被密或疏的微柔伏毛或有时近无毛，下面常带灰白色，下半部脉腋常有趾蹼状鳞腺；叶柄很短。总花梗成对生于幼枝下部叶腋，长 5 ~ 12 mm，稍弯曲或下垂；苞片钻形，长略超过萼檐或达萼筒的 2 倍；相邻 2 萼筒几全部合生，无毛，萼檐浅短，环状或浅波状，齿不明显；花冠黄色或白色，长 7 ~ 10

（～ 14）mm，外面疏生短糙毛或无毛，唇形，唇瓣长约等于基部一侧具囊的花冠筒，上唇裂片直立，矩圆形，下唇反曲；雄蕊着生于唇瓣基部，与花柱均稍伸出，花丝有极疏短糙毛，花柱有密或疏的糙毛。果实红色或橙黄色，圆形，直径 5 ～ 6 mm；种子淡黄褐色，光滑，矩圆形或卵状椭圆形，长 2.5 ～ 3 mm。花期 5 ～ 6（～ 7）月，果熟期 7 ～ 8（～ 9）月。

| 生境分布 | 生于干旱多石山坡、草地或灌丛中及河谷疏林下或林缘。分布于河北阜平、武安等。

| 资源情况 | 野生资源丰富。药材主要来源于野生。

| 采收加工 | 春末夏初，于晨露干后采摘含苞待放的花蕾或刚开的花朵，及时晒干或低温干燥。

| 功能主治 | 甘，寒。归肺、心、胃经。清热解毒。用于温病发热，热毒血痢，痈疽疔毒等。

| 用法用量 | 内服煎汤，6 ～ 15 g。

| 附　注 | 本种可凭其花冠唇形、叶下面带灰白色、两面被肉眼不易察觉的微柔毛等特征，与同亚组的其他种区别开来。毛药忍冬 *Lonicera serreana* Hand.-Mazz. 的叶形与本种相似，但较大，小枝常有短柔毛，叶下面被弯曲短柔毛和缘毛，苞片卵状披针形，小苞片明显，萼檐明显杯状，具有短柔毛和缘毛，花冠非唇形，易与本种相区别。

败酱科 Valerianaceae 败酱属 Patrinia

败酱
Patrinia scabiosifolia Fisch. ex Trevir

| 植物别名 |

苦菜、马草。

| 药材名 |

败酱草（药用部位：全草。别名：豆豉草）。

| 形态特征 |

多年生草本，高 30 ~ 100（~ 200）cm。根茎横卧或斜生，节处生多数细根。茎直立，黄绿色至黄棕色，有时带淡紫色，下部常被脱落性倒生白色粗毛或几无毛，上部常近无毛或被倒生稍弯糙毛，或疏被 2 列纵向短糙毛。基生叶丛生，花时枯落，卵形、椭圆形或椭圆状披针形，长（1.8 ~）3 ~ 10.5 cm，宽 1.2 ~ 3 cm，不分裂或羽状分裂，或全裂，先端钝或尖，基部楔形，边缘具粗锯齿，上面暗绿色，背面淡绿色，两面被糙伏毛或几无毛，具缘毛；叶柄长 3 ~ 12 cm；茎生叶对生，宽卵形至披针形，长 5 ~ 15 cm，常羽状深裂或全裂具 2 ~ 3（~ 5）对侧裂片，顶生裂片卵形、椭圆形或椭圆状披针形，先端渐尖，具粗锯齿，两面密被或疏被白色糙毛，或几无毛，上部叶渐变窄小，无柄。花序为聚伞花序组成的大型伞房花序，顶生，具 5 ~ 6（7）级分枝；花序梗上方一侧被

开展白色粗糙毛；总苞线形，甚小；苞片小；花小，萼齿不明显；花冠钟形，黄色，花冠筒长 1.5 mm，上部宽 1.5 mm，基部一侧囊肿不明显，内具白色长柔毛，花冠裂片卵形，长 1.5 mm，宽 1 ~ 1.3 mm；雄蕊 4，稍超出或几不超出花冠，花丝不等长，近蜜囊的 2 花丝长 3.5 mm，下部被柔毛，另 2 花丝长 2.7 mm，无毛，花药长圆形，长约 1 mm；子房椭圆状长圆形，长约 1.5 mm，花柱长 2.5 mm，柱头呈盾状或截头状，直径 0.5 ~ 0.6 mm。瘦果长圆形，长 3 ~ 4 mm，具 3 棱，2 不育子室中央稍隆起成上粗下细的棒槌状，能育子室略扁平，向两侧延展成窄边状，内含 1 椭圆形、扁平种子。花期 7 ~ 9 月。

| **生境分布** | 生于海拔（50 ~）400 ~ 2 100（~ 2 600）m 的山坡林下、林缘和灌丛中以及路边、田埂边的草丛中。分布于河北迁安、迁西、青龙等。

| **资源情况** | 野生资源丰富。药材主要来源于野生。

| **采收加工** | 夏季花开前采收，晒至半干，扎成束，阴干。

| **药材性状** | 本品长 30 ~ 120 cm。根茎呈圆柱形，多向一侧弯曲，直径 3 ~ 15 mm；表面暗棕色到紫棕色，有节；节间长至 2 cm，节上有细根。茎圆柱形，直径 2 ~ 10 mm；表面黄绿色至黄棕色；节明显，稍膨大，常有倒粗毛；质脆，断面髓部呈海绵状或空洞。叶对生，叶片薄，多卷缩或破碎，完整者展平后呈羽状深裂至全裂；有 3 ~ 11 裂片，先端裂片较大，长椭圆形或卵形；两侧裂片狭椭圆形至条形，边缘有粗锯齿；上表面深绿色或黄棕色，下表面色较浅，两面疏生白毛；叶柄短或近无柄，基部略抱茎；茎上部叶较小，常不裂或 3 裂，裂片狭长。有的枝端带有花序。气特异，味微苦。

| **功能主治** | 辛、苦，微寒。归胃、大肠、肝经。清热解毒，祛瘀排脓。用于肠痈，下痢，肠炎，赤白带下，赤眼，障膜，胬肉，产后腹痛，痈肿，疔疮。

| **用法用量** | 内服煎汤，9 ~ 15 g。

| **附　注** | 本种的瘦果不具增大膜质苞片和花序梗仅上方一侧被开展白色粗糙毛等特征，极易与同属的其他种区别开来。由于本种叶的形状和大小、毛被的有无以及茎的粗细变化很大，因此 Bunge、Komarov 等人曾发表的种和变种，均不能成立。

败酱科 Valerianaceae 败酱属 Patrinia

糙叶败酱 *Patrinia scabra* Bunge

药材名

墓头回（药用部位：根）。

形态特征

多年生草本，高 20 ~ 60（~ 100）cm。根茎稍斜升，长达 10 cm 以上。茎多数丛生，连同花序梗被短糙毛。基生叶开花时常枯萎脱落，叶片倒卵长圆形、长圆形、卵形或倒卵形，长 2 ~ 6（~ 7）cm，宽 1 ~ 2（~ 2.5）cm，羽状浅裂、深裂至全裂或不分裂而有缺刻状钝齿，裂片条形、长圆状披针形或披针形，顶生裂片常具缺刻状钝齿或浅裂至深裂，柄长 2 ~ 4 cm 或几无柄；茎生叶长圆形或椭圆形，长 3 ~ 7 cm，羽状深裂至全裂，通常具 3 ~ 6 对侧生裂片、裂片条形、长圆状披针形或条状披针形，常疏具缺刻状钝齿或全缘，顶生裂片与侧生裂片同形或较宽大，常全裂成 3 条形裂片或羽状分裂，叶柄短，上部叶无柄，叶较坚挺。花密生，顶生伞房状聚伞花序具 3 ~ 7 级对生分枝，花序宽（2.5 ~）4 ~ 15（~ 20）cm，最下分枝处总苞叶羽状全裂，具 3 ~ 5 对较窄的条形裂片，上部分枝总苞叶较小，长条形或窄条形或具 1 ~ 2 对侧生条形或窄条形裂片；萼齿 5，截形、波状或卵圆形，长 0.1 ~ 0.2 mm；花冠黄色，漏斗状钟形，较大，直径达 5 ~ 6.5 mm，长 6.5 ~ 7.5 mm，花冠筒长 1.8 ~ 2 mm，上部宽 1.5 ~ 2 mm，下部宽 0.6 ~ 0.8 mm，基部一侧有浅的囊肿，花冠裂片长圆形、卵状椭圆形、卵状长圆形、卵形或卵圆形，长 1.2 ~ 2 mm，宽 1 ~ 1.5 mm；花药长圆形，长 0.7 ~ 0.8 mm，近蜜囊 2 花丝长 3 ~ 4 mm，下部有柔毛，另 2 花丝稍短，长 2.6 ~ 3.5 mm，无毛；花柱长 2.2 ~ 3.3 mm，柱头盾头状，子房圆柱状，长 0.5 ~ 1.3 mm，能育子室下面及上面边缘被微糙毛或几无毛，不育子室上端有微糙毛或无毛，小苞片长 1 ~ 1.6 mm，倒卵状长圆形、长圆形或卵状长圆形。瘦果倒卵圆柱状，长 2.4 ~ 2.6 mm，宽 1.5 ~ 1.8 mm，果柄长 0.5 ~ 1 mm，与下面的增大干膜质苞片贴生；果苞长圆形、卵形、卵状长圆形或倒卵状长圆形、倒卵圆形或倒卵形，先端有时浅 3 裂或微 3 裂，较宽大，长达 8 mm，宽 6 ~ 8 mm，网脉常具 2 主脉，极少为 3 主脉。花期 7 ~ 9 月，果期 8 月至 9 月中旬（稀至 10 月上旬）。

| 生境分布 | 生于海拔（250 ~）500 ~ 1 700（~ 2 340）m 的草原带、森林草原带的石质丘陵坡地石缝或较干燥的阳坡草丛中。分布于河北井陉、灵寿、平泉等。

| 资源情况 | 野生资源丰富。药材主要来源于野生。

| 采收加工 | 秋季采挖，除去残茎及泥土，干燥。

| 药材性状 | 本品呈不规则的圆柱形，常弯曲，少有分枝，长 6 ~ 15 cm，直径 0.4 ~ 5 cm。表面灰褐色或黑褐色，根头部粗大，有的部分表面粗糙，皱缩，栓皮易剥落后呈棕黄色。折断面纤维性，具放射状裂隙。体轻，质松。具特异臭气，味微苦。

| 功能主治 | 辛、苦，微寒。归心、肝、小肠经。清热解毒，燥湿止带，祛瘀止痛，收敛止血。用于赤白带下，崩漏，泄泻痢疾，黄疸，疟疾，肠痈，疮疡肿毒，跌打损伤等。

| 用法用量 | 内服煎汤，6 ~ 15 g。外用适量，煎汤洗。

| 附　　注 | 本种与岩败酱 *Patrinia rupestris* (Pall.) Juss. 的主要区别在于本种叶较坚挺，花冠较大，直径达 5 ~ 6.5 mm，长 6.5 ~ 7.5 mm；果苞较宽大，长达 8 mm，宽 6 ~ 8 mm，网脉常具 2 主脉，极少为 3 主脉。

败酱科 Valerianaceae 败酱属 Patrinia

墓头回

Patrinia heterophylla Bunge

| 植物别名 |

异叶败酱、追风箭、摆子草。

| 药 材 名 |

墓头回（药用部位：根。别名：地花菜、墓头灰）。

| 形态特征 |

多年生草本，高（15 ~）30 ~ 80（~100）cm。根茎较长，横走。茎直立，被倒生微糙伏毛。基生叶丛生，长 3 ~ 8 cm，具长柄，叶片边缘圆齿状或具糙齿状缺刻，不分裂或羽状分裂至全裂，具 1 ~ 4（~5）对侧裂片，裂片卵形至线状披针形，顶生裂片常较大，卵形至卵状披针形；茎生叶对生，茎下部叶常 2 ~ 3（~6）对羽状全裂，顶生裂片较侧裂片稍大或近等大，卵形或宽卵形，罕线状披针形，长 7（~9）cm，宽 5（~6）cm，先端渐尖或长渐尖，中部叶常具 1 ~ 2 对侧裂片，顶生裂片最大，卵形、卵状披针形或近菱形，具圆齿，疏被短糙毛，叶柄长 1 cm，上部叶较窄，近无柄。花黄色，组成顶生伞房状聚伞花序，被短糙毛或微糙毛；总花梗下苞叶常具 1 或 2 对（较少为 3 ~ 4 对）线形裂片，分枝下者不裂，线形，常与花序近等长或稍长；萼齿 5，明显或不明显，圆波状、卵形或卵状三角形至卵状长圆形，长 0.1 ~ 0.3 mm；花冠钟形，花冠筒长 1.8 ~ 2（~ 2.4）mm，上部宽 1.5 ~ 2 mm，基部一侧具浅囊肿，裂片 5，卵形或卵状椭圆形，长 0.8 ~ 1.8 mm，宽 1.6 mm；雄蕊 4，伸出，花丝 2 长 2 短，近蜜囊者长 3 ~ 3.6 mm，余者长 1.9 ~ 3 mm，花药长圆形，长 1.2 mm；子房倒卵形或长圆形，长 0.7 ~ 0.8 mm，花柱稍弯曲，长 2.3 ~ 2.7 mm，柱头盾状或截头状。瘦果长圆形或倒卵形，先端平截，不育子室上面疏被微糙毛，能育子室下面及上缘被微糙毛或几无毛；翅状果苞干膜质，倒卵形、倒卵状长圆形或倒卵状椭圆形，稀椭圆形，先端钝圆，有时极浅 3 裂，或仅一侧有 1 浅裂，长 5.5 ~ 6.2 mm，宽 4.5 ~ 5.5 mm，网状脉常具 2 主脉，较少为 3 主脉。花期 7 ~ 9 月，果期 8 ~ 10 月。

| **生境分布** | 生于海拔（300 ~）800 ~ 2 100（~ 2 600）m 的山地岩缝、草丛、路边、砂质坡或土坡上。分布于河北昌黎、涞源、涿鹿等。

| **资源情况** | 野生资源一般。药材主要来源于野生。

| **采收加工** | 秋季采挖，除去地上部分、须根及泥土，晒干。

| **药材性状** | 本品根呈类圆柱形或长圆锥状，常弯曲或扭曲，长 5 ~ 12 cm，直径 0.5 ~ 2 mm，外表棕褐色或黄褐色，粗糙，不平坦，具不规则粗槽沟及疙瘩状支根痕，先端常具根茎或茎残基。根茎长 2 ~ 3 cm，直径 0.5 ~ 1 cm，外表色泽、特征，与根所见相似，唯有时可见环状皱缩，先端并可见到茎的残基，断面具髓部。体轻，质松，外皮易剥落，断面木部黄色，略呈纤维状；老根的木质部束可片状剥离。具特异臭气，味稍苦。

| **功能主治** | 苦，凉。清热，收涩，止血。用于崩漏，赤白带下。

| **用法用量** | 内服煎汤，9 ~ 15 g。外用适量，捣敷。

| **附　注** | 岩败酱 *Patrinia rupestris* (Pall.) Juss. 与本种的茎生叶均羽状全裂，但本种花序最下分枝处的总苞叶常仅具 1（~ 2）对侧裂片，果苞网脉常具 2 主脉，而岩败酱的叶裂片常为较窄的条状披针形或条形，花序最下分枝处的总苞叶常具 3 ~ 4 对裂片，果苞网脉具 3 主脉，通过上述特征，二者容易相区别。

败酱科 Valerianaceae 败酱属 Patrinia

岩败酱

Patrinia rupestris (Pall.) Juss.

| **药 材 名** | 岩败酱（药用部位：全草）。

| **形态特征** | 多年生草本，高 20 ~ 60（~ 100）cm。根茎稍斜升，长达 10 cm
以上。茎多数丛生，连同花序梗被短糙毛。基生叶开花时常枯萎脱
落，叶片倒卵长圆形、长圆形、卵形或倒卵形，长 2 ~ 6（~ 7）cm，
宽 1 ~ 2（~ 2.5）cm，羽状浅裂、深裂至全裂或不分裂而有缺刻
状钝齿，裂片条形、长圆状披针形或披针形，顶生裂片常具缺刻状
钝齿或浅裂至深裂，柄长 2 ~ 4 cm 或几无柄；茎生叶长圆形或椭
圆形，长 3 ~ 7 cm，羽状深裂至全裂，通常具 3 ~ 6 对侧生裂片，
裂片条形、长圆状披针形或条状披针形，常疏具缺刻状钝齿或全缘，
顶生裂片与侧生裂片同形或较宽大，常全裂成 3 条形裂片或羽状分

裂，叶柄短，上部叶无柄。花密生，顶生伞房状聚伞花序具 3 ~ 7 级对生分枝，花序宽（2.5 ~ ）4 ~ 15（ ~ 20）cm，最下分枝处总苞叶羽状全裂，具 3 ~ 5 对较窄的条形裂片，上部分枝总苞叶较小，长条形或窄条形或具 1 ~ 2 对侧生条形或窄条形裂片；萼齿 5，截形、波状或卵圆形，长 0.1 ~ 0.2 mm；花冠黄色，漏斗状钟形，长（2.5 ~ ）3 ~ 4 mm，盛开时直径 3 ~ 5（ ~ 5.5）mm，花冠筒长 1.8 ~ 2 mm，上部宽 1.5 ~ 2 mm，下部宽 0.6 ~ 0.8 mm，基部一侧有浅的囊肿，花冠裂片长圆形、卵状椭圆形、卵状长圆形、卵形或卵圆形，长 1.2 ~ 2 mm，宽 1 ~ 1.5 mm；花药长圆形，长 0.7 ~ 0.8 mm，近蜜囊 2 花丝长 3 ~ 4 mm，下部有柔毛，另 2 花丝稍短，长 2.6 ~ 3.5 mm，无毛；花柱长 2.2 ~ 3.3 mm，柱头呈盾头状，子房圆柱状，长 0.5 ~ 1.3 mm，能育子室下面及上面边缘被微糙毛或几无毛，不育子室上端有微糙毛或无毛，小苞片长 1 ~ 1.6 mm，倒卵状长圆形、长圆形或卵状长圆形。瘦果倒卵圆柱状，长 2.4 ~ 2.6 mm，宽 1.5 ~ 1.8 mm，果柄长 0.5 ~ 1 mm，与下面的增大干膜质苞片贴生；果苞长圆形、卵形、卵状长圆形或倒卵状长圆形、倒卵圆形或倒卵形，先端有时浅 3 裂或微 3 裂，长 3.5 ~ 5.1 mm，宽 3.5 ~ 3.6 mm，网脉常具 3 主脉。花期 7 ~ 9 月，果期 8 月至 9 月中旬（稀至 10 月上旬）。

| 生境分布 | 生于海拔 400 ~ 1 800 m 的砾质地，或光线充足、较干燥的山坡草地上。分布于河北赤城、怀安、灵寿等。

| 资源情况 | 野生资源一般。药材主要来源于野生。

| 采收加工 | 夏季采收，切割，晒干。

| 药材性状 | 本品长 20 ~ 40 cm，茎 2 至多数丛生，稀单一。叶羽状深裂至全裂，无毛，裂片 4 ~ 9，线状披针形，全缘或有疏齿。伞状花序排成顶生的伞房花序；花黄色。蒴果具膜质圆翅。

| 功能主治 | 辛、苦，寒。清热解毒，活血，排脓。用于痢疾，泄泻，黄疸，肠痈。

| 用法用量 | 内服煎汤，9 ~ 15 g。

| 附　注 | 中败酱 *Patrinia intermedia* (Horn.) Roem. et Schult. 与本种的形态极为相似，但前者根茎先端常分枝，全株叶片的顶生裂片与侧生裂片同形，叶裂片条形，可以以此相区别。

败酱科 Valerianaceae 缬草属 Valeriana

缬草
Valeriana officinalis L.

| **植物别名** | 拔地麻、香草。

| **药 材 名** | 缬草（药用部位：根及根茎。别名：鹿子草、甘松）。

| **形态特征** | 多年生高大草本，高可达 100 ~ 150 cm。根茎粗短呈头状，须根簇
生。茎中空，有纵棱，被粗毛，尤以节部为多，老时毛少。匍枝叶、
基生叶和基部叶在花期常凋萎；茎生叶卵形至宽卵形，羽状深裂，
裂片 7 ~ 11，中央裂片与两侧裂片近同形同大小，但有时与第 1 对
侧裂片合生成 3 裂状，裂片披针形或条形，先端渐窄，基部下延，
全缘或有疏锯齿，两面及柄轴多少被毛。花序顶生，呈伞房状三出
聚伞圆锥花序；小苞片中央纸质，两侧膜质，长椭圆状长圆形、倒
披针形或线状披针形，先端芒状突尖，边缘多少有粗缘毛；花冠淡

紫红色或白色，长 4 ~ 5 mm，花冠裂片椭圆形，雌雄蕊约与花冠等长。瘦果长卵形，长 4 ~ 5 mm，基部近平截，光秃或两面被毛。花期 5 ~ 7 月，果期 6 ~ 10 月。

| 生境分布 | 生于海拔 2 500 m 以下的山坡草地、林下、沟边。分布于河北张北等。

| 资源情况 | 野生资源一般，栽培资源丰富。药材主要来源于栽培。

| 采收加工 | 夏、秋季采挖，除去茎叶及泥土，晒干。

| 药材性状 | 本品根茎呈类圆锥形，长 2 ~ 5 cm，直径 1 ~ 3 cm；表面黄棕色或暗棕色，上端常留有茎基和叶痕，四周密生多数细长不定根。根长达 20 cm，直径约 2 mm；外表面黄棕色至灰棕色，有纵皱纹及细支根。质硬，易折断，断面黄白色，角质。气香特异，味先甜后稍苦、辣。

| 功能主治 | 辛、苦，温。归心、肝经。镇静安神，理气止痛。用于心神不安，失眠，癔病，癫痫，胃腹胀痛，腰腿痛，跌打损伤，月经不调。

| 用法用量 | 内服煎汤，3 ~ 6 g。外用适量，研末或浸酒后使用。

| 附　　注 | 本种分布极广，形态变异极大，变异的性状包括匍匐枝有或无，植株大小和被毛状况，叶片大小、叶裂片的对数、形状和大小，叶缘的齿形，花序的大小，果实的大小和被毛等。这些性状的变异是造成本种具有大量异名的原因。然而，上述变异均属渐变，并未找到相对稳定的相关性状来作为确定种和变种的依据。事实上，民间在本种以"拔地麻""媳妇菜"等名称作药用时，实际包含了多种形态的个体。因此，除宽叶变种外，本书未细分为更多的种或变种。

半边莲 *Lobelia chinensis* Lour.

植物别名

急解索、细米草、瓜仁草。

药 材 名

半边莲（药用部位：全草。别名：急解索、蛇利草、细米草）。

形态特征

多年生草本。茎细弱，匍匐，节上生根，分枝直立，高 6 ~ 15 cm，无毛。叶互生，无柄或近无柄，椭圆状披针形至条形，先端急尖，基部圆形至阔楔形，全缘或顶部有明显的锯齿，无毛。花通常 1，生分枝的上部叶腋；花梗细，长 1.2 ~ 2.5（~ 3.5）cm，基部有长约 1 mm 的小苞片 1 或 2，或者没有，小苞片无毛；花萼筒倒长锥状，基部渐细而与花梗无明显区分，长 3 ~ 5 mm，无毛，裂片披针形，约与萼筒等长，全缘或下部有 1 对小齿；花冠粉红色或白色，长 10 ~ 15 mm，背面裂至基部，喉部以下生白色柔毛，裂片全部平展于下方成一个平面，2 侧裂片披针形，较长，中间 3 裂片椭圆状披针形，较短；雄蕊长约 8 mm，花丝中部以上联合，花丝筒无毛，未联合部分的花丝侧面生柔毛，花药管长约 2 mm，背部无毛或疏生柔毛。蒴果倒锥状，长约 6 mm；种子椭圆状，稍扁压，近肉色。花果期 5 ～ 10 月。

| 生境分布 | 生于水田边、沟边及潮湿草地上。分布于河北涉县等。

| 资源情况 | 野生资源丰富。药材主要来源于野生。

| 采收加工 | 夏季采收，除去泥沙，洗净，晒干。

| 药材性状 | 本品常缠结成团。根茎极短，直径 1 ～ 2 mm；表面淡棕黄色，平滑或有细纵纹。根细小，黄色，侧生纤细须根。茎细长，有分枝，灰绿色，节明显，有的可见附生的细根。叶互生，无柄，叶片多皱缩，绿褐色，展平后叶片呈狭披针形，长 1 ～ 2.5 cm，宽 0.2 ～ 0.5 cm，边缘具疏而浅的齿或全缘。花梗细长，花小，单生于叶腋，花冠基部筒状，上部 5 裂，偏向一边，浅紫红色，花冠筒内有白色茸毛。气微而特异，味微甘而辛。

| 功能主治 | 辛，平。归心、小肠、肺经。清热解毒，利尿消肿。用于痈肿疔疮，蛇虫咬伤，臌胀，水肿，湿热黄疸，湿疹。

| 用法用量 | 内服煎汤，15 ～ 30 g；或捣汁。外用适量，捣敷。

| 附　　注 | （1）本种始载于《滇南本草》，该书云："半边莲，生水边湿处，软枝绿叶，开水红小莲花半朵。"《本草纲目》云："半边莲，小草也……就地细梗引蔓，节节而生细叶。秋开小花，淡紫红色，止有半边，如莲花状。"《植物名实图考》云："其花如马兰，只有半边。"根据上述描述文字及《本草纲目》《植物名实图考》中的附图可知，半边莲是因花冠形状而得名，其原植物的形态与《中国药典》所收载的半边莲的形态相符。

（2）本种含多种生物碱，主要含山梗菜碱（lobeline）、山梗菜酮碱（lobelanine）、异山梗菜酮碱（isolobelanine）、山梗菜醇碱（lobelanidine）。

桔梗科 Campanulaceae 党参属 Codonopsis

党参
Codonopsis pilosula (Franch.) Nannf.

| 植物别名 | 缠绕党参、素花党参。

| 药 材 名 | 党参（药用部位：根。别名：上党人参、防风党参）。

| 形态特征 | 多年生草本。茎基具多数瘤状茎痕，根常肥大，呈纺锤状或纺锤状圆柱形，较少分枝或中部以下略有分枝，长 15 ~ 30 cm，直径 1 ~ 3 cm，表面灰黄色，上端 5 ~ 10 cm 部分有细密环纹，下部则疏生横长皮孔，肉质。茎缠绕，长 1 ~ 2 m，直径 2 ~ 3 mm，有多数分枝，侧枝 15 ~ 50 cm，小枝 1 ~ 5 cm，具叶，不育或先端着花，黄绿色或黄白色，无毛。在主茎及侧枝上的叶互生，在小枝上的近对生；叶柄长 0.5 ~ 2.5 cm，有疏短刺毛，叶片卵形或狭卵形，长 1 ~ 6.5 cm，宽 0.8 ~ 5 cm，先端钝或微尖，基部近心形，边缘具波状钝锯齿；分枝上叶片渐趋狭窄，叶基圆形或楔形，上面绿色，

下面灰绿色，两面疏或密被贴伏的长硬毛或柔毛，少为无毛。花单生于枝端，与叶柄互生或近对生，有梗；花萼贴生至子房中部，筒部半球状，裂片宽披针形或狭矩圆形，长 1 ~ 2 cm，宽 6 ~ 8 mm，先端钝或微尖，微波状或近全缘，其间弯缺尖狭；花冠上位，阔钟状，长 1.8 ~ 2.3 cm，直径 1.8 ~ 2.5 cm，黄绿色，内面有明显紫斑，浅裂，裂片正三角形，先端尖，全缘；花丝基部微扩大，长约 5 mm，花药长形，长 5 ~ 6 mm；柱头有白色刺毛。蒴果下部半球状，上部短圆锥状；种子多数，卵形，无翼，细小，棕黄色，光滑无毛。花果期 7 ~ 10 月。

| 生境分布 | 生于海拔 1 000 m 以上的山沟阴湿处或阔叶林下。分布于河北隆化、滦平、赞皇等。

| 资源情况 | 野生资源一般，栽培资源丰富。药材主要来源于栽培。

| 采收加工 | 秋季采挖，洗净，晒干。

| 药材性状 | 本品呈长圆柱形，稍弯曲，长 10 ~ 35 cm，直径 0.4 ~ 2 cm。表面灰黄色、黄棕色至灰棕色，根头部有多数疣状突起的茎痕及芽，每个茎痕的先端呈凹下的圆点状；根头下有致密的环状横纹，向下渐稀疏，有的达全长的一半，栽培品环状横纹少或无；全体有纵皱纹和散在的横长皮孔样突起，支根断落处常有黑褐色胶状物。质稍柔软或稍硬而略带韧性，断面稍平坦，有裂隙或放射状纹理，皮部淡棕黄色至黄棕色，木部淡黄色至黄色。有特殊香气，味微甜。

| 功能主治 | 甘，平。归脾、肺经。健脾益肺，养血生津。用于脾肺气虚，食少倦怠，咳嗽虚喘，面色萎黄，心悸气短，津伤口渴，内热消渴。

| 用法用量 | 内服煎汤，9 ~ 30 g。

| 附　　注 | 党参之名始见于《本草从新》，该书记载："按古本草云：参须上党者佳。今真党参久已难得，肆中所卖党参，种类甚多，皆不堪用。唯防风党参，性味和平足贵，根有狮子头者真，硬纹者伪也。"此处所说的"真党参"系指产于山西上党的五加科人参。

桔梗科 Campanulaceae 党参属 Codonopsis

羊乳

Codonopsis lanceolata (Sieb. et Zucc.) Trautv.

| **植物别名** | 羊奶参、轮叶党参、四叶参。

| **药 材 名** | 山海螺（药用部位：根）。

| **形态特征** | 全体光滑无毛或茎生叶偶疏生柔毛。茎基略近圆锥状或圆柱状，表面有多数瘤状茎痕，根常肥大，呈纺锤状而有少数细小侧根，长10 ~ 20 cm，直径1 ~ 6 cm，表面灰黄色，近上部有稀疏环纹，下部则疏生横长皮孔。茎缠绕，长约1 m，直径3 ~ 4 mm，常有多数短细分枝，黄绿色而微带紫色。叶在主茎上的互生，披针形或菱状狭卵形，细小，长0.8 ~ 1.4 cm，宽3 ~ 7 mm；小枝先端通常2 ~ 4叶簇生，近对生或轮生状，叶柄短小，长1 ~ 5 mm，叶片菱状卵形、狭卵形或椭圆形，长3 ~ 10 cm，宽1.3 ~ 4.5 cm，先端尖或钝，基

部渐狭，通常全缘或有疏波状锯齿，上面绿色，下面灰绿色，叶脉明显。花单生或对生于小枝先端；花梗长 1 ~ 9 cm；花萼贴生至子房中部，筒部半球状，裂片弯缺尖狭，或开花后渐变宽钝，裂片卵状三角形，长 1.3 ~ 3 cm，宽 0.5 ~ 1 cm，先端尖，全缘；花冠阔钟状，长 2 ~ 4 cm，直径 2 ~ 3.5 cm，浅裂，裂片三角状，反卷，长 0.5 ~ 1 cm，黄绿色或乳白色且内有紫色斑；花盘肉质，深绿色；花丝钻状，基部微扩大，长 4 ~ 6 mm，花药 3 ~ 5 mm；子房下位。蒴果下部半球状，上部有喙，直径 2 ~ 2.5 cm；种子多数，卵形，有翼，细小，棕色。花果期 7 ~ 8 月。

| 生境分布 | 生于山地灌木林下、沟边阴湿处或阔叶林内。分布于河北兴隆、蔚县、易县等。

| 资源情况 | 野生资源丰富，栽培资源丰富。药材主要来源于野生。

| 采收加工 | 秋季采挖，除去须根，晒干，或晒至半干时每天揉搓 1 次，直至全干，或趁鲜切片，晒干。

| 药材性状 | 本品呈类圆柱形、纺锤形或倒卵状纺锤形，少分枝，长 6 ~ 15 cm，直径 1 ~ 6 cm。表面灰黄色或灰棕色，皱缩不平，先端具根茎（芦头），常见密集的芽痕和茎痕；芦下有多数环纹，密集而明显，向下渐疏浅，环纹间有细纵裂纹。质稍松，易折断，折断面不平坦，多裂隙。切片大小不一，切面灰黄色或浅棕

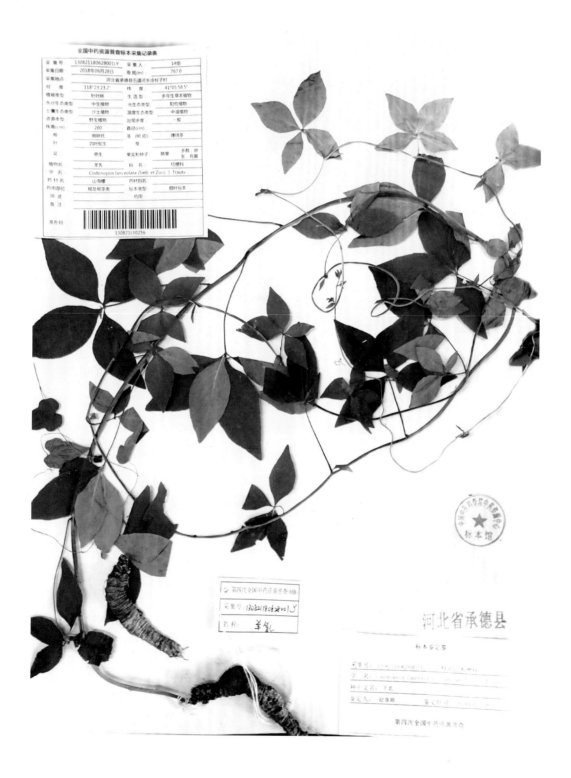

色，皮部与木部无明显区别。气微，味甜、微苦。以个大、味甜者为佳。

| **功效主治** | 甘，温。归肺、胃经。补血通乳，清热解毒，消肿排脓。用于病后体虚，乳汁不足，痈肿疮毒，乳腺炎。

| **用法用量** | 内服煎汤，15 ~ 30 g，鲜品 30 ~ 60 g。

| **附　　注** | （1）本种始载于《名医别录》。《名医别录》曰："三月采，立夏后母死。"《本草拾遗》记载："羊乳根如荠苨而圆，大小如拳，上有角节，折之有白汁，苗作蔓。"而《本草纲目》则将羊乳误并入沙参。《植物名实图考》将羊乳称为"奶树""山海螺"，并附图。历代本草记载的羊乳的形态均与现今桔梗科植物羊乳一致。

（2）本种为深受人们喜爱的药食两用植物。作为传统中药，羊乳含有生物碱、甾萜类化合物、挥发油等多种化学成分，具有抗氧化、抗突变、抗肿瘤、调节血脂、保肝等药理作用，临床应用范围较广。作为食用植物，羊乳的嫩茎叶及根中含有多种维生素、微量元素、多糖等营养物质，营养价值较高。

（3）作为一种药食两用植物，羊乳的开发前景较好。近年来，人们对于羊乳在抗炎和增强免疫力方面的研究较多。随着对羊乳化学成分和药理活性更深入的研究，未来在开发羊乳的化合物制剂和多功能保健食品方面将会有十分广阔的前景。

桔梗科 Campanulaceae 桔梗属 Platycodon

桔梗

Platycodon grandiflorus (Jacq.) A. DC.

| 植物别名 |

铃铛花、包袱花。

| 药 材 名 |

桔梗（药用部位：根。别名：白药、梗草）。

| 形态特征 |

多年生草本。茎高 20 ~ 120 cm，通常无毛，偶密被短毛，不分枝，极少上部分枝。叶全部轮生，部分轮生至全部互生，无柄或有极短的柄，叶片卵形、卵状椭圆形至披针形，长 2 ~ 7 cm，宽 0.5 ~ 3.5 cm，基部宽楔形至圆钝，先端急尖，上面无毛而绿色，下面常无毛而有白粉，有时脉上有短毛或瘤突状毛，边缘具细锯齿。花单朵顶生，或数朵集成假总状花序，或有花序分枝而集成圆锥花序；花萼筒部半圆球状或圆球状倒锥形，被白粉，裂片三角形或狭三角形，有时齿状；花冠大，长 1.5 ~ 4 cm，蓝色或紫色。蒴果球状、球状倒圆锥形或倒卵状，长 1 ~ 2.5 cm，直径约 1 cm。花期 7 ~ 9 月。

| 生境分布 |

生于海拔 2 000 m 以下的阳处草丛、灌丛中，少生于林下。分布于河北定州、巨鹿、隆化等。

| **资源情况** | 野生资源一般，栽培资源丰富。药材主要来源于栽培。

| **采收加工** | 春、秋季采挖，洗净，除去须根，趁鲜剥去外皮或不去外皮，干燥。

| **药材性状** | 本品呈圆柱形或略呈纺锤形，下部渐细，有的有分枝，略扭曲，长 7 ~ 20 cm，直径 0.7 ~ 2 cm。表面淡黄白色至黄色，不去外皮者表面黄棕色至灰棕色，具纵扭皱沟，并有横长的皮孔样斑痕及支根痕，上部有横纹。有的先端有较短的根茎或不明显，其上有数个半月形茎痕。质脆，断面不平坦，形成层环棕色，皮部黄白色，有裂隙，木部淡黄色。气微，味微甜而后苦。

| **功能主治** | 苦、辛，平。归肺经。宣肺，利咽，祛痰，排脓。用于咳嗽痰多，胸闷不畅，咽痛音哑，肺痈吐脓。

| **用法用量** | 内服煎汤，3 ~ 10 g。

| **附　　注** | 本种始载于《神农本草经》，被列为下品。《名医别录》记载："生蒿高山谷及冤句。二、八月采根。"《本草经集注》记载："桔梗，近道处处有，叶名隐忍，二、三月生，可煮食之。俗方用此，乃名荠苨。"

桔梗科 Campanulaceae 沙参属 Adenophora

荠苨

Adenophora trachelioides Maxim.

| 植物别名 |

心叶沙参、杏叶菜、老母鸡肉。

| 药 材 名 |

荠苨（药用部位：根。别名：蒁苨、甜桔梗、土桔梗）。

| 形态特征 |

多年生草本。茎单生，高 40 ~ 120 cm，直径可达近 1 cm，无毛，常多少呈"之"字形曲折，有时具分枝。基生叶心状肾形，宽大于长；茎生叶具长 2 ~ 6 cm 的叶柄，叶片心形或在茎上部的叶基部近平截形，通常叶基部不向叶柄下延成翅，先端钝至短渐尖，边缘为单锯齿或重锯齿，长 3 ~ 13 cm，宽 2 ~ 8 cm，无毛或仅沿叶脉疏生短硬毛。花序分枝大多长而几平展，组成大圆锥花序，或分枝短而组成狭圆锥花序；花萼筒部倒三角状圆锥形，裂片长椭圆形或披针形，长 6 ~ 13 mm，宽 2.5 ~ 4 mm；花冠钟状，蓝色、蓝紫色或白色，长 2 ~ 2.5 cm，裂片宽三角状半圆形，先端急尖，长 5 ~ 7 mm；花盘筒状，长 2 ~ 3 mm，上下等粗或向上渐细；花柱与花冠近等长。蒴果卵状圆锥形，长约 7 mm，直径约 5 mm；种子黄棕色，

两端黑色，长矩圆状，稍扁，有 1 棱，棱外缘黄白色，长 0.8 ~ 1.5 mm。花期 7 ~ 9 月。

| **生境分布** | 生于山沟阴处或阔叶林下。分布于河北平泉、迁安、青龙等。

| **资源情况** | 野生资源一般。药材主要来源于野生。

| **采收加工** | 春季采挖，除去茎叶，洗净，晒干。

| **功能主治** | 甘，寒。归肺、脾经。润燥化痰，清热解毒。用于肺燥咳嗽，咽喉肿痛，消渴，疔痈疮毒，药物中毒。

| **用法用量** | 内服煎汤，5 ~ 10 g。外用适量，捣敷。

| **附　　注** | 本种与薄叶荠苨 *Adenophora remotiflora* (Sieb. et Zucc.) Miq. 易混淆。薄叶荠苨的叶薄，膜质，叶基部多为平截形至圆钝或宽楔形，少为心形，多沿叶柄下延成翅，先端渐尖；花萼筒部倒卵状或倒卵状圆锥形。本种的叶基部通常不向叶柄下成翅；花萼筒部倒三角状圆锥形。

桔梗科 Campanulaceae 沙参属 Adenophora

轮叶沙参

Adenophora tetraphylla (Thunb.) Fisch.

| 植物别名 |

南沙参、四叶沙参。

| 药 材 名 |

南沙参（药用部位：根）。

| 形态特征 |

多年生草本。茎高大，高可达 1.5 m，不分枝，无毛，少有毛。茎生叶 3 ~ 6 轮生，无柄或有不明显叶柄，叶片卵圆形至条状披针形，长 2 ~ 14 cm，边缘有锯齿，两面疏生短柔毛。花序狭圆锥状，花序分枝（聚伞花序）大多轮生，细长或很短，生数朵花或单花；花萼无毛，筒部倒圆锥状，裂片钻状，长 1 ~ 2.5（~ 4）mm，全缘；花冠筒状细钟形，口部稍缢缩，蓝色、蓝紫色，长 7 ~ 11 mm，裂片短，三角形，长 2 mm；花盘细管状，长约 2 ~ 4 mm；花柱长约 20 mm。蒴果球状圆锥形或卵圆状圆锥形，长 5 ~ 7 mm，直径 4 ~ 5 mm；种子黄棕色，矩圆状圆锥形，稍扁，有 1 棱，并由棱扩展成 1 白带，长约 1 mm。花期 7 ~ 9 月。

| 生境分布 |

生于草地和灌丛中。分布于河北丰宁、抚宁、

蔚县等。

| **资源情况** | 野生资源一般，栽培资源丰富。药材主要来源于栽培。

| **采收加工** | 春、秋季采挖，除去须根，洗后趁鲜刮去粗皮，洗净，干燥。

| **药材性状** | 本品呈圆锥形或圆柱形，略弯曲，长 7 ~ 27 cm，直径 0.8 ~ 3 cm。表面黄白色或淡棕黄色，凹陷处常有残留粗皮，上部多有深陷横纹，呈断续的环状，下部有纵纹和纵沟。先端具 1 或 2 根茎。体轻，质松泡，易折断，断面不平坦，黄白色，多裂隙。气微，味微甘。

| **功能主治** | 甘，微寒。归肺、胃经。养阴清肺，益胃生津，化痰，益气。用于肺热燥咳，阴虚劳嗽，干咳痰黏，胃阴不足，食少呕吐，气阴不足，烦热口干。

| **用法用量** | 内服煎汤，9 ~ 15 g。不宜与藜芦同用。

| **附　　注** | 本种与其他种形态差异明显。本种绝大多数植株的叶是完全轮生的，花冠小而细长，花萼裂片短小，花盘细长。

桔梗科 Campanulaceae 沙参属 Adenophora

沙参 *Adenophora stricta* Miq.

| 植物别名 | 杏叶沙参、沙和尚、南沙参。

| 药 材 名 | 南沙参（药用部位：根）。

| 形态特征 | 茎高 40 ～ 80 cm，不分枝，常被短硬毛或长柔毛，少无毛。基生叶心形，大而具长柄；茎生叶无柄，或仅下部的叶有极短而带翅的柄，叶片椭圆形、狭卵形，基部楔形，少近圆钝，先端急尖或短渐尖，边缘有不整齐的锯齿，两面疏生短毛或长硬毛，或近无毛，长 3 ～ 11 cm，宽 1.5 ～ 5 cm。花序常不分枝而成假总状花序，或有短分枝而成极狭的圆锥花序，极少具长分枝而为圆锥花序的；花梗常极短，长不足 5 mm；花萼常被短柔毛或粒状毛，少完全无毛，筒部常倒卵状，少为倒卵状圆锥形，裂片狭长，多为钻形，少为条状

披针形，长 6 ～ 8 mm，宽约 1.5 mm；花冠宽钟状，蓝色或紫色，外面无毛或有硬毛，长 1.5 ～ 2.3 cm，裂片长为全长的 1/3，三角状卵形；花盘短筒状，长 1 ～ 1.8 mm，无毛；花柱常略长于花冠，少较短的。蒴果椭圆状球形，极少为椭圆状，长 6 ～ 10 mm；种子棕黄色，稍扁，有 1 棱，长约 1.5 mm。花期 8 ～ 10 月。

| 生境分布 | 生于海拔 600 ～ 700 m 的草地上或海拔 1 000 ～ 3 200 m 的开旷山坡及林内。分布于河北赤城、丰宁、沽源等。

| 资源情况 | 野生资源一般，栽培资源丰富。药材主要来源于栽培。

| 采收加工 | 春、秋季采挖，除去须根，洗后趁鲜刮去粗皮，洗净，干燥。

| 药材性状 | 本品呈圆锥形或圆柱形，略弯曲，长 7 ～ 27 cm，直径 0.8 ～ 3 cm。表面黄白色或淡棕黄色，凹陷处常有残留粗皮，上部多有深陷横纹，呈断续的环状，下部有纵纹和纵沟。先端具 1 或 2 根茎。体轻，质松泡，易折断，断面不平坦，黄白色，多裂隙。气微，味微甘。

| 功能主治 | 甘，微寒。归肺、胃经。养阴清热，润肺化痰，益胃生津。用于阴虚久咳，劳嗽痰血，燥咳痰少，虚热喉痹，津伤口渴。

| 用法用量 | 内服煎汤，9 ～ 15 g。

| 附　注 | 本种花萼被毛的变化颇大，大部分个体有短毛，有的有柔毛，也有的有粒状毛，更有少数无毛的，这些变化都是连续的。本种的鉴别特征是叶无柄，花序假总状或狭圆锥状，花梗短，花萼大多被毛，裂片长钻形而全缘，基部最宽。

桔梗科 Campanulaceae **沙参属** Adenophora

杏叶沙参

Adenophora petiolata subsp. *hunanensis* (Nannfeldt) D. Y. Hong & S. Ge

| **植物别名** | 宽裂沙参。

| **药材名** | 沙参（药用部位：根。别名：泡参）。

| **形态特征** | 茎高 60 ~ 120 cm，不分枝，无毛或稍有白色短硬毛。茎生叶至少下部的具柄，很少近无柄，叶片卵圆形、卵形至卵状披针形，基部常楔状渐尖，或近平截形而突然变窄，沿叶柄下延，先端急尖至渐尖，边缘具疏齿，两面疏或密被短硬毛，较少被柔毛，也有全无毛的，长 3 ~ 10（~ 15）cm，宽 2 ~ 4 cm。花序分枝长，几平展或弓曲向上，常组成大而疏散的圆锥花序，极少分枝很短或长而几直立，因而组成窄的圆锥花序；花梗极短而粗壮，通常长 2 ~ 3 mm，极少达 5 mm，花序轴和花梗有短毛或近无毛；花萼常有疏或密的白色短

毛，有的无毛，筒部倒圆锥状，裂片卵形至长卵形，长 4 ~ 7 mm，宽 1.5 ~ 4 mm，基部通常彼此重叠；花冠钟状，蓝色、紫色或蓝紫色，长 1.5 ~ 2 cm，裂片三角状卵形，长为花冠的 1/3；花盘短筒状，长（0.5 ~ ）1 ~ 2.5 mm，先端被毛或无毛；花柱与花冠近等长。蒴果球状椭圆形或近卵状，长 6 ~ 8 mm，直径 4 ~ 6 mm；种子椭圆状，有 1 棱，长 1 ~ 1.5 mm。花期 7 ~ 9 月。

| 生境分布 | 生于海拔 2 000 m 以下的山坡草地和林缘草地。分布于河北昌黎、滦平、平泉、磁县等。

| 资源情况 | 野生资源一般，栽培资源丰富。药材主要来源于栽培。

| 采收加工 | 播种后 2 ~ 3 年的秋季采挖，除去茎叶和须根，洗净后趁鲜用竹片刮去粗皮，切片，晒干。

| 药材性状 | 本品为圆锥状，下部分枝极少，长 9 ~ 17 cm，直径 0.7 ~ 2 cm。表面灰黄色或灰褐色，无环纹，有纵皱纹。先端芦头长 1.4 ~ 8.8 cm，盘节明显或不明显。折断面不平坦，类白色，较结实。

| 功能主治 | 甘、微苦，微凉。归肺、胃经。养阴清热，祛痰止咳，益胃生津。用于肺热燥咳，虚劳久咳，阴伤咽干喉痛，津伤口渴。

| 用法用量 | 内服煎汤，10 ~ 15 g，鲜品 15 ~ 30 g；或入丸、散剂。

| 附 注 | 本种因具大多数具柄的叶子、几乎平展或弓曲上升的花序分枝、极短而粗壮的花梗、宽而通常在基部彼此重叠的花萼裂片和被毛（少无毛）的花盘而区别于近缘种。本种与秦岭沙参 Adenophora petiolata Pax et Hoffm. 的区别不仅在于花萼、花盘和花冠大小，还在于花冠裂片的形状。本种花冠裂片三角状卵圆形，宽大于长，而秦岭沙参 Adenophora petiolata Pax et Hoffm. 的花冠裂片为卵状三角形，长大于宽。另外，本种叶片厚，纸质，而秦岭沙参 Adenophora petiolata Pax et Hoffm. 叶片薄，膜质或薄纸质。2015 年版《中国药典》未收载杏叶沙参，杏叶沙参为地区习用品。因本种与沙参 Adenophora stricta Miq. 为同属植物，二者在外形、成分等方面较相似，因此，有人用本种冒充南沙参药材进行销售，应注意鉴别。

香丝草 *Erigeron bonariensis* L.

| **植物别名** | 蓑衣草、野地黄菊、野塘蒿。

| **药 材 名** | 野塘蒿（药用部位：全草。别称：小山艾、小加蓬、火草苗）。

| **形态特征** | 一年生或二年生草本。根纺锤状，常斜升，具纤维状根。茎直立或斜升，高 20 ～ 50 cm，稀更高，中部以上常分枝，常有斜上不育的侧枝，密被贴短毛，杂有开展的疏长毛。叶密集，基部叶花期常枯萎，下部叶倒披针形或长圆状披针形，长 3 ～ 5 cm，宽 0.3 ～ 1 cm，先端尖或稍钝，基部渐狭成长柄，通常具粗齿或羽状浅裂，中部和上部叶具短柄或无柄，狭披针形或线形，长 3 ～ 7 cm，宽 0.3 ～ 0.5 cm，中部叶具齿，上部叶全缘，两面均密被贴糙毛。头状花序多数，直径 8 ～ 10 mm，在茎端排列成总状花序或总状圆锥花序，花序

梗长 10 ～ 15 mm；总苞椭圆状卵形，长约 5 mm，宽约 8 mm，总苞片 2 ～ 3 层，线形，先端尖，背面密被灰白色短糙毛，外层稍短或短于内层之半，内层长约 4 mm，宽约 0.7 mm，具干膜质边缘。花托稍平，有明显的蜂窝孔，直径 3 ～ 4 mm；雌花多层，白色，花冠细管状，长 3 ～ 3.5 mm，无舌片或先端仅有 3 ～ 4 细齿；两性花淡黄色，花冠管状，长约 3 mm，管部上部被疏微毛，上端具 5 齿裂；瘦果线状披针形，长约 1.5 mm，扁压，被疏短毛；冠毛 1 层，淡红褐色，长约 4 mm。花期 5 ～ 10 月。

| **生境分布** | 生于荒地、田边、路旁。分布于河北沽源等。

| **资源情况** | 野生资源一般。药材主要来源于野生。

| **采收加工** | 夏、秋季采收，鲜用，或切段，晒干。

| **功能主治** | 苦，凉。除湿止痛，止血。用于感冒，疟疾，风湿性关节炎，疮疡脓肿，外伤出血。

| **用法用量** | 内服煎汤，9 ～ 12 g。外用适量，捣敷。

菊科 Asteraceae 飞蓬属 Erigeron

小蓬草 *Erigeron canadensis* L.

| **植物别名** | 小飞蓬、飞蓬、加拿大蓬。

| **药 材 名** | 小飞蓬（药用部位：全草。别名：祁州一枝蒿、蛇舌草、竹叶艾）。

| **形态特征** | 一年生草本。根纺锤状，具纤维状根。茎直立，高 50 ~ 100 cm 或更高，圆柱状，多少具棱，有条纹，被疏长硬毛，上部多分枝。叶密集，基部叶花期常枯萎，下部叶倒披针形，长 6 ~ 10 cm，宽 1 ~ 1.5 cm，先端尖或渐尖，基部渐狭成柄，边缘具疏锯齿或全缘，中部和上部叶较小，线状披针形或线形，近无柄或无柄，全缘或少具 1 ~ 2 齿，两面或仅上面被疏短毛，边缘常被上弯的硬缘毛。头状花序多数，小，直径 3 ~ 4 mm，排列成顶生且多分枝的大圆锥花序；花序梗细，长 5 ~ 10 mm；总苞近圆柱状，长 2.5 ~ 4 mm，

总苞片 2 ~ 3 层，淡绿色，线状披针形或线形，先端渐尖，外层约短于内层之半，背面被疏毛，内层长 3 ~ 3.5 mm，宽约 0.3 mm，边缘干膜质，无毛；花托平，直径 2 ~ 2.5 mm，具不明显的突起；雌花多数，舌状，白色，长 2.5 ~ 3.5 mm，舌片小，稍超出花盘，线形，先端具 2 钝小齿；两性花淡黄色；花冠管状，长 2.5 ~ 3 mm，上端具 4 或 5 齿裂，管部上部被疏微毛。瘦果线状披针形，长 1.2 ~ 1.5 mm，稍扁压，被贴微毛，冠毛污白色，1 层，糙毛状，长 2.5 ~ 3 mm。花期 5 ~ 9 月。

| 生境分布 | 生于旷野、荒地、田边和路旁。分布于河北邢台及阜平等。

| 资源情况 | 野生资源一般。药材主要来源于野生。

| 采收加工 | 春、夏季采收，鲜用，或切段，晒干。

| 药材性状 | 本品茎直立，表面黄绿色或绿色，具细棱及粗糙毛。单叶互生，叶片展平后呈线状披针形，基部狭，先端渐尖，疏锯齿缘或全缘，有长缘毛。多数小头状花序集成圆锥状花序，花黄棕色。气香特异，味微苦。

| 功能主治 | 微苦、辛，凉。清热利湿，散瘀消肿。用于痢疾，肠炎，肝炎，胆囊炎，跌打损伤，风湿骨痛，疮疖肿痛，牛皮癣。

| 用法用量 | 内服煎汤，15 ~ 30 g。外用适量，捣敷。

菊科 Asteraceae 百日菊属 Zinnia

百日菊 *Zinnia elegans* Jacq.

| **植物别名** | 步步登高、节节高、鱼尾菊。

| **药 材 名** | 百日草（药用部位：全草。别名：对叶菊）。

| **形态特征** | 一年生草本。茎直立，高 30 ~ 100 cm，被糙毛或长硬毛。叶宽卵圆形或长圆状椭圆形，长 5 ~ 10 cm，宽 2.5 ~ 5 cm，基部稍心形，抱茎，两面粗糙，下面被密的短糙毛，基出脉 3。头状花序直径 5 ~ 6.5 cm，单生枝端，无中空、肥厚的花序梗；总苞宽钟状，总苞片多层，宽卵形或卵状椭圆形，外层长约 5 mm，内层长约 10 mm，边缘黑色；托片上端有延伸的附片，附片紫红色，流苏状三角形；舌状花深红色、玫瑰色、紫堇色或白色，舌片倒卵圆形，先端 2 ~ 3 齿裂或全缘，上面被短毛，下面被长柔毛；管状花黄色或橙色，长 7 ~ 8 mm，先

端裂片卵状披针形，上面被黄褐色密茸毛。雌花瘦果倒卵圆形，长 6 ~ 7 mm，宽 4 ~ 5 mm，扁平，腹面正中和两侧边缘各有 1 棱，先端截形，基部狭窄，被密毛；管状花瘦果倒卵状楔形，长 7 ~ 8 mm，宽 3.5 ~ 4 mm，极扁，被疏毛，先端有短齿。花期 6 ~ 9 月，果期 7 ~ 10 月。

| **生境分布** | 生于温暖、阳光的环境，宜生长在肥沃深土层的土壤中。分布于河北丰宁、宽城、迁西等，河北多地有栽培。

| **资源情况** | 野生资源较少，栽培资源丰富。药材主要来源于栽培。

| **采收加工** | 春、夏季采收，鲜用，或切段，晒干。

| **功能主治** | 苦、辛，凉。清热，利湿，解毒。用于湿热痢疾，淋证，乳痈，疔肿。

| **用法用量** | 内服煎汤，15 ~ 30 g。外用适量，捣敷。

| **附　　注** | 本种与邻近种细叶百日菊 *Zinnia haageana* Regel 的区别在于：小百日菊叶披针形或狭披针形，头状花序直径 1.5 ~ 2 cm，小花全部为橙黄色，托片有黑褐色且全缘的尖附片。

菊科 Asteraceae 苍耳属 Xanthium

苍耳
Xanthium sibiricum L.

| 植物别名 | 蒙古苍耳、偏基苍耳、近无刺苍耳

| 药 材 名 | 苍耳子（药用部位：果实。别名：老苍子、羊负来）。

| 形态特征 | 一年生草本，高 20 ～ 90 cm。根纺锤状，分枝或不分枝。茎直立，
不分枝或少有分枝，下部圆柱形，直径 4 ～ 10 mm，上部有纵沟，
被灰白色糙伏毛。叶三角状卵形或心形，长 4 ～ 9 cm，宽 5 ～ 10 cm，
近全缘，或有 3 ～ 5 不明显浅裂，先端尖或钝，基部稍心形或截形，
与叶柄连接处成相等的楔形，边缘有不规则的粗锯齿，基出脉 3，
侧脉弧形，直达叶缘，脉上密被糙伏毛，上面绿色，下面苍白色，
被糙伏毛；叶柄长 3 ～ 11 cm。雄性的头状花序球形，直径 4 ～ 6 mm，
有或无花序梗；总苞片长圆状披针形，长 1 ～ 1.5 mm，被短柔毛；
花托柱状，托片倒披针形，长约 2 mm，先端尖，有微毛，有多数雄

花；花冠钟形，管部上端有 5 宽裂片；花药长圆状线形。雌性的头状花序椭圆形，外层总苞片小，披针形，长约 3 mm，被短柔毛，内层总苞片结合成囊状，宽卵形或椭圆形，绿色、淡黄绿色或有时带红褐色，在瘦果成熟时变坚硬，连同喙部长 12 ~ 15 mm，宽 4 ~ 7 mm，外面有疏生的具钩的刺，刺极细而直，基部微增粗或几不增粗，长 1 ~ 1.5 mm，基部被柔毛，常有腺点，或全部无毛；喙坚硬，锥形，上端略呈镰状，长 1.5 ~ 2.5 mm，常不等长，少结合而成 1 喙。瘦果 2，倒卵形。花期 7 ~ 8 月，果期 9 ~ 10 月。

| **生境分布** | 生于平原、丘陵、低山、荒野、路边、田边。分布于河北定州、抚宁、阜平等。

| **资源情况** | 野生资源丰富。药材主要来源于野生。

| **采收加工** | 秋季果实成熟时采收，除去杂质，干燥。

| **药材性状** | 本品呈纺锤形或卵圆形，长 1 ~ 1.5 cm，直径 0.4 ~ 0.7 cm。表面黄棕色或黄绿色，全体有钩刺，先端有较粗的刺 2，分离或相连，基部有果柄痕。一面较平坦，先端具 1 凸起的花柱基，果皮薄，灰黑色，具纵纹。种皮膜质，浅灰色，子叶 2，油性。气微，味微苦。

| **功能主治** | 苦、辛，微寒；有小毒。归肺、脾、肝经。散风寒，通鼻窍，祛风湿。用于风寒头痛，鼻衄，鼻渊，风疹瘙痒，湿痹拘挛。

| **用法用量** | 内服煎汤，3 ~ 10 g。

菊科 Asteraceae 苍术属 Atractylodes

白术 *Atractylodes macrocephala Koidz.*

| 药 材 名 | 白术（药用部位：根茎。别名：山蓟、杨枹蓟、术）。

| 形态特征 | 多年生草本，高 20 ~ 60 cm。根茎结节状。茎直立，通常自中下部长分枝，全部光滑无毛。中部茎生叶有长 3 ~ 6 cm 的叶柄，叶片通常 3 ~ 5 羽状全裂，极少兼杂不裂而长椭圆形的叶；侧裂片 1 ~ 2 对，倒披针形、椭圆形或长椭圆形，长 4.5 ~ 7 cm，宽 1.5 ~ 2 cm；顶裂片比侧裂片大，倒长卵形、长椭圆形或椭圆形；自中部茎生叶向上向下叶渐小，与中部茎生叶等样分裂，接花序下部的叶不裂，椭圆形或长椭圆形，无柄；或大部茎生叶不裂，但总兼杂有 3 ~ 5 羽状全裂的叶；全部叶质地薄，纸质，两面绿色，无毛，边缘或裂片边缘有长或短、针刺状缘毛或细刺齿。头状花序 6 ~ 10，单生于茎枝先端；苞叶绿色，长 3 ~ 4 cm，针刺状羽状全裂；总苞大，宽钟状，

直径 3 ~ 4 cm，总苞片 9 ~ 10 层，覆瓦状排列，外层及中外层长卵形或三角形，长 6 ~ 8 mm，中层披针形或椭圆状披针形，长 11 ~ 16 mm，最内层宽线形，长 2 cm，先端紫红色，全部苞片先端钝，边缘有白色蛛丝毛；小花长 1.7 cm，紫红色，冠檐 5 深裂。瘦果倒圆锥状，长约 7.5 mm，被顺向顺伏的稠密、白色长直毛；冠毛刚毛羽毛状，污白色，长约 1.5 cm，基部结合成环状。花果期 8 ~ 10 月。

| **生境分布** | 生于山坡草地及山坡林下。分布于河北定州、阜平、蠡县等。

| **资源情况** | 野生资源一般，栽培资源丰富。药材主要来源于栽培。

| **采收加工** | 冬季下部叶枯黄、上部叶变脆时采挖，除去泥沙，烘干或晒干，再除去须根。

| **药材性状** | 本品为不规则的肥厚团块，长 3 ~ 13 cm，直径 1.5 ~ 7 cm。表面灰黄色或灰棕色，有瘤状突起及断续的纵皱和沟纹，并有须根痕，先端有残留茎基和芽痕。质坚硬，不易折断，断面不平坦，黄白色至淡棕色，有棕黄色、散在的点状油室；烘干者断面角质样，色较深或有裂隙。气清香，味甘、微辛，嚼之略带黏性。

| **功能主治** | 苦、甘，温。归脾、胃经。健脾益气，燥湿利水，止汗，安胎。用于脾虚食少，腹胀泄泻，痰饮眩悸，水肿，自汗，胎动不安。

| **用法用量** | 内服煎汤，6 ~ 12 g。

菊科 Asteraceae 大丁草属 Leibnitzia

大丁草

Leibnitzia anandria (L.) Turczaninow

| 植物别名 | 翼齿大丁草、多裂大丁草。

| 药 材 名 | 大丁草（药用部位：全草。别名：烧金草、小火草）。

| 形态特征 | 多年生草本，植株具春、秋二型之别。春型者根茎短，多少为枯残
的叶柄所围裹；根簇生，粗而略带肉质。叶基生，莲座状，于花期
全部发育，叶片形状多变异，通常为倒披针形或倒卵状长圆形，长
2 ~ 6 cm，宽 1 ~ 3 cm，先端钝圆，常具短尖头，基部渐狭、钝、
截平或有时为浅心形，边缘具齿及深波状或琴状羽裂，裂片疏离，
凹缺圆，顶裂大，卵形，具齿，上面被蛛丝状毛或脱落近无毛，下
面密被蛛丝状绵毛；侧脉 4 ~ 6 对，纤细，顶裂基部常有 1 对下部
分枝的侧脉；叶柄长 2 ~ 4 cm 或有时更长，被白色绵毛。花葶单生

或数个丛生，直立或弯垂，纤细，棒状，长 5 ~ 20 cm，被蛛丝状毛，毛愈向先端愈密；苞叶疏生，线形或线状钻形，长 6 ~ 7 mm，通常被毛；头状花序单生于花葶之顶，倒锥形，直径 10 ~ 15 mm；总苞略短于冠毛；总苞片约 3 层，外层线形，长约 4 mm，内层长，线状披针形，长达 8 mm，二者先端均钝，且带紫红色，背部被绵毛；花托平，无毛，直径 3 ~ 4 mm；雌花花冠舌状，长 10 ~ 12 mm，舌片长圆形，长 6 ~ 8 mm，先端具不整齐的 3 齿或有时钝圆，带紫红色，内 2 裂，丝状，长 1.5 ~ 2 mm，花冠管纤细，长 3 ~ 4 mm，无退化雄蕊；两性花花冠管状，二唇形，长 6 ~ 8 cm，外唇阔，长约 3 mm，先端具 3 齿，内唇 2 裂，丝状，长 2.5 ~ 3 mm；花药先端圆，基部具尖的尾部；花柱分枝长约 1 mm，内侧扁，先端钝圆。瘦果纺锤形，具纵棱，被白色粗毛，长 5 ~ 6 mm；冠毛粗糙，污白色，长 5 ~ 7 mm。秋型者植株较高，花葶长可达 30 cm，叶片大，长 8 ~ 15 cm，宽 4 ~ 6.5 cm，头状花序外层雌花管状二唇形，无舌片。花期春、秋季。

| 生境分布 | 生于海拔 650 ~ 2 580 m 的山顶、山谷丛林、荒坡、沟边或风化的岩石上。分布于河北井陉、涞源、隆化等。

| 资源情况 | 野生资源一般。药材主要来源于野生。

| 采收加工 | 夏、秋季采收，洗净，鲜用或晒干。

| 药材性状 | 本品卷缩成团，枯绿色。根茎短，下生多数细须根，植株有大小之分，基生叶丛生，莲座状；叶片椭圆状宽卵形，长 2 ~ 5.5 cm，先端钝圆，基部心形，边缘浅齿状。花葶长 8 ~ 19 cm，有的具白色蛛丝毛，有条形苞叶。头状花序单生，直径约 2 cm，小植株花序边缘为舌状花，淡紫红色，中央花管状，黄色，植株仅有管状花。瘦果纺锤形，两端收缩。气微，味辛辣、苦。

| 功能主治 | 苦，寒。清热利湿，解毒消肿。用于肺热咳嗽，湿热泻痢，热淋，风湿关节痛，痈疖肿毒，臁疮，虫蛇咬伤，烫火伤，外伤出血。

| 用法用量 | 内服煎汤，15 ~ 30 g。外用适量，捣敷。

| 附　注 | 《河北中草药》记载："苦、甘、涩，寒。"

菊科 Asteraceae 大丽花属 Dahlia

大丽花 *Dahlia pinnata* Cav.

| 植物别名 | 天竺牡丹、西番莲、洋芍药。

| 药材名 | 大理菊（药用部位：块根。别名：天竺牡丹、大理花、西番莲）。

| 形态特征 | 多年生草本，有巨大棒状块根。茎直立，多分枝，高 1.5 ~ 2 m，粗壮。叶 1 ~ 3 回羽状全裂，上部叶有时不分裂，裂片卵形或长圆状卵形，下面灰绿色，两面无毛。头状花序大，有长花序梗，常下垂，宽 6 ~ 12 cm；总苞片外层约 5，卵状椭圆形，叶质，内层膜质，椭圆状披针形；舌状花 1 层，白色、红色，或紫色，常卵形，先端有不明显的 3 齿或全缘；管状花黄色，有时在栽培种全部为舌状花。瘦果长圆形，长 9 ~ 12 mm，宽 3 ~ 4 mm，黑色，扁平，有不明显的齿 2。花期 6 ~ 12 月，果期 9 ~ 10 月。

| **生境分布** | 生于土壤疏松、排水良好的肥沃砂质土壤中。分布于河北滦平等。

| **资源情况** | 野生资源丰富。药材来源于野生。

| **采收加工** | 秋季挖根，洗净，晒干或鲜用。

| **药材性状** | 本品呈长纺锤形，微弯，有的已压扁，有的切成两瓣，长 6 ~ 10 cm，直径 3 ~ 4.5 cm。表面灰白色或类白色，未去皮的黄棕色，有明显而不规则的纵沟纹，先端有茎基痕，先端及尾部均呈纤维状。质硬，不易折断，断面类白色，角质化。气微，味淡。

| **功能主治** | 辛、甘，平。清热解毒，散瘀止痛。用于腮腺炎，龋齿疼痛，无名肿毒，跌打损伤。

| **用法用量** | 内服煎汤，6 ~ 12 g。外用适量，捣敷。

| **附　注** | 本种喜半阴，阳光过强影响开花。喜凉爽气候，不耐干旱，不耐涝。适宜栽培于土质疏松、排水良好的肥沃砂壤土。

菊科 Asteraceae 飞廉属 *Carduus*

飞廉 *Carduus nutans* L.

| **药 材 名** | 飞廉（药用部位：全草或根）。

| **形态特征** | 二年生或多年生草本，高 30 ～ 100 cm。茎单生或少数茎成簇生，通常多分枝，分枝细长，极少不分枝，全部茎枝有条棱，被稀疏的蛛丝毛和多细胞长节毛，上部或接头状花序下部常呈灰白色，被密厚的蛛丝状绵毛。中下部茎生叶长卵圆形或披针形，长（5 ～）10 ～ 40 cm，宽（1.5 ～）3 ～ 10 cm，羽状半裂或深裂，侧裂片 5 ～ 7 对，斜三角形或三角状卵形，先端有淡黄白色或褐色的针刺，针刺长 4 ～ 6 mm，边缘针刺较短；向上茎生叶渐小，羽状浅裂或不裂，先端及边缘具等样针刺，但通常比中下部茎生叶裂片边缘及先端的针刺短；全部茎生叶两面同色，沿脉被多细胞长节毛，但上面的毛稀疏，或两面兼被稀疏蛛丝毛，基部无柄，两侧沿茎下延成茎翼，但基部茎生叶基部渐狭成短柄；茎翼连续，边缘有大小不等的

三角形刺齿裂，齿顶和齿缘有黄白色或褐色的针刺，接头状花序下部的茎翼常呈针刺状。头状花序通常下垂或下倾，单生茎顶或长分枝的先端，但不形成明显的伞房花序排列，植株通常生 4 ~ 6 头状花序，极少多于 4 ~ 6 头状花序，更少植株含 1 头状花序的；总苞钟状或宽钟状，直径 4 ~ 7 cm；总苞片多层，不等长，呈覆瓦状排列，向内层渐长，最外层苞片长三角形，长 1.4 ~ 1.5 cm，宽 4 ~ 4.5 mm，中层及内层苞片三角状披针形、长椭圆形或椭圆状披针形，长 1.5 ~ 2 cm，宽约 5 mm，最内层苞片宽线形或线状披针形，长 2 ~ 2.2 cm，宽 2 ~ 3 mm；全部苞片无毛或被稀疏蛛丝状毛，除最内层苞片以外，其余各层苞片中部或上部曲膝状弯曲，中脉高起，在先端成长或短针刺状伸出；小花紫色，长约 2.5 cm，檐部长约 1.2 cm，5 深裂，裂片狭线形，长达 6.5 mm，细管部长约 1.3 cm。瘦果灰黄色，楔形，稍压扁，长约 3.5 mm，有多数浅褐色的细纵线纹及细横皱纹，下部收窄，基底着生面稍偏斜，先端斜截形，有果缘，果缘全缘，无锯齿；冠毛白色，多层，不等长，向内层渐长，长达 2 cm；冠毛刚毛锯齿状，向先端渐细，基部联合成环，整体脱落。花果期 6 ~ 10 月。

| **生境分布** | 生于海拔 400 ~ 3 600 m 的山坡草地、田间、荒地、河旁及林下。分布于河北蔚县、武安、赞皇等。

| **资源情况** | 野生资源丰富。药材主要来源于野生。

| **采收加工** | 夏、秋季花盛开时采割全草；春、秋季采挖根，除去杂质，鲜用或晒干。

| **功能主治** | 散瘀止血，清热利尿。用于吐血，鼻衄，尿血，功能性子宫出血，带下，乳糜尿，尿路感染等；外用于痈疖，疔疮。

| **用法用量** | 内服煎汤，10 ~ 30 g。外用适量，捣敷。

菊科 Asteraceae 飞廉属 Carduus

节毛飞廉 *Carduus acanthoides* L.

药材名

飞廉（药用部位：全草或根。别名：飞轻、天荠、伏猪）。

形态特征

二年生或多年生植物，高（10～）20～100 cm。茎单生，有条棱，有长分枝或不分枝，全部茎枝被稀疏或下部稍稠密的多细胞长节毛，接头状花序下部的毛通常密厚。基部及下部茎生叶长椭圆形或长倒披针形，长6～29 cm，宽2～7 cm，羽状浅裂、半裂或深裂，侧裂片6～12对，半椭圆形、偏斜半椭圆形或三角形，边缘有大小不等的钝三角形刺齿，齿顶及齿缘有黄白色针刺，齿顶针刺较长，长达3 mm，少有长5 mm的，或叶边缘有大锯齿，不呈明显的羽状分裂；向上叶渐小，与基部及下部茎生叶同形并等样分裂，接头状花序下部的叶宽线形或线形，有时不裂；全部茎生叶两面同为绿色，沿脉有稀疏的多细胞长节毛，基部渐狭，两侧沿茎下延成茎翼；茎翼齿裂，齿顶及齿缘有长达3 mm的针刺，少有长达5 mm的针刺，头状花序下部的茎翼有时为针刺状。头状花序几无花序梗，3～5集生或疏松排列于茎顶或枝端，总苞卵形或卵圆形，直径1.5～

2（～ 2.5）cm；总苞片多层，覆瓦状排列，向内层渐长，最外层苞片线形或钻状长三角形，长约 7 mm，宽约 1 mm，中内层苞片钻状三角形至钻状披针形，长 8 ～ 14 mm，宽 1.5 mm，最内层苞片线形或钻状披针形，长约 16 mm，宽约 1 mm；中、外层苞片先端有长 1 ～ 2 mm 的褐色或淡黄色的针刺，最内层及近最内层向先端钻状长渐尖，无针刺；全部苞片无毛或被稀疏蛛丝毛；小花红紫色，长约 1.7 cm，檐部长约 9 mm，5 深裂，裂片线形，细管部长约 8 mm。瘦果长椭圆形，中部收窄，长约 4 mm，浅褐色，有多数横皱纹，基底着生面平，先端截形，有蜡质果缘，果缘全缘，无齿裂；冠毛多层，白色，或稍带褐色，不等长，向内层渐长；冠毛刚毛锯齿状，长达 1.5 cm，先端稍扁平扩大。花果期 5 ～ 10 月。

| 生境分布 | 生于海拔 260 ～ 3 500 m 的山坡、草地、林缘、灌丛、山谷、山沟、水边或田间。分布于河北赤城、涞源、迁安等。

| 资源情况 | 野生资源丰富。药材来源于野生。

| 采收加工 | 春、夏季采收全草，秋季采挖根，鲜用，或除花阴干外，其余切段，晒干。

| 功能主治 | 微苦，凉。祛风，清热，利湿，凉血止血，活血消肿。用于感冒咳嗽，头痛眩晕，尿路感染，乳糜尿，带下，黄疸，风湿痹痛，吐血，衄血，尿血，月经过多，跌打损伤，疔疮疖肿，痔疮肿痛，烫火伤。

| 用法用量 | 内服煎汤，15 ～ 30 g。外用适量，鲜品捣敷。

| 附　注 | 本种与近缘种丝毛飞廉 *Carduus crispus* L. 的主要区别在于：本种叶两面同为绿色，沿脉仅有多细胞长节毛，下面并无蛛丝状薄绵毛。

菊科 Asteraceae 飞廉属 *Carduus*

丝毛飞廉 *Carduus crispus* L.

植物别名

飞簾。

药材名

飞廉（药用部位：全草或根。别名：飞轻、天荠、伏猪）。

形态特征

二年生或多年生草本，高 40 ~ 150 cm。茎直立，有条棱，不分枝或最上部有极短或较长分枝，被稀疏的多细胞长节毛，上部或接头状花序下部有稀疏或较稠密的蛛丝状毛或蛛丝状绵毛。下部茎生叶椭圆形、长椭圆形或倒披针形，长 5 ~ 18 cm，宽 1 ~ 7 cm，羽状深裂或半裂，侧裂片 7 ~ 12 对，偏斜半椭圆形、半长椭圆形、三角形或卵状三角形，边缘有大小不等的三角形或偏斜三角形刺齿，齿顶及齿缘有浅褐色或淡黄色的针刺，齿顶针刺较长，长达 3.5 cm，齿缘针刺较短，或下部茎生叶不为羽状分裂，边缘具大锯齿或重锯齿；中部茎生叶与下部茎生叶同形并等样分裂，但渐小，最上部茎生叶线状倒披针形或宽线形；全部茎生叶两面明显异色，上面绿色，有稀疏的多细胞长节毛，但沿中脉的毛较多，下面灰绿色或浅灰白色，被蛛

丝状薄绵毛，沿脉有较多的多细胞长节毛，基部渐狭，两侧沿茎下延成茎翼；茎翼边缘齿裂，齿顶及齿缘有黄白色或浅褐色的针刺，针刺长 2 ～ 3 mm，极少长达 5 mm，上部或接头状花序下部的茎翼常为针刺状。头状花序，花序梗极短，2 ～ 3 簇生于枝端，形成不明显的伞房花序；总苞卵圆形，直径 1.5 ～ 2（～ 2.5）cm，总苞片多层，覆瓦状排列，向内层渐长，最外层苞片长三角形，长约 3 mm，宽约 0.7 mm，中内层苞片钻状长三角形、钻状披针形或披针形，长 4 ～ 13 mm，宽 0.9 ～ 2 mm，最内层苞片线状披针形，长约 15 mm，宽不及 1 mm，中外层先端针刺状短渐尖或尖头，最内层及近最内层先端长渐尖，无针刺；全部苞片无毛或被稀疏的蛛丝毛；小花红色或紫色，长约 1.5 cm，檐部长约 8 mm，5 深裂，裂片线形，长达 6 mm，细管部长约 7 mm。瘦果稍压扁，楔状椭圆形，长约 4 mm，有明显的横皱纹，基底着生面平，先端斜截形，有果缘，果缘软骨质，全缘，无锯齿；冠毛多层，白色或污白色，不等长，向内层渐长，刚毛锯齿状，长达 1.3 cm，先端扁平扩大，基部联合成环，整体脱落。花果期 4 ～ 10 月。

| **生境分布** | 生于海拔 400 ～ 3 600 m 的山坡草地、田间、荒地、河旁及林下。分布于河北阜平、滦平、涉县等。

| **资源情况** | 野生资源丰富。药材来源于野生。

| **采收加工** | 春、夏季采收全草，秋季采挖根，鲜用，或除花阴干外，其余切段，晒干。

| **药材性状** | 本品茎呈圆柱形，直径 0.2 ～ 1 cm；表面灰褐色或灰黄色，具纵棱，附有黄绿色的叶状翅，翅具针刺；质脆，断面白色，髓部常呈空洞。叶皱缩破碎，完整者呈椭圆状披针形，羽状深裂，裂片边缘具不规则的齿裂，并具不等长的针刺，上面绿色，无毛，下面有丝状毛。头状花序 2 ～ 3 着生于枝端；总苞钟形，黄褐色，直径约 2 cm，苞片多层，外层较内层逐渐变短，线状披针形，先端长尖或刺状，向外反卷。冠毛刺状，黄白色。气微，味苦。

| **功能主治** | 苦，凉。祛风，清热，利湿，凉血止血，活血消肿。用于感冒咳嗽，头痛眩晕，尿路感染，乳糜尿，带下，黄疸，风湿痹痛，吐血，衄血，尿血，月经过多，跌打损伤，疔疮疖肿，痔疮肿痛，烫火伤。

| **用法用量** | 内服煎汤，9 ～ 30 g，鲜品 30 ～ 60 g；或入丸、散剂；或浸酒。外用适量，煎汤洗；或鲜品捣敷；或烧存性，研末掺。

| **附** **注** | 本种是一个多型性的种，在叶形、分裂度、叶及茎翼边缘针刺长短及头状花序排列式样上与飞廉属植物都有相当大的变异。本种与节毛飞廉 *Carduus acanthoides* L. 的形态接近，它们是一组近缘种。

菊科 Asteraceae 风毛菊属 Saussurea

草地风毛菊 *Saussurea amara* (L.) DC.

| 植物别名 |

羊耳朵、驴耳风毛菊。

| 药 材 名 |

驴耳风毛菊（药用部位：全草。别名：狗舌头、驴耳朵、风毛菊）。

| 形态特征 |

多年生草本。茎直立，高（9～）15～60 cm，基部直径约 7 mm，无翼，被白色稀疏的短柔毛或通常无毛，上部或仅在先端有短伞房花序状分枝或自中下部有长伞房花序状分枝。基生叶与下部茎生叶有长或短柄，柄长 2～4 cm，叶片披针状长椭圆形、椭圆形、长圆状椭圆形或长披针形，长 4～18 cm，宽 0.7～6 cm，先端钝或急尖，基部楔形渐狭，边缘通常全缘或有极少的钝而大的锯齿，或有波状浅齿而锯齿不等大；中上部茎生叶渐小，有短柄或无柄，椭圆形或披针形，基部有时有小耳；全部叶两面绿色，下面色淡，两面被稀疏的短柔毛及稠密的金黄色小腺点。头状花序在茎枝先端排成伞房状或伞房圆锥状花序；总苞钟状或圆柱形，直径 8～12 mm，总苞片 4 层，外层苞片披针形或卵状披针形，长 3～5 mm，宽约 1 mm，

先端急尖，有时黑绿色，有细齿或 3 裂，外层苞片被稀疏的短柔毛，中层与内层苞片线状长椭圆形或线形，长约 9 mm，宽约 1.5 mm，外面有白色稀疏短柔毛，先端有淡紫红色而边缘有小锯齿的扩大的圆形附片，全部苞片外面绿色或淡绿色，有少数金黄色小腺点或无腺点；小花淡紫色，长约 1.5 cm，细管部长约 9 mm，檐部长约 6 mm。瘦果长圆形，长约 3 mm，有 4 肋；冠毛白色，2 层，外层短，糙毛状，长约 1 mm，内层长，羽毛状，长约 1.7 cm。花果期 7 ~ 10 月。

| 生境分布 | 生于海拔 510 ~ 3 200 m 的荒地、路边、森林、山坡、草原、河堤、沙丘、湖边。分布于河北赤城、沽源、张北等。

| 资源情况 | 野生资源丰富。药材来源于野生。

| 采收加工 | 夏、秋季采收，鲜用或晒干。

| 功能主治 | 苦，寒。清热解毒散结。用于瘰疬，疟腮，疖肿。

| 用法用量 | 外用适量，捣敷；或熬膏敷。

菊科 Asteraceae 风毛菊属 Saussurea

风毛菊

Saussurea japonica (Thunb.) DC.

| 药 材 名 |

八楞木（药用部位：全草。别名：八楞麻）。

| 形态特征 |

二年生草本，高 50 ~ 150（~ 200）cm。根倒圆锥状或纺锤形，黑褐色，生多数须根。茎直立，基部直径约 1 cm，通常无翼，极少有翼，被稀疏的短柔毛及金黄色的小腺点。基生叶与下部茎生叶有叶柄，叶柄长 3 ~ 3.5（~ 6）cm，有狭翼，叶片椭圆形、长椭圆形或披针形，长 7 ~ 22 cm，宽 3.5 ~ 9 cm，羽状深裂，侧裂片 7 ~ 8 对，长椭圆形、椭圆形、偏斜三角形、线状披针形或线形，中部的侧裂片较大，向两端的侧裂片较小，全部侧裂片先端钝或圆形，全缘或极少边缘有少数大锯齿，顶裂片披针形或线状披针形，较长，极少基生叶不分裂，披针形或线状披针形，全缘或有大锯齿；中部茎生叶与基生叶及下部茎生叶同形并等样分裂，但渐小，有短柄；上部茎生叶与花序分枝上的叶更小，羽状浅裂或不裂，无柄；全部两面同为绿色，下面色淡，两面有稠密的凹陷性的淡黄色小腺点。头状花序多数，在茎枝先端排成伞房状或伞房圆锥状花序，有小花梗；总苞圆柱状，直径 5 ~ 8 mm，被白色稀疏的

蛛丝状毛，总苞片 6 层，外层长卵形，长约 2.8 mm，宽约 1 mm，先端微扩大，紫红色，中层与内层倒披针形或线形，长 4 ~ 9 mm，0.8 ~ 1 mm，先端有扁圆形的紫红色的膜质附片，附片边缘有锯齿；小花紫色，长 10 ~ 12 mm，细管部长约 6 mm，檐部长 4 ~ 6 mm。瘦果深褐色，圆柱形，长 4 ~ 5 mm；冠毛白色，2 层，外层短，糙毛状，长约 2 mm，内层长，羽毛状，长约 8 mm。花果期 6 ~ 11 月。

| **生境分布** | 生于海拔 200 ~ 2 800 m 的山坡、山谷、林下、路旁、灌丛、水旁、田中。分布于河北宽城、隆华、滦平等。

| **资源情况** | 野生资源丰富，栽培资源一般。药材来源于野生和栽培。

| **采收加工** | 夏、秋季采割，洗去泥沙，晒干。

| **药材性状** | 本品根呈纺锤形。茎呈类圆柱形，长约 1 m，直径 0.5 ~ 0.8 cm；外表面灰褐色或棕褐色，具数条纵棱，节明显，呈螺旋状排列，节间 2 ~ 6 cm；质脆，易折断，断面髓部宽广，呈类白色或黄白色，中心有 1 小孔洞。叶多破碎，完整者展平后，基生叶和下部叶有柄，呈矩圆形或椭圆形，羽状分裂，裂片 7 ~ 8 对；上部叶较小，呈椭圆形或披针形，分裂或全缘。头状花序密集成伞房状，总苞筒状，多层，全为管状花。气微，味微苦。

| **功能主治** | 辛、苦，平。归肝经。祛风活络，散瘀止痛。用于风湿痹痛，跌打损伤。

| **用法用量** | 内服煎汤，9 ~ 15 g；或浸酒。外用适量，捣敷；或煎汤洗。

菊科 Asteraceae 狗舌草属 Tephroseris

狗舌草

Tephroseris kirilowii (Turcz. ex DC.) Holub

| 药材名 | 狗舌草（药用部位：地上部分。别名：狗舌头草、白火丹草、铜交杯）。

| 形态特征 | 多年生草本。根茎斜升，常覆盖以褐色宿存叶柄，具多数纤维状根。茎单生，稀 2 ~ 3，近葶状，直立，高 20 ~ 60 cm，不分枝，被密白色蛛丝状毛，有时或多或少脱毛。基生叶数个，莲座状，具短柄，在花期生存，长圆形或卵状长圆形，长 5 ~ 10 cm，宽 1.5 ~ 2.5 cm，先端钝，具小尖，基部楔状至渐狭成具狭至宽翅叶柄，两面密被或疏被白色蛛丝状绒毛；茎生叶少数，向茎上部渐小，下部叶倒披针形或倒披针状长圆形，长 4 ~ 8 cm，宽 0.5 ~ 1.5 cm，钝至尖，无柄，基部半抱茎，上部叶小，披针形，苞片状，先端尖。头状花序直径 1.5 ~ 2 cm，3 ~ 11 排列成顶生伞房花序；花序梗长 1.5 ~ 5 cm，

被密蛛丝状绒毛，多少被黄褐色腺毛，基部具苞片，上部无小苞片；总苞近圆柱状钟形，长 6 ～ 8 mm，宽 6 ～ 9 mm，无外层苞片，总苞片 18 ～ 20，披针形或线状披针形，宽 1 ～ 1.5 mm，先端渐尖或急尖，绿色或紫色，草质，具狭膜质边缘，外面被密或有时疏的蛛丝状毛，或多少脱毛；舌状花 13 ～ 15，管部长 3 ～ 3.5 mm；舌片黄色，长圆形，长 6.5 ～ 7 mm，宽 2.5 ～ 3 mm，先端钝，具 3 细齿，4 脉；管状花多数，花冠黄色，长约 8 mm，管部长约 4 mm，檐部漏斗状；裂片卵状披针形，长约 1.2 mm，急尖，先端具乳头状毛；花药长约 2.2 mm，基部钝，附片卵状披针形；花柱分枝长约 1 mm。瘦果圆柱形，长约 2.5 mm，被密硬毛；冠毛白色，长约 6 mm。花期 2 ～ 8 月。

| 生境分布 | 生于海拔 250 ～ 2 000 m 的草地山坡或山顶阳处。分布于河北阜平、灵寿、滦平等。

| 资源情况 | 野生资源一般。药材主要来源于野生。

| 采收加工 | 夏、秋季采割，除去杂质，晒干。

| 药材性状 | 本品茎单一，长 30 ～ 60 cm，具多纵棱，被有白色绒毛。基生叶长 5 ～ 10 cm，宽 1.5 ～ 2.5 cm，边缘具浅齿或全缘，两面具白色绒毛。头状花序 3 ～ 11 在茎顶排成伞房状，总苞 1 层，披针形，基部及背部有白色毛；舌状花 1 层，黄色，管状花多数，大部分散落并黏在绒毛上。草质、脆，断面中空。气香，味苦。

| 功能主治 | 苦，寒。清热，利水，杀虫。

| 用法用量 | 内服煎汤，9 ～ 15 g，鲜品加倍；或入丸、散剂。外用适量，捣敷。

| 附　注 | 本种广泛分布于我国东北、华北、华中、华东及西南各省区，其植株大小、叶形及毛茸诸多变异。一般分布于东北及华北的植株其总苞片均被密白色蛛丝状绒毛及疏黄褐色腺状柔毛，叶柄具较宽的翅；而分布于华东及西南的植株其总苞片则被疏毛或多少脱毛，叶柄具狭翅，瘦果均有密硬毛。

菊科 Asteraceae 鬼针草属 Bidens

鬼针草 *Bidens pilosa* L.

| 植物别名 | 蟹钳草、对叉草、粘人草。

| 药材名 | 盲肠草（药用部位：全草。别名：黄花雾、玉盏载银杯、婆婆针）。

| 形态特征 | 一年生草本。茎直立，高30～100 cm，钝四棱形，无毛或上部被极稀疏的柔毛，基部直径可达6 mm。茎下部叶较小，3裂或不分裂，通常在开花前枯萎，中部叶具长1.5～5 cm无翅的柄，三出，小叶3，很少为具5（～7）小叶的羽状复叶，两侧小叶椭圆形或卵状椭圆形，长2～4.5 cm，宽1.5～2.5 cm，先端锐尖，基部近圆形或阔楔形，有时偏斜，不对称，具短柄，边缘有锯齿，顶生小叶较大，长椭圆形或卵状长圆形，长3.5～7 cm，先端渐尖，基部渐狭或近圆形，具长1～2 cm的柄，边缘有锯齿，无毛或被极稀疏的短柔毛，

上部叶小，3 裂或不分裂，条状披针形。头状花序直径 8 ~ 9 mm，有长 1 ~ 6 cm（果时长 3 ~ 10 cm）的花序梗；总苞基部被短柔毛，苞片 7 ~ 8，条状匙形，上部稍宽，开花时长 3 ~ 4 mm，果时长至 5 mm，草质，边缘疏被短柔毛或几无毛，外层托片披针形，果时长 5 ~ 6 mm，干膜质，背面褐色，具黄色边缘，内层较狭，条状披针形；无舌状花，盘花筒状，长约 4.5 mm，冠檐 5 齿裂。瘦果黑色，条形，略扁，具棱，长 7 ~ 13 mm，宽约 1 mm，上部具稀疏瘤状突起及刚毛，先端芒刺 3 ~ 4，长 1.5 ~ 2.5 mm，具倒刺毛。

| 生境分布 | 生于村旁、路边及荒地中。分布于河北昌黎、沽源、赞皇等。

| 资源情况 | 野生资源一般。药材主要来源于野生。

| 采收加工 | 夏、秋季采收，鲜用，或切段，晒干。

| 功能主治 | 甘、微苦，凉。清热，解毒，利湿，健脾。用于时行感冒，咽喉肿痛，肝炎，暑湿吐泻，肠炎，痢疾，肠痈，小儿疳积，血虚黄肿，痔疮，蛇虫咬伤。

| 用法用量 | 内服煎汤，10 ~ 30 g，鲜品加倍；或熬膏；或捣汁。外用适量，捣敷；或煎汤洗。

菊科 Asteraceae 鬼针草属 Bidens

金盏银盘
Bidens biternata (Lour.) Merr. et Sherff

| 药 材 名 | 金盏银盘（药用部位：全草。别名：铁筅帚、千条针、金盘银盏）。

| 形态特征 | 一年生草本。茎直立，高 30 ～ 150 cm，略具 4 棱，无毛或被稀疏卷曲短柔毛，基部直径 1 ～ 9 mm。叶为一回羽状复叶，顶生小叶卵形至长圆状卵形或卵状披针形，长 2 ～ 7 cm，宽 1 ～ 2.5 cm，先端渐尖，基部楔形，边缘具稍密且近均匀的锯齿，有时一侧深裂为 1 小裂片，两面均被柔毛，侧生小叶 1 ～ 2 对，卵形或卵状长圆形，近顶部的 1 对稍小，通常不分裂，基部下延，无柄或具短柄，下部的 1 对约与顶生小叶相等，具明显的柄，三出复叶状分裂或仅一侧具 1 裂片，裂片椭圆形，边缘有锯齿；总叶柄长 1.5 ～ 5 cm；无毛或被疏柔毛。头状花序直径 7 ～ 10 mm，花序梗长 1.5 ～ 5.5 cm，果时长 4.5 ～ 11 cm。总苞基部有短柔毛，外层苞片 8 ～ 10，草质，

条形，长 3 ~ 6.5 mm，先端锐尖，背面密被短柔毛，内层苞片长椭圆形或长圆状披针形，长 5 ~ 6 mm，背面褐色，有深色纵条纹，被短柔毛；舌状花通常 3 ~ 5，不育，舌片淡黄色，长椭圆形，长约 4 mm，宽 2.5 ~ 3 mm，先端 3 齿裂，或有时无舌状花；盘花筒状，长 4 ~ 5.5 mm，冠檐 5 齿裂。瘦果条形，黑色，长 9 ~ 19 mm，宽 1 mm，具 4 棱，两端稍狭，多少被小刚毛，先端芒刺 3 ~ 4，长 3 ~ 4 mm，具倒刺毛。花果期 8 ~ 10 月。

| 生境分布 | 生于路边、村旁及荒地中。分布于河北井陉、行唐、赞皇等。

| 资源情况 | 野生资源丰富，栽培资源一般。药材来源于野生和栽培。

| 采收加工 | 春、夏季采收，鲜用，或切段，晒干。

| 药材性状 | 本品茎略具 4 棱，表面淡棕褐色，基部直径 1 ~ 9 mm，长 30 ~ 150 cm。叶对生，一或二回三出复叶，卵形或卵状披针形，长 2 ~ 7 cm，宽 1 ~ 2.5 cm，叶缘具细齿。头状花序干枯，具长梗。瘦果易脱落，残存花托近圆形。气微，味淡。

| 功能主治 | 甘、微苦，凉。归肺、心、胃经。疏风，清热，解毒。用于风热感冒，乳蛾，肠痈，毒蛇咬伤，湿热泻痢，黄疸；外用于疖疮，痔疮。

| 用法用量 | 内服煎汤，10 ~ 30 g；或浸酒。外用适量，捣敷；或煎汤洗。

| 附　　注 | 本品原名铁笂帚，始载于《百草镜》。《纲目拾遗》云："铁笂帚，山间多有之，绿茎而方，上有紫线纹，叶似紫顶龙芽，微有白毛，七月开小黄花，结实似笂帚形，能刺人手。故又名千条针。"该书所述的叶似紫顶龙芽（马鞭草）、结实似笂帚形、能刺人手等特点与今菊科植物金盏银盘的特征相似。

菊科 Asteraceae 鬼针草属 Bidens

狼杷草
Bidens tripartita L.

| 植物别名 |

鬼叉、鬼针、鬼刺。

| 药 材 名 |

狼杷草（药用部位：全草。别名：乌阶、乌杷、郎耶草）。

| 形态特征 |

一年生草本。茎无毛。叶对生，下部叶不裂，具锯齿；中部叶柄长 0.8 ~ 2.5 cm，有窄翅，叶无毛或下面有极稀硬毛，长 4 ~ 13 cm，长椭圆状披针形，3 ~ 5 深裂，两侧裂片披针形或窄披针形，长 3 ~ 7 cm，顶生裂片披针形或长椭圆状披针形，长 5 ~ 11 cm；上部叶披针形，3 裂或不裂。头状花序单生茎枝端，直径 1 ~ 3 cm，高 1 ~ 1.5 cm，花序梗较长；总苞盘状，外层总苞片 5 ~ 9，线形或匙状倒披针形，长 1 ~ 3.5 cm，叶状，内层苞片长椭圆形或卵状披针形，长 6 ~ 9 mm，膜质，褐色，具透明或淡黄色边缘；无舌状花，全为筒状两性花，冠檐 4 裂。瘦果扁楔形或倒卵状楔形，长 0.6 ~ 1.1 cm，边缘有倒刺毛，先端芒刺 2，稀 3 ~ 4，两侧有倒刺毛。

| 生境分布 | 生于路边、荒野及水边湿地。分布于河北昌黎、行唐、平泉等。

| 资源情况 | 野生资源丰富。药材来源于野生。

| 采收加工 | 8 ~ 9 月除保留种植株外，割取地上部分，晒干或鲜用。

| 药材性状 | 本品茎略呈方形，由基部分枝，节上生根，表面绿色略带紫红色。叶对生，叶柄具狭翅，中部叶常羽状分裂，裂片椭圆形或矩圆状披针形，边缘有锯齿；上部叶 3 裂或不分裂。头状花序顶生或腋生；总苞片披针形，叶状有 5 睫毛；花黄棕色，无舌状花。气微，味微苦。

| 功能主治 | 甘、微苦，凉。清热解毒，利湿，通经。用于肺热咳嗽，咯血，咽喉肿痛，赤白痢疾，黄疸，月经不调，闭经，小儿疳积，瘰疬，湿疹癣疮，毒蛇咬伤。

| 用法用量 | 内服煎汤，10 ~ 30 g，鲜品加倍；或捣汁饮。外用适量，捣敷；研末撒；或调敷。

| 附　　注 | 本品始载于《本草拾遗》。《本草拾遗》云："狼杷草，生山道旁""郎耶草，生山泽间。三四尺，叶作雁齿，如鬼针苗"《本草纲目》云："狼杷草，即《陈藏器本草》郎耶草也。"《植物名实图考》中有狼杷草附图。从以上本草古籍的文字记载及附图来看，书中所载植物的形态特征与今菊科植物狼杷草的形态相符。

菊科 Asteraceae 鬼针草属 Bidens

柳叶鬼针草
Bidens cernua L.

| 药 材 名 | 柳叶鬼针草（药用部位：全草）。

| 形态特征 | 一年生草本，高 10 ~ 90 cm。生于岸上的有明显的主茎，中上部分枝，节间较长；生于水中的常自基部分枝，节间短，主茎不明显。茎直立，近圆柱形，麦秆色或带紫色，无毛或嫩枝上有疏毛。叶对生，极少轮生，通常无柄，不分裂，披针形至条状披针形，先端渐尖，中部以下渐狭，基部半抱茎状，边缘具疏锯齿，两面稍粗糙，无毛。头状花序单生茎枝端，连同总苞苞片直径达 4 cm（不包括总苞片及舌状花），开花时下垂，有较长的花序梗；总苞盘状，外层苞片 5 ~ 8，条状披针形，叶状，内层苞片膜质，长椭圆形或倒卵形，开花时长 6 ~ 8 mm，先端锐尖或钝，背面有黑色条纹，具黄色薄膜质边缘，无毛；托叶条状披针形，约与瘦果等长，膜质，透

明，先端带黄色，背面有数条褐色纵条纹；舌状花中性，舌片黄色，卵状椭圆形，先端锐尖或有 2 ～ 3 小齿，盘花两性，筒状，长约 3 mm，花冠管细窄，长约 1.5 mm，冠檐扩大，呈壶状，先端 5 齿裂。瘦果狭楔形，具 4 棱，棱上有倒刺毛，先端芒刺 4，长 2 ～ 3 mm，有倒刺毛。

| 生境分布 | 生于草甸及沼泽边缘，有时沉生于水中。分布于河北兴隆等。

| 资源情况 | 野生资源一般。药材主要来源于野生。

| 采收加工 | 夏、秋季采收，鲜用或晒干。

| 药材性状 | 本品茎呈圆柱形，表面麦秆色或带紫色。单叶对生，披针形至条状披针形，长 3 ～ 14 cm，宽 5 ～ 30 mm，基部半抱茎状，叶缘具疏锯齿，两面稍粗糙，无毛。头状花序单生于茎枝端；苞片叶状；托叶条状披针形，膜质，透明。花冠先端 5 齿裂。

| 功能主治 | 苦，凉。清热解毒，活血，利血，利尿。用于腹泻，痢疾，咽喉肿痛，跌打损伤，风湿痹痛，痈肿疮毒，小便淋痛。

| 用法用量 | 内服煎汤，6 ～ 12 g。外用适量，捣敷。

菊科 Asteraceae 鬼针草属 Bidens

婆婆针
Bidens bipinnata L.

| 植物别名 |

鬼针草、刺针草。

| 药 材 名 |

婆婆针（药用部位：地上部分）。

| 形态特征 |

一年生草本。茎直立，高 30 ~ 120 cm，下部略具 4 棱，无毛或上部被稀疏柔毛，基部直径 2 ~ 7 cm。叶对生，具柄，柄长 2 ~ 6 cm，背面微凸或扁平，腹面具沟槽，槽内及边缘具疏柔毛，叶片长 5 ~ 14 cm，2 回羽状分裂，第 1 次分裂深达中肋，裂片再次羽状分裂，小裂片三角状或菱状披针形，具 1 ~ 2 对缺刻或深裂，顶生裂片狭，先端渐尖，边缘有稀疏且不规整的粗齿，两面均被疏柔毛。头状花序直径 6 ~ 10 mm；花序梗长 1 ~ 5 cm（果时长 2 ~ 10 cm）；总苞杯形，基部有柔毛，外层苞片 5 ~ 7，条形，开花时长约 2.5 mm，果时长达 5 mm，草质，先端钝，被稍密的短柔毛，内层苞片膜质，椭圆形，长 3.5 ~ 4 mm，花后伸长为狭披针形，果时长 6 ~ 8 mm，背面褐色，被短柔毛，具黄色边缘；托叶狭披针形，长约 5 mm，果时长可达 12 mm；舌状花通常

1～3，不育，舌片黄色，椭圆形或倒卵状披针形，长4～5mm，宽2.5～3.2mm，先端全缘或具2～3齿，盘花筒状，黄色，长约4.5mm，冠檐5齿裂。瘦果条形，略扁，具3～4棱，长12～18mm，宽约1mm，具瘤状突起及小刚毛，先端芒刺3～4，很少2，长3～4mm，具倒刺毛。

| 生境分布 | 生于路边、荒地、山坡及田间。分布于河北邢台及抚宁、滦平等。

| 资源情况 | 野生资源丰富。药材主要来源于野生。

| 采收加工 | 夏、秋季采收，晒干。

| 药材性状 | 本品全长达50cm。茎呈方圆形，褐色至暗紫褐色，幼茎部位具短柔毛。叶多皱缩破碎或脱落，黄绿色至黄褐色，完整叶展平后呈2回羽状深裂，裂片先端尖或渐尖，边缘具不规则细齿或钝齿，两面略有短毛，叶柄长。茎顶总苞杯形，着生10余呈针条状、具3～4棱的果实，棱上有短毛。有时可见头状花序存在。气微，味微苦。

| 功能主治 | 苦，平。清热解毒，活血散瘀。用于感冒发热，咽喉肿痛，肠痛，跌扑损伤，腰痛，脱力劳伤。

| 用法用量 | 内服煎汤，4.5～9g。

菊科 Asteraceae 鬼针草属 Bidens

小花鬼针草 *Bidens parviflora* Willd.

| 植物别名 | 细叶刺针草、小刺叉、小鬼叉。

| 药 材 名 | 小鬼钗（药用部位：全草）。

| 形态特征 | 一年生草本。茎高 20 ~ 90 cm，下部圆柱形，有纵条纹，中上部常为钝四方形，无毛或被稀疏短柔毛。叶对生，具柄，柄长 2 ~ 3 cm，背面微凸或扁平，腹面有沟槽，槽内及边缘有疏柔毛，叶片长 6 ~ 10 cm，2 ~ 3 回羽状分裂，第一次分裂深达中肋，裂片再次羽状分裂，小裂片具 1 ~ 2 粗齿或再作第三回羽裂，最后一次裂片条形或条状披针形，宽约 2 mm，先端锐尖，边缘稍向上反卷，上面被短柔毛，下面无毛或沿叶脉被稀疏柔毛，上部叶互生，2 回或 1 回羽状分裂。头状花序单生茎端及枝端，具长梗，开花时直径

1.5 ~ 2.5 mm，高 7 ~ 10 mm；总苞筒状，基部被柔毛，外层苞片 4 ~ 5，草质，条状披针形，长约 5 mm，边缘被疏柔毛，果时长可达 8 ~ 15 mm，内层苞片稀疏，常仅 1，托片状；托叶长椭圆状披针形，开花时长 6 ~ 7 mm，膜质，具狭而透明的边缘，果时长达 10 ~ 13 mm；无舌状花，盘花两性，6 ~ 12，花冠筒状，长约 4 mm，冠檐 4 齿裂。瘦果条形，略具 4 棱，长 13 ~ 16 cm，宽约 1 mm，两端渐狭，有小刚毛，先端芒刺 2，长 2 ~ 3.5 mm，有倒刺毛。

| **生境分布** | 生于路边、荒地、林下及水沟边。分布于河北昌黎、行唐、怀安、张北等。

| **资源情况** | 野生资源丰富。药材主要来源于野生。

| **采收加工** | 夏、秋季采收，鲜用，或切段，晒干。

| **药材性状** | 本品全长 30 ~ 50 cm。茎下部圆柱形，有纵条纹，中上部常为钝四方形，表面暗褐色。单叶对生，完整叶展开后为 2 ~ 3 回羽状分裂，小叶片条状披针形，叶缘全缘稍向上翻卷，上面被短绒毛，下面无毛或沿中脉被稀疏绒毛；上部叶互生，1 ~ 2 回羽状分裂。头状花序单生于茎枝端，花黄棕色。

| **功能主治** | 苦、甘，凉。清热解毒，活血散瘀。用于感冒发热，咽喉肿痛，肠炎，阑尾炎，痔疮，跌打损伤，冻疮，毒蛇咬伤。

| **用法用量** | 内服煎汤，10 ~ 30 g，鲜品加倍。外用适量，捣敷。

菊科 Asteraceae 还阳参属 Crepis

还阳参 Crepis rigescens Diels

| **植物别名** | 笔管草、白茎雅葱。

| **药 材 名** | 还阳参（药用部位：根）。

| **形态特征** | 多年生草本，高 20 ～ 60 cm。根木质，粗或细，不分枝或分枝。茎直立，近基部圆柱状，基部木质，自上部或中部以上分枝。基部茎生叶极小，鳞片状或线钻形；中部茎生叶线形，长 3 ～ 8 cm，宽 0.5 ～ 5 mm，质坚硬，先端急尖，基部无柄，全缘，反卷，两面无毛。头状花序直立，多数或少数，在茎枝先端排成伞房花序；总苞圆柱状至钟状，长 8 ～ 9 mm，总苞片 4 层，外层及最外层总苞片小，不等长，长达 3 mm，宽约 1 mm 或不足 1 mm，线形或披针形，先端急尖，内层及最内层总苞片披针形或椭圆状披针形，长 7 ～ 9 mm，

宽约 1 mm，先端急尖，边缘白色膜质，内面无毛，全部总苞片外面被白色蛛丝状毛或无毛；舌状小花黄色，花冠管外面无毛。瘦果纺锤形，长约 4 mm，黑褐色，向先端收窄，先端无喙，有近等粗的纵肋 10 ~ 16，肋上被稀疏的小刺毛；冠毛白色，长约 4.5 mm，微粗糙。花果期 4 ~ 7 月。

| **生境分布** | 生于海拔 1 600 ~ 3 000 m 的山坡、林缘、溪边、路边、荒地。分布于河北赤城等。

| **资源情况** | 野生资源丰富。药材主要来源于野生。

| **采收加工** | 7 ~ 10 月采收全草，9 ~ 10 月采挖根，鲜用或晒干。

| **功能主治** | 止咳平喘，健脾消食，下乳。用于支气管炎，肺结核，小儿疳积。

| **用法用量** | 内服煎汤，15 ~ 30 g；或入膏、丸剂。外用适量，熬膏涂敷。

菊科 Asteraceae 蒿属 Artemisia

艾

Artemisia argyi Lévl. et Van.

| 植物别名 |

大叶艾、艾蒿、祈艾。

| 药 材 名 |

艾叶（药用部位：叶）。

| 形态特征 |

多年生草本或半灌木植物，植株有浓烈香气。主根明显，略粗长，直径达 1.5 cm，侧根多，常有横卧地下根茎及营养枝。茎单生或少数，高 80 ~ 150（~ 250）cm，有明显纵棱，褐色或灰黄褐色，基部稍木质化，上部草质，并有少数短的分枝，枝长 3 ~ 5 cm，茎、枝均被灰色蛛丝状柔毛。叶厚纸质，上面被灰白色短柔毛，并有白色腺点与小凹点，背面密被灰白色蛛丝状密绒毛；基生叶具长柄，花期萎谢；茎下部叶近圆形或宽卵形，羽状深裂，每侧具裂片 2 ~ 3，裂片椭圆形或倒卵状长椭圆形，每裂片有 2 ~ 3 小裂齿，干后背面主、侧脉多为深褐色或锈色，叶柄长 0.5 ~ 0.8 cm；中部叶卵形、三角状卵形或近菱形，长 5 ~ 8 cm，宽 4 ~ 7 cm，1 ~ 2 回羽状深裂至半裂，每侧裂片 2 ~ 3，裂片卵形、卵状披针形或披针形，长 2.5 ~ 5 cm，宽 1.5 ~ 2 cm，不再分裂或每侧有

1 ～ 2 缺齿，叶基部宽楔形，渐狭成短柄，叶脉明显，在背面凸起，干时锈色，叶柄长 0.2 ～ 0.5 cm，基部通常无假托叶或极小的假托叶；上部叶与苞片叶羽状半裂、浅裂、3 深裂或 3 浅裂，或不分裂，椭圆形、长椭圆状披针形、披针形或线状披针形。头状花序椭圆形，直径 2.5 ～ 3（～ 3.5）mm，无梗或近无梗，每数枚至 10 余枚在分枝上排成小型的穗状花序或复穗状花序，并在茎上通常再组成狭窄、尖塔形的圆锥花序，花后头状花序下倾；总苞片 3 ～ 4 层，覆瓦状排列，外层总苞片小，草质，卵形或狭卵形，背面密被灰白色蛛丝状绵毛，边缘膜质，中层总苞片较外层长，长卵形，背面被蛛丝状绵毛，内层总苞片质薄，背面近无毛；花序托小；雌花 6 ～ 10，花冠狭管状，檐部具 2 裂齿，紫色，花柱细长，伸出花冠外甚长，先端二叉；两性花 8 ～ 12，花冠管状或高脚杯状，外面有腺点，檐部紫色，花药狭线形，先端附属物尖，长三角形，基部有不明显的小尖头，花柱与花冠近等长或略长于花冠，先端二叉，花后向外弯曲，叉端截形，并有睫毛。瘦果长卵形或长圆形。花果期 7 ～ 10 月。

| **生境分布** | 生于低海拔至中海拔地区的荒地、路旁、河边及山坡等，也见于森林、草原。分布于河北丰宁、阜平、行唐等。

| **资源情况** | 野生资源丰富。药材主要来源于野生。

| **采收加工** | 夏季花未开时采摘，除去杂质，晒干。

| **药材性状** | 本品多皱缩、破碎，有短柄。完整叶片展平后呈卵状椭圆形，羽状深裂，裂片椭圆状披针形，边缘有不规则的粗锯齿；上表面灰绿色或深黄绿色，有稀疏的柔毛和腺点；下表面密生灰白色绒毛。质柔软。气清香，味苦。

| **功能主治** | 辛、苦，温；有小毒。归肝、脾、肾经。温经止血，散寒止痛，祛湿止痒。用于吐血，衄血，崩漏，胎漏下血，少腹冷痛，经寒不调，宫冷不孕；外用于皮肤瘙痒。

| **用法用量** | 内服煎汤，3 ～ 9 g。外用适量，灸治；或熏洗。

| **附　　注** | （1）《本草纲目》除记载"白蒿""白艾"可入药外，还记载"蕲艾"（产蕲州，今湖北省蕲春县蕲州镇）可入药。蕲艾系艾的栽培品种，栽培品种与野生品种的区别在于栽培品种植株高大，高 150 ～ 250 cm，香气浓烈；叶厚纸质，被毛密而厚，中部叶羽状浅裂，上部叶通常不分裂，椭圆形或长椭圆形，最长可达

7 ~ 8 cm，宽 1.5 cm，叶揉之常成棉絮状；味苦、辛、微甘，性温。

（2）本种早在《神农本草经》中已有记述，该书称其为"白蒿"。历代本草文献记述的"白蒿"或"白艾"，其陆生种的大部分植物实际上包括了本种及其近缘种，如宽叶山蒿 *Artemisia stolonifera* (Maxim.) Komar.、湘赣艾 *Artemisia gilvescens* Miq.、野艾蒿 *Artemisia lavandulaefolia* DC.、南艾蒿 *Artemisia verlotorum* Lamotte、白叶蒿 *Artemisia leucophylla* (Turcz. ex Bess.) C. B. Clarke、蒙古蒿 *Artemisia mongolica* (Fisch. ex Bess.) Nakai、红足蒿 *Artemisia rubripes* Nakai、五月艾 *Artemisia indices* Willd.、魁蒿 *Artemisia princeps* Pamp 及歧茎蒿 *Artemisia igniaria* Maxim. 等。

菊科 Asteraceae　蒿属 *Artemisia*

朝鲜艾
Artemisia argyi var. *gracilis* Pamp.

| **植物别名** | 深裂叶艾蒿、野艾、朝鲜艾蒿。

| **药 材 名** | 艾叶（药用部位：叶）。

| **形态特征** | 多年生草本或半灌木植物，植株有浓烈香气。主根明显，略粗长，直径达 1.5 cm，侧根多，常有横卧地下根茎及营养枝。茎单生或少数，高 80 ～ 150（～ 250）cm，有明显纵棱，褐色或灰黄褐色，基部稍木质化，上部草质，并有少数短的分枝，枝长 3 ～ 5 cm，茎、枝均被灰色蛛丝状柔毛。叶厚纸质，上面被灰白色短柔毛，并有白色腺点与小凹点，背面密被灰白色蛛丝状密绒毛；基生叶具长柄，花期萎谢；茎下部叶近圆形或宽卵形，羽状深裂，每侧具裂片 2 ～ 3，裂片椭圆形或倒卵状长椭圆形，每裂片有 2 ～ 3 小裂齿，干后背面主、侧脉多为深褐色或锈色，叶柄长 0.5 ～ 0.8 cm；中部叶卵形、三角

状卵形或近菱形，长 5 ～ 8 cm，宽 4 ～ 7 cm，1（～ 2）回羽状深裂，每侧裂片 2 ～ 3，裂片卵形、卵状披针形或披针形，长 2.5 ～ 5 cm，宽 1.5 ～ 2 cm，不再分裂或每侧有 1 ～ 2 缺齿，叶基部宽楔形，渐狭成短柄，叶脉明显，在背面凸起，干时锈色，叶柄长 0.2 ～ 0.5 cm，基部通常无假托叶或极小的假托叶；上部叶与苞片叶羽状半裂、浅裂、3 深裂或 3 浅裂，或不分裂，椭圆形、长椭圆状披针形、披针形或线状披针形。头状花序椭圆形，直径 2.5 ～ 3（～ 3.5）mm，无梗或近无梗，每数枚至 10 余枚在分枝上排成小型的穗状花序或复穗状花序，并在茎上通常再组成狭窄、尖塔形的圆锥花序，花后头状花序下倾；总苞片 3 ～ 4 层，覆瓦状排列，外层总苞片小，草质，卵形或狭卵形，背面密被灰白色蛛丝状绵毛，边缘膜质，中层总苞片较外层长，长卵形，背面被蛛丝状绵毛，内层总苞片质薄，背面近无毛；花序托小；雌花 6 ～ 10，花冠狭管状，檐部具 2 裂齿，紫色，花柱细长，伸出花冠外甚长，先端二叉；两性花 8 ～ 12，花冠管状或高脚杯状，外面有腺点，檐部紫色，花药狭线形，先端附属物尖，长三角形，基部有不明显的小尖头，花柱与花冠近等长或略长于花冠，先端二叉，花后向外弯曲，叉端截形，并有睫毛。瘦果长卵形或长圆形。花果期 7 ～ 10 月。

| 生境分布 | 生于低海拔至中海拔地区的荒地、路旁、河边及山坡等，也见于森林、草原。分布于河北抚宁等。

| 资源情况 | 野生资源丰富。药材主要来源于野生。

| 采收加工 | 夏季花未开时采摘，除去杂质，晒干。

| 药材性状 | 本品多皱缩、破碎，有短柄。完整叶片展平后呈卵状椭圆形，羽状深裂，裂片椭圆状披针形，边缘有不规则的粗锯齿；上表面灰绿色或深黄绿色，有稀疏的柔毛和腺点，下表面密生灰白色绒毛。质柔软。气清香，味苦。

| 功能主治 | 辛、苦，温；有小毒。归肝、脾、肾经。温经止血，散寒止痛，祛湿止痒。用于吐血，衄血，崩漏，胎漏下血，少腹冷痛，经寒不调，宫冷不孕；外用于皮肤瘙痒。

| 用法用量 | 内服煎汤，3 ～ 9 g。外用适量，灸治；或熏洗。

| 附　注 | 本种与原变种艾 *Artemisia argyi* Lévl. et Van 的区别在于本种茎中部叶为羽状深裂。

菊科 Asteraceae 蒿属 Artemisia

大籽蒿

Artemisia sieversiana Ehrhart ex Willd.

| 植物别名 | 山艾、白蒿、大白蒿。

| 药材名 | 大籽蒿（药用部位：地上部分）、白蒿（药用部位：全草）、白蒿花（药用部位：花）。

| 形态特征 | 一年生或二年生草本。主根单一，垂直，狭纺锤形。茎单生，直立，高 50 ~ 150 cm，细，有时略粗，稀下部稍木质化，基部直径可达 2 cm，纵棱明显，分枝多；茎、枝被灰白色微柔毛。下部与中部叶宽卵形或宽卵圆形，两面被微柔毛，长 4 ~ 8（~ 13）cm，宽 3 ~ 6（~ 15）cm，2 ~ 3 回羽状全裂，稀为深裂，每侧有裂片 2 ~ 3，裂片常再成不规则的羽状全裂或深裂，基部侧裂片常有第三次分裂，小裂片线形或线状披针形，长 2 ~ 10 mm，宽 1 ~ 1.5（~ 2）mm，有时小裂片边缘有缺齿，先端钝或渐尖，叶柄长（1 ~ ）2 ~ 4 cm，

基部有小型羽状分裂的假托叶；上部叶及苞片叶羽状全裂或不分裂，而为椭圆状披针形或披针形，无柄。头状花序大，多数，半球形或近球形，直径（3～）4～6 mm，具短梗，稀近无梗，基部常有线形的小苞叶，在分枝上排成总状花序或复总状花序，而在茎上组成开展或略狭窄的圆锥花序；总苞片3～4层，近等长，外层、中层总苞片长卵形或椭圆形，背面被灰白色微柔毛或近无毛，中肋绿色，边缘狭膜质，内层长椭圆形，膜质；花序托凸起，半球形，有白色托毛；雌花20～30，2（～3）层，花冠狭圆锥状，檐部具（2～）3～4裂齿，花柱线形，略伸出花冠外，先端二叉，叉端钝尖；两性花多层，80～120，花冠管状，花药披针形或线状披针形，上端附属物尖，长三角形，基部有短尖头，花柱与花冠等长，先端叉开，叉端截形，有睫毛。瘦果长圆形。花果期6～10月。

| **生境分布** | 生于海拔 500 ~ 2 200 m 的路旁、荒地、河漫滩、草原、森林草原、干山坡或林缘等。分布于河北平泉、武安、张北等。 |

| **资源情况** | 野生资源丰富。药材主要来源于野生。 |

| **采收加工** | 大籽蒿：秋季采收，除去老茎枯叶，切段，晒干。
白蒿：夏、秋季采收，鲜用或扎把晾干。
白蒿花：6 ~ 8 月采收，鲜用或晾干。 |

| **药材性状** | 白蒿：本品茎类圆柱形，长短不一，直径可达 5 mm。绿色，表面有纵棱，可见互生的枝、叶或叶基。上部有较密的柔毛。质坚脆，易折断，断面纤维性，中央有白色髓。叶皱缩或已破碎，完整叶片展平后 2 ~ 3 回羽状深裂，裂片线 |

形，两面均被柔毛。头状花序较多，半球形，直径 3 ～ 6 mm，总花梗细瘦，总苞叶线形，总苞片 2 ～ 3 裂，边缘有白色宽膜片，背面被短柔毛；花托卵形；边缘为雌花，内层花两性，均为管状。成熟花序可见倒卵形的瘦果。气浓香，味微苦。

| 功能主治 |　**大籽蒿**：苦、微甘，凉。止血，消肿，清热。用于各种疾病引起的出血，四肢关节肿胀，痈疖。

　　　　　　白蒿：苦、微甘，凉。清热利湿，凉血止血。用于肺热咳嗽，咽喉肿痛，湿热黄疸，热痢，淋证，风湿痹痛，吐血，咯血，外伤出血，疥癣恶疮。

　　　　　　白蒿花：苦、微甘，凉。清热解毒，收湿敛疮。用于痈肿疔毒，湿疹。

| 用法用量 |　**大籽蒿**：内服研末，1.5 ～ 2 g，或入丸、散剂。外用适量，研末散或调敷，或煎汤洗。

　　　　　　白蒿：内服煎汤，10 ～ 15 g。外用适量，鲜品捣敷；或干品研末捣敷。

　　　　　　白蒿花：内服煎汤，10 ～ 15 g。外用适量，煎汤洗。

| 附　　注 |　本种的植株大小、叶形状、头状花序大小、排列方式等变异大。这些形态特征在小区域内随水湿条件的过渡性变化也呈现出过渡性变化，所以前人建立的变种与变型均应予以归并。

菊科 Asteraceae 蒿属 Artemisia

黄花蒿 *Artemisia annua L.*

| 植物别名 |

香蒿。

| 药 材 名 |

青蒿（药用部位：地上部分）。

| 形态特征 |

一年生草本，植株有浓烈的挥发性香气。根单生，垂直，狭纺锤形。茎单生，高100～200 cm，基部直径可达1 cm，有纵棱，幼时绿色，后变褐色或红褐色，多分枝；茎、枝、叶两面及总苞片背面无毛或初时背面微有极稀疏短柔毛，后脱落无毛。叶纸质，绿色；茎下部叶宽卵形或三角状卵形，长3～7 cm，宽2～6 cm，绿色，两面具细小脱落性的白色腺点及细小凹点，3（～4）回栉齿状羽状深裂，每侧有裂片5～8（～10），裂片长椭圆状卵形，再次分裂，小裂片边缘具多枚栉齿状三角形或长三角形的深裂齿，裂齿长1～2 mm，宽0.5～1 mm，中肋明显，在叶面上稍隆起，中轴两侧有狭翅而无小栉齿，稀上部有数枚小栉齿，叶柄长1～2 cm，基部有半抱茎的假托叶；中部叶2（～3）回栉齿状的羽状深裂，小裂片栉齿状三角形，稀为细短狭线形，具短柄；上部叶与苞片叶

1（～2）回栉齿状羽状深裂，近无柄。头状花序球形，多数，直径 1.5～2.5 mm，有短梗，下垂或倾斜，基部有线形的小苞叶，在分枝上排成总状或复总状花序，并在茎上组成开展、尖塔形的圆锥花序；总苞片 3～4 层，内、外层总苞片近等长，外层总苞片长卵形或狭长椭圆形，中肋绿色，边膜质，中、内层总苞片宽卵形或卵形；花序托凸起，半球形；花深黄色，雌花 10～18，花冠狭管状，檐部具 2～3 裂齿，外面有腺点，花柱线形，伸出花冠外，先端二叉，叉端钝尖；两性花 10～30，结果实或中央少数花不结果实，花冠管状，花药线形，上端附属物尖，长三角形，基部具短尖头，花柱近与花冠等长，先端二叉，叉端截形，有短睫毛。瘦果小，椭圆状卵形，略扁。花果期 8～11 月。

| 生境分布 | 生于路旁、荒地、山坡、林缘等。分布于河北沙河、围场、武安等。

| 资源情况 | 野生资源丰富。药材主要来源于野生。

| 采收加工 | 秋季花盛开时采割，除去老茎，阴干。

| 药材性状 | 本品茎呈圆柱形，上部多分枝，长 30～80 cm，直径 0.2～0.6 cm；表面黄绿色或棕黄色，具纵棱线；质略硬，易折断，断面中部有髓。叶互生，暗绿色或棕绿色，卷缩易碎，完整者展平后为 3 回羽状深裂，裂片和小裂片矩圆形或长椭圆形，两面被短毛。气香特异，味微苦。

| 功能主治 | 苦、辛，寒。归肝、胆经。清虚热，除骨蒸，解暑热，截疟，退黄。用于温邪伤阴，夜热早凉，阴虚发热，骨蒸劳热，暑邪发热，疟疾寒热，湿热黄疸。

| 用法用量 | 内服煎汤，6～15 g，治疟疾可用 20～40 g，不宜久煎，鲜品用量加倍。外用适量，研末；或鲜品捣敷；或煎汤洗。

| 附　　注 | 本种不同于青蒿 Artemisia carvifolia Buch.-Ham. ex Roxb.，虽然二者的药用功能接近，但后者不含青蒿素，亦无抗疟作用。

菊科 Asteraceae 蒿属 *Artemisia*

冷蒿

Artemisia frigida Willd.

| **植物别名** | 小白蒿、兔毛蒿、寒地蒿。

| **药 材 名** | 小白蒿（药用部位：地上部分。别名：勘巴、勘札、柴布日-阿给）。

| **形态特征** | 多年生草本，有时略成半灌木状。主根细长或粗，木质化，侧根多；根茎粗短或略细，有多条营养枝，并密生营养叶。茎直立，数枚或多数常与营养枝共组成疏松或稍密集的小丛，稀单生，高 30 ~ 60（~ 70）cm，稀 10 ~ 20 cm，基部多少木质化，上部分枝，枝短，稀略长，斜向上，或不分枝；茎、枝、叶及总苞片背面密被淡灰黄色或灰白色、稍带绢质的短绒毛，后茎上毛稍脱落。茎下部叶与营养枝叶长圆形或倒卵状长圆形，长、宽均 0.8 ~ 1.5 cm，2（~ 3）回羽状全裂，每侧有裂片（2 ~）3 ~ 4，小裂片线状披针形或披针

形，叶柄长 0.5 ~ 2 cm；中部叶长圆形或倒卵状长圆形，长、宽均 0.5 ~ 0.7 cm，1 ~ 2 回羽状全裂，每侧裂片 3 ~ 4，中部与上半部侧裂片常再 3 ~ 5 全裂，下半部侧裂片不再分裂或有 1 ~ 2 小裂片，小裂片长椭圆状披针形、披针形或线状披针形，长 2 ~ 3 mm，宽 0.5 ~ 1.5 mm，先端锐尖，基部裂片半抱茎，并成假托叶状，无柄；上部叶与苞片叶羽状全裂或 3 ~ 5 全裂，裂片长椭圆状披针形或线状披针形。头状花序半球形、球形或卵球形，直径（2 ~）2.5 ~ 3（~ 4）mm，在茎上排成总状花序或为狭窄的总状花序式的圆锥花序；总苞片 3 ~ 4 层，外层、中层总苞片卵形或长卵形，背面密被短绒毛，有绿色中肋，边缘膜质，内层总苞片长卵形或椭圆形，背面近无毛，半膜质或膜质；花序托有白色托毛；雌花 8 ~ 13，花冠狭管状，檐部具 2 ~ 3 裂齿，花柱伸出花冠外，上部二叉，叉枝长，叉端尖；两性花 20 ~ 30，花冠管状，花药线形，先端附属物尖，长三角形，基部圆钝，花柱与花冠近等长，先端二叉，叉端截形。瘦果长圆形或椭圆状倒卵形，上端圆，有时有不对称的膜质冠状边缘。花果期 7 ~ 10 月。

| 生境分布 | 生于森林草原、草原、荒漠草原及干旱与半干旱地区的山坡、路旁、砾质旷地、固定沙丘、戈壁、高山草甸等。分布于河北沽源、张北、涿鹿等。

| 资源情况 | 野生资源丰富。药材主要来源于野生。

| 采收加工 | 夏、秋季采收，除去根及杂质，阴干。

| 药材性状 | 本品茎呈圆柱形，少数分枝；表面淡黄绿色，基部木化呈淡褐色或褐色，密被灰白色绒毛，具纵棱线；质脆，易折断。叶多脱落，皱缩或破碎，完整叶 2 ~ 3 回羽状全裂，小裂片条形或条状披针形，两面均被白色绒毛，全缘。头状花序小，灰黄色，总苞密生银白色长柔毛。气芳香，味辛、苦。

| 功能主治 | 苦，凉。燥湿，杀虫，止血，消肿。用于各种出血，关节肿胀，肾热，月经不调，疮痈。

| 用法用量 | 内服煮散剂，3 ~ 5 g；或入丸、散剂。

| 附 注 | 冷蒿，又名大籽蒿、小白蒿，是常用的蒙药，在蒙古分布较多。《蒙药正典》记载："茎细而小，叶缺刻，叶有毛似艾蒿，花黄色，气芳香，叫坎扎（冷蒿）。"

菊科 Asteraceae 蒿属 Artemisia

蒌蒿
Artemisia selengensis Turcz. ex Bess.

植物别名

芦、蒿、芦蒿。

药材名

蒌蒿（药用部位：全草。别名：蒿、芦蒿）。

形态特征

多年生草本，植株具清香气味。主根不明显或稍明显，具多数侧根与纤维状须根；根茎稍粗，直立或斜向上，直径 4 ~ 10 mm，有匍匐地下茎。茎单生或少数，高 60 ~ 150 cm，初时绿褐色，后为紫红色，无毛，有明显纵棱，下部通常半木质化，上部有着生头状花序的分枝，枝长 6 ~ 10（~ 12）cm，稀更长，斜向上。叶纸质或薄纸质，上面绿色，无毛或近无毛，背面密被灰白色蛛丝状平贴的绵毛；茎下部叶宽卵形或卵形，长 8 ~ 12 cm，宽 6 ~ 10 cm，近呈掌状或指状，3 或 5 全裂或深裂，稀间有 7 裂或不分裂的叶，分裂叶的裂片线形或线状披针形，长 5 ~ 7（~ 8）cm，宽 3 ~ 5 mm，不分裂的叶片为长椭圆形、椭圆状披针形或线状披针形，长 6 ~ 12 cm，宽 5 ~ 20 mm，先端锐尖，边缘通常具细锯齿，偶有少数短裂齿白，叶基部渐狭成柄，叶柄长 0.5 ~

2（～5）cm，无假托叶，花期下部叶通常凋谢；中部叶近呈掌状，5 深裂或为指状 3 深裂，稀间有不分裂之叶，分裂叶之裂片长椭圆形、椭圆状披针形或线状披针形，长 3～5 cm，宽 2.5～4 mm，不分裂之叶为椭圆形、长椭圆形或椭圆状披针形，宽可达 1.5 cm，先端通常锐尖，叶缘或裂片边缘有锯齿，基部楔形，渐狭成柄状；上部叶与苞片叶指状 3 深裂、2 裂或不分裂，裂片或不分裂的苞片叶为线状披针形，边缘具疏锯齿。头状花序多数，长圆形或宽卵形，直径 2～2.5 mm，近无梗，直立或稍倾斜，在分枝上排成密穗状花序，并在茎上组成狭而伸长的圆锥花序；总苞片 3～4 层，外层总苞片略短，卵形或近圆形，背面初时疏被灰白色蛛丝状短绵毛，后渐脱落，边狭膜质，中、内层总苞片略长，长卵形或卵状匙形，黄褐色，背面初时微被蛛丝状绵毛，后脱落无毛，边宽膜质或全为半膜质；花序托小，凸起；雌花 8～12，花冠狭管状，檐部具 1 浅裂，花柱细长，伸出花冠外甚长，先端长，二叉，叉端尖；两性花 10～15，花冠管状，花药线形，先端附属物尖，长三角形，基部圆钝或微尖，花柱与花冠近等长，先端微叉开，叉端截形，有睫毛。瘦果卵形，略扁，上端偶有不对称的花冠着生面。花果期 7～10 月。

| 生境分布 | 生于低海拔地区的河湖岸边与沼泽。分布于河北平泉等。

| 资源情况 | 野生资源一般。药材主要来源于野生。

| 采收加工 | 春季采收，鲜用。

| 功能主治 | 苦、辛，温。利膈开胃，止血，消炎，镇咳，化痰。用于食欲不振，肝炎。

| 用法用量 | 内服煎汤，5～10 g。

| 附　　注 | 本种的全草在民间可作"艾"（家艾）的代用品。

菊科 Asteraceae 蒿属 Artemisia

牡蒿
Artemisia japonica Thunb.

植物别名

油蒿、香蒿、花艾草。

药 材 名

牡蒿（药用部位：地上部分。别名：齐头蒿、水辣菜）、牡蒿根（药用部位：根。别名：齐头蒿根）。

形态特征

多年生草本。植株有香气。主根稍明显，侧根多，常有块根；根茎稍粗短，直立或斜向上，直径 3 ~ 8 mm，常有若干条营养枝。茎单生或少数，高 50 ~ 130 cm，有纵棱，紫褐色或褐色，上半部分枝，枝长 5 ~ 15（~ 20）cm，通常贴向茎或斜向上长；茎、枝初时被微柔毛，后渐稀疏或无毛。叶纸质，两面无毛或初时微有短柔毛，后无毛；基生叶与茎下部叶倒卵形或宽匙形，长 4 ~ 6（~ 7）cm，宽 2 ~ 2.5（~ 3）cm，自叶上端斜向基部羽状深裂或半裂，裂片上端常有缺齿或无缺齿，具短柄，花期凋谢；中部叶匙形，长 2.5 ~ 3.5（~ 4.5）cm，宽 0.5 ~ 1（~ 2）cm，上端有 3 ~ 5 斜向基部的浅裂片或为深裂片，每裂片的上端有 2 ~ 3 小锯齿或无锯齿，叶基部楔形，渐狭窄，常有小型、线形的假托叶；上部叶小，上端具 3 浅裂或不分裂；苞叶长椭圆形、椭圆形、披针形或线状披针形，先端不分裂或偶有浅裂。头状花序多数，卵球形或近球形，直径 1.5 ~ 2.5 mm，无梗或有短梗，基部具线形的小苞叶，在分枝上通常排成穗状花序或穗状花序状的总状花序，并在茎上组成狭窄或中等开展的圆锥花序；总苞片 3 ~ 4 层，外层总苞片略小，外、中层总苞片卵形或长卵形，背面无毛，中肋绿色，边膜质，内层总苞片长卵形或宽卵形，半膜质；雌花 3 ~ 8，花冠狭圆锥状，檐部具 2 ~ 3 裂齿，花柱伸出花冠外，先端二叉，叉端尖；两性花 5 ~ 10，不育，花冠管状，花药线形，先端附属物尖，长三角形，基部钝，花柱短，先端稍膨大，2 裂，不叉开，退化子房不明显。瘦果小，倒卵形。花果期 7 ~ 10 月。

| **生境分布** | 生于林缘、林中空地、疏林下、旷野、灌丛、丘陵、山坡、路旁等。分布于河北行唐、滦平、迁西等。

| **资源情况** | 野生资源丰富。药材主要来源于野生。

| **采收加工** | 牡蒿：夏、秋季花果期采割，晒干。
牡蒿根：秋季采挖，除去泥土，洗净，晒干。

| **药材性状** | 牡蒿：本品茎圆柱形，上部有多数分枝，表面黄棕色，有纵向棱线。质硬，折断面粗糙，中央有白色的髓。叶多皱缩，展开后茎中部以下的叶呈楔形，绿棕色或棕褐色，先端或上部齿裂或羽裂；上部叶为匙形，有微柔毛。头状花序灰黄色，外有苞片包被，内有两性花，雌花或果实数枚。气清香，味微甘、苦。

| **功能主治** | 牡蒿：苦，寒。清热解暑，退虚热。用于暑热外感，发热无汗，阴虚发热，疟疾，盗汗。
牡蒿根：苦、微甘，平。祛风，补虚，杀虫截疟。用于产后伤风感冒，风湿痹痛，劳伤乏力，虚肿，疟疾。

| **用法用量** | 牡蒿：内服煎汤，4.5 ~ 9 g。
牡蒿根：内服煎汤，15 ~ 30 g。

菊科 Asteraceae 蒿属 Artemisia

南牡蒿 *Artemisia eriopoda* Bge.

| **植物别名** | 米蒿、黄蒿、牡蒿。 |

| **药材名** | 南牡蒿（药用部位：全草或根）。 |

| **形态特征** | 多年生草本。主根明显、粗短，侧根多；根茎稍粗短，肥厚，常成短圆柱状，直径 5 ~ 8 mm，直立或斜向上，常有短的营养枝，枝上密生叶。茎通常单生，稀 2 至少数，高（30 ~）40 ~ 80 cm，具细纵棱，基部密生短柔毛，其余无毛，分枝多，开展，枝长10 ~ 20 cm，绿色或稍带紫褐色，疏被毛，以后渐脱落。叶纸质，上面无毛，背面微有短柔毛或无毛；基生叶与茎下部叶近圆形、宽卵形或倒卵形，长 4 ~ 6（~ 8）cm，宽 2.5 ~ 6 cm，1 ~ 2 回大头羽状深裂或全裂或不分裂，仅边缘具数枚疏锯齿，分裂叶每侧有裂片 2 ~ 3（~ 4），裂片倒卵形、近匙形或宽楔形，裂片先端至边 |

缘具规则或不规则的深裂片或浅裂片，并有锯齿，叶基部渐狭，宽楔形，叶柄长 1.5 ~ 3 cm；中部叶近圆形或宽卵形，长、宽均 2 ~ 4 cm，1 ~ 2 回羽状深裂或全裂，每侧有裂片 2 ~ 3，裂片椭圆形或近匙形，先端具 3 深裂或浅裂齿或全缘，叶基部宽楔形，近无柄，基部有线形分裂的假托叶；上部叶渐小，卵形或长卵形，羽状全裂，每侧裂片 2 ~ 3，裂片椭圆形，先端常有 3 浅裂齿；苞叶 3 深裂或不分裂；裂片或不分裂之苞叶线状披针形、椭圆状披针形或披针形。头状花序多数，宽卵形或近球形，直径 1.5 ~ 2.5 mm，无梗或具短梗，基部具线形的小苞叶，在茎端、分枝上半部及小枝上排成穗状花序或穗状花序式的总状花序，并在茎上组成开展、稍大型的圆锥花序；总苞片 3 ~ 4 层，外层略短小，外、中层总苞片卵形或长卵形，背面绿色或稍带紫褐色，无毛，边膜质，内层总苞片长卵形，半膜质；雌花 4 ~ 8，花冠狭圆锥状，檐部具 2 ~ 3 裂齿，花柱伸出花冠外，先端二叉，叉端尖；两性花 6 ~ 10，不孕育，花冠管状，花药线形，先端附属物尖，长三角形，基部圆钝，花柱短，先端稍膨大，不叉开。瘦果长圆形。花果期 6 ~ 11 月。

| **生境分布** | 生于海拔 1 500 m 以下的林缘、路旁、草坡、灌丛、溪边、疏林或林中空地，也见于森林草原与山地草原地区。分布于河北行唐、涞源、张北等。

| **资源情况** | 野生资源丰富，栽培资源一般。药材主要来源于栽培。

| **采收加工** | 夏季割取地上部分，鲜用或晒干；秋季采挖根，洗净，晒干。

| **功能主治** | 苦、辛，凉。疏风清热，除湿止痛。用于风热头痛，风湿性关节炎，蛇咬伤。

| **用法用量** | 内服煎汤，10 ~ 15 g，鲜品加倍。外用适量，捣敷。

| **附　　注** | 本种与变种渤海滨南牡蒿 *Artemisia eriopoda* var. *maritima* Ling et Y. R. Ling 的区别在于后者基生叶与茎下部叶质地稍肥厚，每侧具 3 裂片，每裂片先端具 3 规则的浅裂齿，头状花序在茎上排成中等开展的圆锥花序。

菊科 Asteraceae 蒿属 Artemisia

牛尾蒿
Artemisia dubia Wall. ex Bess.

| 植物别名 | 指叶蒿、紫杆蒿。

| 药 材 名 | 牛尾蒿（药用部位：全草。别名：指叶蒿）。

| 形态特征 | 半灌木状草本。主根木质，稍粗长，垂直，侧根多；根茎粗短，直径 0.5 ~ 2 cm，有营养枝。茎多数或少数，丛生，直立或斜向上，高 80 ~ 120 cm，基部木质，纵棱明显，紫褐色或绿褐色，分枝多，开展，枝长 15 ~ 35 cm 或更长，常呈屈曲延伸；茎、枝幼时被短柔毛，后渐稀疏或无毛。叶厚纸质或纸质，叶面微有短柔毛，背面毛密，宿存；基生叶与茎下部叶大，卵形或长圆形，羽状 5 深裂，有时裂片上有 1 ~ 2 小裂片，无柄，花期叶凋谢；中部叶卵形，长 5 ~ 12 cm，宽 3 ~ 7 cm，羽状 5 深裂，裂片椭圆状披针形、长圆状披针形或披针形，长 3 ~ 8 cm，宽 5 ~ 12 mm，先端尖，边缘无裂齿，

基部渐狭，楔形，呈柄状，有小型、披针形或线形的假托叶；上部叶与苞片叶指状 3 深裂或不分裂，裂片或不分裂的苞叶椭圆状披针形或披针形。头状花序多数，宽卵球形或球形，直径 1.5 ~ 2 mm，有短梗或近无梗，基部有小苞叶，在分枝的小枝上排成穗状花序或穗状花序状的总状花序，而在分枝上排成复总状花序，在茎上组成开展、具多级分枝大型的圆锥花序；总苞片 3 ~ 4 层，外层总苞片略短小，外、中层总苞片卵形、长卵形，背面无毛，有绿色中肋，边膜质，内层总苞片半膜质；雌花 6 ~ 8，花冠狭小，略呈圆锥形，檐部具 2 裂齿，花柱伸出花冠外甚长，先端二叉，叉端尖；两性花 2 ~ 10，不孕育，花冠管状，花药线形，先端附属物尖，长三角形，基部圆钝，花柱短，先端稍膨大，2 裂，不叉开。瘦果小，长圆形或倒卵形。花果期 8 ~ 10 月。

| **生境分布** | 生于低海拔至海拔 3 500 m 的干山坡、草原、疏林下及林缘。分布于河北灵寿等。

| **资源情况** | 野生资源一般。药材主要来源于野生。

| **采收加工** | 秋季采收，鲜用或扎把晾干。

| **药材性状** | 本品茎呈圆柱形，长短不一。表面黄褐色、紫红色、赭色、棕绿色，具纵棱，被稀疏绢状柔毛。质脆，易折断，断面不平整。中央有 1 小圆形白髓或小孔。叶多皱缩，破碎；茎下部完整叶片 3 ~ 5 深裂，中、上部完整叶片指状 3 深裂至渐不裂，叶上面深绿色，下面淡绿色。头状花序皱缩，总苞片绿色，边缘有膜质；雌花位于边缘；两性花居中；花淡紫色至淡黄色。气微清香，味苦，微涩。

| **功能主治** | 苦，凉。清热，凉血，解毒，杀虫。用于急性热病，肺热咳嗽，咽喉肿痛，鼻衄，血风疮，蛲虫病。

| **用法用量** | 内服煎汤，9 ~ 15 g；或入丸、散、膏剂。外用适量，煎汤洗；或熬膏涂。

菊科 Asteraceae 蒿属 Artemisia

山蒿
Artemisia brachyloba Franch.

| 植物别名 | 岩蒿、骆驼蒿。

| 药 材 名 | 岩蒿（药用部位：全草。别名：骆驼蒿）。

| 形态特征 | 半灌木状或小灌木状草本。主根粗大，木质，垂直，常扭曲，有纤维状的根皮；根茎粗壮，木质，直径可达 3 ~ 5 cm，有营养枝。茎多数，丛生，高 30 ~ 60 cm，稍纤细，自基部分枝；茎、枝幼时被短绒毛，后渐脱落。叶面绿色无毛，背面被白色绒毛，基生叶卵形或宽卵形，2（~ 3）回羽状全裂，花期凋谢；茎下部叶与中部叶宽卵形或卵形，长 2 ~ 4 cm，宽 1.5 ~ 2 cm，2 回羽状全裂，每侧裂片 3 ~ 4，裂片长椭圆形或长圆形，长 1 ~ 1.5 cm，再次羽状全裂，每侧具小裂片 2 ~ 5，小裂片狭线形或狭线状披针形，长 3 ~ 6 mm，宽 0.3 ~ 1 mm，先端钝，有小尖头，边反卷，叶柄长 0.5 ~ 1.3 cm；

上部叶羽状全裂，裂片 2 ~ 4；苞片叶 3 裂或不分裂，线形。头状花序卵球形或卵状钟形，直径 2.5 ~ 3.5 mm，具短梗或近无梗，略下倾，在分枝上密集或略稀疏，常排成短总状花序或为穗状花序，稀单生于小枝的叶腋内，在茎上通常组成略狭窄的圆锥花序；总苞片 3 层，外层总苞片卵形或长卵形，背面被灰白色短绒毛，边缘狭膜质，中、内层总苞片长椭圆形或椭圆状卵形，边缘宽膜质至全膜质，背面毛少至无毛；雌花 10 ~ 15，花冠狭管状，背面有疏腺点，檐部具 2 ~ 3（~ 4）裂齿，花柱线形，伸出花冠外甚长，先端二叉，叉端尖锐；两性花 20 ~ 25，花冠管状，背面有腺点，花药线形，先端附属物尖，长三角形，基部钝或有短尖头，花柱略比花冠管长，先端二叉，叉端斜叉开或略外弯，有时中央数朵花不孕育，花柱亦缩短。瘦果卵圆形。花果期 7 ~ 10 月。

| **生境分布** | 生于中、低海拔地区的阳坡草地、砾质坡地、半荒漠草原、戈壁及岩石缝中。分布于河北涿鹿等。

| **资源情况** | 野生资源一般。药材主要来源于野生。

| **采收加工** | 夏、秋季采收，除去泥土，晒干。

| **功能主治** | 苦、辛，平。祛风除湿，清热消肿。用于风湿痹痛，偏正头痛，咽喉肿痛。

| **用法用量** | 内服熬膏，1.5 ~ 3 g；或炒炭研末，3 ~ 6 g。

菊科 Asteraceae 蒿属 Artemisia

五月艾 *Artemisia indica* Willd.

| 植物别名 |

野艾蒿、生艾、鸡脚艾。

| 药 材 名 |

五月艾（药用部位：地上部分。别名：野艾、大艾、医草）。

| 形态特征 |

亚灌木状草本，植株具浓香。茎单生或少数，高达 1.5 m，分枝多；茎、枝初微被柔毛。叶上面初被灰白色或淡灰黄色绒毛，下面密被灰白色蛛丝状绒毛，基生叶与茎下部叶卵形或长卵形，（1～）2 回羽状分裂或近大头羽状深裂，1 回全裂或深裂，每侧裂片 3～4，裂片椭圆形，上半部裂片大，2 回为裂齿或为粗齿，中轴有时有窄翅，叶柄短，中部叶卵形、长卵形或椭圆形，长 5～8 cm，1（～2）回羽状全裂或大头羽状深裂，每侧裂片 3（～4），裂片椭圆状披针形、线状披针形或线形，长 1～2 cm，不裂或有 1～2 裂齿，近无柄，假托叶小，上部叶羽状全裂，苞片叶 3 全裂或不裂。头状花序直立或斜展，卵圆形、长卵圆形或宽卵圆形，直径 2～2.5 mm，具短梗及小苞叶，在分枝排成穗形总状或复总状花序，在茎上组成开展或中等开展的圆锥花序；总苞片背面初时微被灰白色绒毛；雌花 4 ～ 8；两性花 8 ～ 12，檐部紫色。瘦果长圆形或倒卵圆形。花果期 8 ～ 10 月。

| 生境分布 | 生于低海拔或中海拔湿润地区的路旁、林缘、坡地及灌丛。分布于河北涞源等。

| 资源情况 | 野生资源丰富。药材主要来源于野生。

| 采收加工 | 夏、秋季间枝叶茂盛时采收，割取地上部分，晒干或阴干。

| 药材性状 | 本品茎呈圆柱形，长 50 ～ 100 cm，直径 0.2 ～ 0.7 cm，表面灰绿色或棕褐色，具纵棱线，稀被灰白色茸毛或无毛。质较硬，易折断，断面中部有髓。叶互生，皱缩卷曲，完整者展开后呈卵状椭圆形，1 ～ 2 回羽状分裂，裂片椭圆形，椭圆状披针形或线状披针形，边缘有不规则的粗锯齿；上表面灰绿色或深黄绿色，无腺点、无毛或有稀疏柔毛，下表面密生灰白色茸毛；叶柄基部有抱茎的假托叶。气清香，味苦。

| 功能主治 | 苦、辛，温；有小毒。归肝、肾经。温经止血，散寒止痛，祛湿止痒。用于吐血，衄血，崩漏，胎漏下血，少腹冷痛，经寒不调，宫冷不孕；外用于皮肤瘙痒。

| 用法用量 | 内服煎汤，5 ～ 10 g。外用适量，煎汤洗。

| 附　注 | 本种的植物形态变异大，在同一地区的不同生境也会有变异，如在林缘、树下、阴地等遮阴环境生长的植株通常矮小，叶薄纸质，基生叶与茎下部叶卵形，2 回大头羽状深裂，茎中部叶为大头羽状全裂，稀为提琴状羽状深裂，每侧裂片 2 ～ 3（～ 4），叶上部裂片有数枚缺齿，下部裂片渐小，通常无裂齿，叶表面无毛，背面除叶脉外有蛛丝状薄毛；而在旷野里生长的植株，其基生叶与茎下部叶均为 2 回大头羽状深裂，但茎中部叶却为 1 ～ 2 回羽状全裂，裂片披针形或线状披针形。头状花序变化大，初为长卵形，下垂，以后渐呈长圆形，斜生或直立。

菊科 Asteraceae 和尚菜属 Adenocaulon

和尚菜

Adenocaulon himalaicum Edgew.

| 植物别名 | 腺梗菜。

| 药 材 名 | 水葫芦根（药用部位：根及根茎。别名：土冬花）。

| 形态特征 | 多年生草本。根茎匍匐，直径 1 ~ 1.5 cm，自节上生出多数的纤维根。茎直立，高 30 ~ 100 cm，中部以上分枝，稀自基部分枝，分枝纤细、斜上，或基部的分枝粗壮，被蛛丝状绒毛，有长 2 ~ 4 cm 的节间。根生叶或有时下部的茎生叶花期凋落；下部茎生叶肾形或圆肾形，长（3 ~)5 ~ 8 cm，宽（4 ~)7 ~ 12 cm，基部心形，先端急尖或钝，边缘有不等形的波状大牙齿，齿端有突尖，叶上面沿脉被尘状柔毛，下面密被蛛丝状毛，基出脉 3，叶柄有狭或较宽的翼，翼全缘或有不规则的钝齿；中部茎生叶三角状圆形，长 7 ~ 13 cm，宽

8 ～ 14 cm，向上的叶渐小，三角状卵形或菱状倒卵形，最上部的叶长约 1 cm，披针形或线状披针形，无柄，全缘。头状花序排成狭或宽大的圆锥状花序，花梗短，被白色绒毛，花后花梗伸长，长 2 ～ 6 cm，密被稠密头状具柄腺毛；总苞半球形，宽 2.5 ～ 5 mm，总苞片 5 ～ 7，宽卵形，长 2 ～ 3.5 mm，全缘，果期向外反曲；雌花白色，长约 1.5 mm，檐部比管部长，裂片卵状长椭圆形；两性花淡白色，长约 2 mm，檐部短于管部。瘦果棍棒状，长 6 ～ 8 mm，被多数头状具柄的腺毛。花果期 6 ～ 11 月。

| **生境分布** | 生于平原至海拔 3 400 m 的河岸、湖旁、峡谷、阴湿密林下、干燥山坡等。分布于河北阜平、武安、涿鹿等。

| **资源情况** | 野生资源丰富。药材主要来源于野生。

| **采收加工** | 夏、秋季采挖，洗净，鲜用或晒干。

| **功能主治** | 辛、苦，平。宣肺平喘，利水消肿，散瘀止痛。用于咳嗽气喘，水肿，小便不利，产后瘀滞腹痛，跌打损伤。

| **用法用量** | 内服煎汤，10 ～ 15 g。外用适量，捣敷。

菊科 Asteraceae 红花属 Carthamus

红花

Carthamus tinctorius L.

植物别名

红蓝花、刺红花。

药材名

白平子（药用部位：果实）、红花（药用部位：花。别名：红蓝花、刺红花、草红花）、红花子（药用部位：种子。别名：艾布里库日土米、吐胡米卡皮谢、扎让杂欧如合）。

形态特征

一年生草本，高（20～）50～100（～150）cm。茎直立，上部分枝；全部茎、枝白色或淡白色，光滑，无毛。中下部茎生叶披针形、线状披针形或长椭圆形，长7～15 cm，宽2.5～6 cm，边缘大锯齿、重锯齿、小锯齿至无锯齿而全缘，极少有羽状深裂，齿顶有针刺，针刺长1～1.5 mm，向上的叶渐小，披针形，边缘有锯齿，齿顶针刺较长，长达3 mm；全部叶质坚硬，革质，两面无毛无腺点，有光泽，基部无柄，半抱茎。头状花序多数，在茎、枝先端排成伞房花序，为苞叶所围绕，苞片椭圆形或卵状披针形，包括先端针刺长2.5～3 cm，边缘有针刺，针刺长1～3 mm，或无针刺，先端渐长，有篦齿状针刺，针刺长约2 mm。总苞卵形，

直径约 2.5 cm，总苞片 4 层，外层总苞片竖琴状，中部或下部总苞片有收缢，收缢以上叶质，绿色，边缘无针刺或有篦齿状针刺，针刺长达 3 mm，先端渐尖，长 1 ~ 2 mm，收缢以下黄白色；中、内层总苞片硬膜质，倒披针状椭圆形至长倒披针形，长达 2.2 cm，先端渐尖；全部苞片无毛无腺点；小花红色、橘红色，全部为两性，花冠长约 2.8 cm，细管部长 2 cm，花冠裂片几达檐部基部。瘦果倒卵形，乳白色，无冠毛。花果期 5 ~ 8 月。

| 生境分布 |　　生于湿润、肥沃的砂壤土中。分布于河北阜平、巨鹿、张北等。

| 资源情况 | 栽培资源丰富。药材主要来源于栽培。

| 采收加工 | 白平子：秋季果实成熟时，割取地上部分，晒干，打下果实，除去杂质。

红花：夏季花由黄色变红色时采摘，阴干或晒干。

红花子：秋季红花干燥，茎、枝发白，果实坚硬后，割收茎、枝，打下种子。

| 药材性状 | 白平子：本品呈椭圆形或倒卵形，长 5 ~ 7 mm，直径 3 ~ 5 mm。表面类白色，光滑，具 4 棱，基部截形稍歪斜，四角鼓起，中央微凸，有果柄痕，先端稍狭，侧面有 1 凹点。果皮坚硬，内面棕色，微带光泽。种子 1，卵圆形，种皮菲薄，子叶 2，黄白色，富油性。气微，味微苦。

红花：本品为不带子房的管状花，长 1 ~ 2 cm；表面红黄色或红色；花冠筒细长，先端 5 裂，裂片呈狭条形，长 5 ~ 8 mm；雄蕊 5，花药聚合成筒状，黄白色；柱头长圆柱形，先端微分叉。质柔软。气微香，味微苦。

红花子：本品呈淡黄白色，充满胚乳，断面白色，角质状，气微，味淡，嚼之有油样感。

| 功能主治 | 白平子：甘，温。归心、肺经。活血祛瘀，解毒止痛。用于痘疮不出，妇人气血瘀滞，产后烦渴。

红花：辛，温。归心、肝经。活血通经，散瘀止痛。用于闭经，痛经，恶露不行，癥瘕痞块，胸痹心痛，瘀滞腹痛，胸胁刺痛，跌扑损伤，疮疡肿痛。

红花子：甘，热。化痰止咳，通利肠道，除郁养心，祛风止痒。

| 用法用量 | 白平子：内服煎汤，9 ~ 15 g。

红花：内服煎汤，3 ~ 10 g。

红花子：内服煎汤，3 ~ 10 g；或入丸、散、膏、糖浆剂。外用适量，研末撒。

| 附　　注 | 本种生长于排水良好、中等肥沃的沙土中，以油沙土、紫色夹沙土最为适宜。本种抗寒，耐旱，耐盐碱，适应性较强，生活周期为 120 天。

菊科 Asteraceae 火绒草属 Leontopodium

长叶火绒草 *Leontopodium junpeianum* Kitam.

| 植物别名 | 狭叶长叶火绒草、兔耳子草。

| 药 材 名 | 兔耳子草（药用部位：全草）。

| 形态特征 | 多年生草本，根茎分枝短，有顶生的莲座状叶丛，或分枝长，平卧，有叶鞘和多数近丛生的花茎，或分枝细长（达 30 cm）成匍枝状，有短节间和细根和散生的莲座状叶丛。花茎直立，或斜升，高 2 ～ 45 cm，不分枝，纤细或粗壮，草质，被白色或银白色疏柔毛或密茸毛，全部有密或疏生的叶，节间短或达 3 cm，上部节间有时较长。基部叶或莲座状叶常狭长匙形，渐狭成宽柄状，近基部又扩大成紫红色无毛的长鞘部；茎中部叶直立，和部分基部叶线形、宽线形或舌状线形，长 2 ～ 13 cm，宽 1.5 ～ 9 mm，基部等宽或下半

部稍狭窄，先端急尖或近圆形，有隐没于毛茸中的小尖头，两面被同样的或下面被较密的白色或银白色疏柔毛或密茸毛，上面不久脱毛或无毛；中脉在叶下面凸起，有时另有基出脉 2；苞叶多数，较茎上部叶短，但较宽，卵圆状披针形或线状披针形，基部急狭，上面或两面被白色长柔毛状茸毛，较花序长 1.5 ~ 2 倍或 3 倍，开展成直径 2 ~ 6 cm 的苞叶群，或有长序梗而成直径达 9 cm 的复苞叶群。头状花序 3 ~ 30，直径 6 ~ 9 mm，密集；总苞长约 5 mm，被长柔毛，总苞片约 3 层，椭圆状披针形，先端无毛，有时啮蚀状，露出毛茸之上；小花雌雄异株，少有异形花；花冠长约 4 mm，雄花花冠管状漏斗状，有三角形深裂片，雌花花冠丝状管状，有披针形裂片，冠毛白色，较花冠稍长，基部有细锯齿，雄花冠毛向上端渐粗厚，有齿，雌花冠毛较细，上部全缘。瘦果无毛或有乳头状突起，或有短粗毛。花期 7 ~ 8 月。

| 生境分布 | 生于海拔 1 500 ~ 4 800 m 的高山和亚高山的湿润草地、洼地、灌丛或岩石上。分布于河北沽源、平山、蔚县等。

| 资源情况 | 野生资源一般。药材主要来源于野生。

| 采收加工 | 夏季采收，洗净，晾干。

| 功能主治 | 辛，凉。疏风清热，止咳化痰。用于外感发热，肺热咳嗽，支气管炎。

| 用法用量 | 内服煎汤，6 ~ 15 g。

| 附 注 | 本种是我国温带和寒温带地区分布最广的火绒草属植物，形态变异较大，通常可见到以下 3 个变型。

（1）长叶变型 Leontopodium junpeianum f. *longifolium* Ling，该种植株较高大；叶较长，茎中部叶宽 4 ~ 8 mm，有时达 13 mm，先端急尖或近圆形；苞叶较长，开展成直径 3 ~ 6 cm 的苞叶群或更宽大的复苞叶群。主要分布于华北和东北的山地。

（2）狭叶变型 Leontopodium junpeianum f. *angustifolium* Ling，该种植株较矮小；叶较狭较短，茎中部叶宽 2 ~ 4 mm，先端急尖或渐尖；苞叶较短，开展成直径 2 ~ 4 cm 的苞叶群；叶缘有时稍反卷。主要分布于内蒙古、河北、甘肃、青海和四川的西北部及西部，可能是适应干旱环境的类型。

（3）短叶变型 Leontopodium junpeianum f. *brevifolium* Ling，该种茎短，高 6 ~ 9 cm；叶较短，长不超过 1 cm，下部较狭，先端急尖或近圆形；苞叶卵圆形或

近倒卵状圆形，被长柔毛状绵毛。主要分布于四川西部及青海。

除上列各变型外，另有矮小变型 *Leontopodium junpeianum* f. *humile* Ling，该种茎高 1 ~ 2.5 cm；叶密集，长圆形或线状长圆形，长 1 ~ 2 cm，宽 3 ~ 5 mm，先端急尖或近圆形；苞叶卵圆状披针形，与花序等长或较花序稍长，直立或开展成直径约 2 cm 的苞叶群；头状花序单生或 2 ~ 3 而仅 1 发育。主要分布于山西北部（宁武），可能是发育不正常的类型。

菊科 Asteraceae 火绒草属 *Leontopodium*

火绒草

Leontopodium leontopodioides (Willd.) Beauv.

| **植物别名** | 火绒蒿、老头草。

| **药 材 名** | 火绒草（药用部位：地上部分）。

| **形态特征** | 多年生草本。地下茎粗壮，分枝短，为枯萎的短叶鞘所包裹，有多
数簇生的花茎和根出条，无莲座状叶丛。花茎直立，高 5 ~ 45 cm，
较细，挺直或有时稍弯曲，被灰白色长柔毛或白色近绢状毛，不分
枝或有时上部有伞房状或近总状花序枝，下部有较密、上部有较疏
的叶，节间长 5 ~ 20 mm，上部有时达 10 cm，下部叶在花期枯萎宿存。
叶直立，在花后有时开展，线形或线状披针形，长 2 ~ 4.5 cm，宽
0.2 ~ 0.5 cm，先端尖或稍尖，有长尖头，基部稍宽，无鞘，无柄，
边缘平或有时反卷或波状，上面灰绿色，被柔毛，下面被白色或灰
白色密绵毛或有时被绢毛；苞叶少数，较上部叶稍短，常较宽，长

圆形或线形，先端稍尖，基部渐狭两面或下面被白色或灰白色厚茸毛，与花序等长或较其长 1.5 ~ 2 倍，在雄株多少开展成苞叶群，在雌株多少直立，不排列成明显的苞叶群。头状花序大，在雄株茎为 7 ~ 10 mm，3 ~ 7 密集，稀 1 或较多，在雌株常有较长的花序梗而排列成伞房状；总苞半球形，长 4 ~ 6 mm，被白色绵毛，总苞片约 4 层，无色或褐色，常狭尖，稍露出毛茸之上；小花雌雄异株，稀同株；雄花花冠长约 3.5 mm，狭漏斗状，有小裂片，雄花花冠丝状，花后生长，长 4.5 ~ 5 mm，冠毛白色，有锯齿或毛状齿，雄花管毛细丝状，有微齿；不育的子房无毛或有乳头状突起。瘦果有乳头状突起或密粗毛。花果期 7 ~ 10 月。

| 生境分布 | 生于海拔 100 ~ 3 200 m 的干旱草原、黄土坡地、石砾地、山区草地，稀生于湿润地。分布于河北沙河、涉县、蔚县等。

| 资源情况 | 野生资源一般，栽培资源丰富。药材来源于栽培。

| 采收加工 | 夏末秋初采收，除去杂质，晒干。

| 药材性状 | 本品长 15 ~ 30 cm，全株密生白色绒毛。根茎黑褐色，须根细、残端，呈黄褐色。茎丛生，不分枝。叶互生，无柄，完整叶片披针形或条形，全缘，长 1 ~ 3 cm，宽 3 ~ 5 mm，两面密生白色绒毛。头状花序，无梗，3 ~ 7 簇生于茎顶。瘦果长圆形，有短毛，黄褐色。气微，味淡。

| 功能主治 | 微苦，寒。清热凉血，利水消肿。用于水肿，尿血，急性肾炎。

| 用法用量 | 内服煎汤，9 ~ 15 g。

| 附　注 | 本种通常雌雄异株。雄株常较矮小，有明显的苞叶群；雌株常较高大，且常有较大的头状花序和较长的冠毛，常有散生的苞叶。在雌雄同株的头状花序中常有多数雌花和极少雄花。本种与绢茸火绒草 *Leontopodium smithianum* Hand.-Mazz. 有时不易区别。

菊科 Asteraceae 蓟属 Cirsium

刺儿菜

Cirsium arvense var. integrifolium C. Wimm. et Grabowski

| 植物别名 | 大刺儿菜、大蓟。

| 药 材 名 | 小蓟（药用部位：地上部分）。

| 形态特征 | 多年生草本。茎直立，高 30 ~ 80（~ 120）cm，基部直径 3 ~ 5 mm，
有时可达 1 cm，上部有分枝，花序分枝无毛或有薄绒毛。基生叶
和中部茎生叶椭圆形、长椭圆形或椭圆状倒披针形，先端钝或圆
形，基部楔形，有时有极短的叶柄，通常无叶柄，长 7 ~ 15 cm，
宽 1.5 ~ 10 cm；上部茎生叶渐小，椭圆形或披针形或线状披针形，
或全部茎生叶不分裂，叶缘有细密的针刺，针刺紧贴叶缘，或叶缘
有刺齿，齿顶针刺大小不等，针刺长达 3.5 mm，或大部茎生叶羽状
浅裂或半裂或边缘粗大圆锯齿，裂片或锯齿斜三角形，先端钝，齿

顶及裂片先端有较长的针刺，齿缘及裂片边缘的针刺较短且贴伏；全部茎生叶通常两面同为绿色或下面色淡，两面无毛，极少两面异色，上面绿色，无毛，下面灰色，被稀疏或稠密的绒毛，亦极少两面同为灰绿色，两面被薄绒毛。头状花序单生茎端，或植株含少数或多数头状花序在茎枝先端排成伞房花序；总苞卵形、长卵形或卵圆形，直径 1.5 ～ 2 cm；总苞片约 6 层，覆瓦状排列，向内层渐长，外层与中层总苞片宽 1.5 ～ 2 mm，包括先端针刺长 5 ～ 8 mm，内层及最内层总苞片长椭圆形至线形，长 1.1 ～ 2 cm，宽 1 ～ 1.8 mm，中、外层总苞片先端有长不足 0.5 mm 的短针刺，内层及最内层总苞片渐尖，膜质，短针刺；小花紫红色或白色；雌花花冠长约 2.4 cm，檐部长约 6 mm，细管部细丝状，

长约 18 mm，两性花花冠长约 1.8 cm，檐部长约 6 mm，细管部细丝状，长约 1.2 mm；瘦果淡黄色，椭圆形或偏斜椭圆形，压扁，长约 3 mm，宽约 1.5 mm，先端斜截形；冠毛污白色，多层，整体脱落，冠毛刚毛长羽毛状，长约 3.5 cm，先端渐细。花果期 5 ~ 9 月。

| 生境分布 | 生于海拔 170 ~ 2 650 m 的山坡、河旁或荒地、田间。分布于河北平山、沙河等。

| 资源情况 | 野生资源丰富。药材主要来源于野生。

| 采收加工 | 夏、秋季花开时采割，除去杂质，晒干。

| 药材性状 | 本品茎呈圆柱形，有的上部分枝，长 5 ~ 30 cm，直径 0.2 ~ 0.5 cm；表面灰绿色或带紫色，具纵棱及白色柔毛；质脆，易折断，断面中空。叶互生，无柄或有短柄；叶片皱缩或破碎，完整者展平后呈长椭圆形或长圆状披针形，长 3 ~ 12 cm，宽 0.5 ~ 3 cm；全缘或微齿裂至羽状深裂，齿尖具针刺；上表面绿褐色，下表面灰绿色，两面均具白色柔毛。头状花序单个或数个顶生；总苞钟状，苞片 5 ~ 8 层，黄绿色；花紫红色。气微，味微苦。

| 功能主治 | 甘、苦，凉。归心、肝经。凉血止血，散瘀解毒消痈。用于衄血，吐血，尿血，血淋，便血，崩漏，外伤出血，痈肿疮毒。

| 用法用量 | 内服煎汤，5 ~ 12 g。

| 附   注 | 小蓟始载于《名医别录》。《本草图经》云："小蓟根，《本经》不著所出州土，今处处有之，俗名青刺蓟。苗高尺余，叶多刺，心中出花头，如红蓝花而青紫色。北人呼为千针草。当二月苗初生二三寸时，并根作茹，食之甚美。"该书所附"冀州小蓟根"图所绘花序的形态与刺儿菜相似。《救荒本草》刺蓟菜图与《本草纲目》小蓟图的植物形态均与刺儿菜相似。但《植物名实图考》小蓟图的植物形态则似飞廉。

菊科　Asteraceae　蓟属　*Cirsium*

蓟

Cirsium japonicum Fisch. ex DC.

| 植物别名 |

大刺介芽、地萝卜、大蓟。

| 药 材 名 |

大蓟（药用部位：地上部分）。

| 形态特征 |

多年生草本。块根纺锤状或萝卜状，直径达
7 mm。茎直立，30（100）~ 80（150）cm，
分枝或不分枝，全部茎枝有条棱，被稠密或
稀疏的多细胞长节毛，接头状花序下部灰白
色，被稠密绒毛及多细胞节毛。基生叶较
大，卵形、长倒卵形、椭圆形或长椭圆形，
长 8 ~ 20 cm，宽 2.5 ~ 8 cm，羽状深裂或
几全裂，基部渐狭成短或长翼柄，柄翼边缘
有针刺及刺齿，侧裂片 6 ~ 12 对，中部侧
裂片较大，向下及向下的侧裂片渐小，全部
侧裂片排列稀疏或紧密、卵状披针形、半椭
圆形、斜三角形、长三角形或三角状披针形，
宽狭变化极大，或宽达 3 cm，或狭至 0.5 cm，
边缘有稀疏大小不等小锯齿，或锯齿较大而
使整个叶片呈现较为明显的 2 回分裂状态，
齿顶针刺长可达 6 mm，短可至 2 mm，齿缘
针刺小而密或几无针刺，顶裂片披针形或长
三角形；自基部向上的叶渐小，与基生叶同

形并等样分裂，但无柄，基部扩大半抱茎；全部茎叶两面同为绿色，沿脉有稀疏的多细胞长或短节毛或几无毛。头状花序直立，少有下垂的，少数生茎端而花序极短，不呈明显的花序式排列，少有头状花序单生茎端的；总苞钟状，直径约 3 cm，总苞片约 6 层，覆瓦状排列，向内层渐长，外层与中层总苞片卵状三角形至长三角形，长 0.8 ~ 1.3 cm，宽 3 ~ 3.5 cm，先端长渐尖，有长 1 ~ 2 mm 的针刺；内层披针形或线状披针形，长 1.5 ~ 2 cm，宽 2 ~ 3 mm，先端渐尖呈软针刺状，全部苞片外面有微糙毛并沿中肋有黏腺；小花红色或紫色，长约 2.1 cm，檐部长约 1.2 cm，不等 5 浅裂，细管部长约 9 mm。瘦果压扁，偏斜楔状倒披针状，长约 4 mm，宽约 2.5 mm，先端斜截形。冠毛浅褐色，多层，基部联合成环，整体脱落；冠毛刚毛长羽毛状，长达 2 cm，内层向先端纺锤状扩大或渐细。花果期 4 ~ 11 月。

| 生境分布 | 生于海拔 400 ～ 2 100 m 的山坡林中、林缘、灌丛、草地、荒地、田间、路旁或溪旁。分布于河北迁安、迁西、蔚县等。

| 资源情况 | 野生资源丰富。药材主要来源于野生。

| 采收加工 | 夏、秋季花开时采割地上部分，除去杂质，晒干。

| 药材性状 | 本品茎呈圆柱形，基部直径可达 1.2 cm；表面绿褐色或棕褐色，有数条纵棱，被丝状毛；断面灰白色，髓部疏松或中空。叶皱缩，多破碎，完整叶片展平后呈倒披针形或倒卵状椭圆形，羽状深裂，边缘具不等长的针刺；上表面灰绿色或黄棕色，下表面色较浅，两面均具灰白色丝状毛。头状花序顶生，球形或椭圆形，总苞黄褐色，羽状冠毛灰白色。气微，味淡。

| 功能主治 | 甘、苦，凉。归心、肝经。凉血止血，散瘀解毒消痈。用于衄血，吐血，尿血，便血，崩漏，外伤出血，痈肿疮毒。

| 用法用量 | 内服煎汤，9 ～ 15 g。

| 附　注 | 大蓟始载于《名医别录》，与小蓟合条。《本草经集注》云："大蓟是虎蓟，小蓟是猫蓟，叶并多刺，相似，田野甚多。"《新修本草》云："大蓟生山谷，根疗痈肿。"《本草图经》云："小蓟……今处处有之，俗名青刺蓟。苗高尺余，叶多刺，心中出花，头如红蓝花而青紫色……大蓟根苗与此相似但肥大耳。"《本草衍义》云："大小蓟皆相似，花如髻。但大蓟高三四尺，叶皱，小蓟高一尺许，叶不皱，以此为异。"综上所述，植株高大、叶皱者为大蓟，植株较小、叶不皱者为小蓟。《本草纲目》《植物名实图考》大蓟图的植物形态均似大蓟，与今药用情况相符。

菊科 Asteraceae 蓟属 Cirsium

莲座蓟

Cirsium esculentum (Sievers) C. A. Mey.

| **药 材 名** | 莲座蓟（药用部位：全草。别名：食用蓟）。

| **形态特征** | 多年生草本。无茎，茎基粗厚，生多数不定根，顶生多数头状花序，外围莲座状叶丛。莲座状叶丛的叶全形倒披针形或椭圆形或长椭圆形，长6~10（~21）cm，宽（2.5~）3~3.5（~7）cm，羽状半裂、深裂或几全裂，基部渐狭成有翼的长或短叶柄，柄翼边缘有针刺或3~5针刺组合成束；侧裂片4~7对，中部侧裂片稍大，全部侧裂片偏斜卵形、半椭圆形或半圆形，边缘有三角形刺齿及针刺，齿顶有针刺，齿顶针刺较长，长达1cm，边缘针刺较短，长2~4mm，基部的侧裂片常针刺化；叶两面同为绿色，沿脉或仅沿中脉被稠密或稀疏的多细胞长节毛。头状花序5~12集生于茎基先端的莲座状叶丛中；总苞钟状，直径2.5~3cm；总苞片约6层，

覆瓦状排列，向内层渐长，外层与中层总苞片长三角形至披针形，长 1 ~ 2 cm，宽 2 ~ 4 mm，先端急尖，有长不足 0.5 mm 的短尖头，内层及最内层总苞片线状披针形至线形，长 2.5 ~ 3 cm，宽 2 ~ 3 mm，先端膜质渐尖；全部苞片无毛；小花紫色，花冠长约 2.7 cm，檐部长约 1.2 cm，不等 5 浅裂，细管部长约 1.5 cm。瘦果淡黄色，楔状长椭圆形，压扁，长约 5 mm，宽约 1.8 mm，先端斜截形；冠毛白色或污白色或稍带褐色或带黄色，多层，基部联合成环，整体脱落；冠毛刚毛长羽毛状，长约 2.7 cm，向先端渐细。花果期 8 ~ 9 月。

| **生境分布** | 生于海拔 500 ~ 3 200 m 的平原或山地潮湿地或水边。分布于河北丰宁、张北等。

| **资源情况** | 野生资源一般。药材主要来源于野生。

| **采收加工** | 夏、秋季花盛开时或结果时采收，切段，晒干。

| **药材性状** | 本品为无茎或具短茎的干燥草本，新鲜的根生叶长圆状倒披针形，呈莲座状，边缘有黄色开展的长刺及短刺。管状花，排列成头状花序，直径 3 ~ 4 cm。

| **功能主治** | 甘，凉。清热，愈疮，引黄水。用于肺热，肺脓肿，疮疖，疮伤等。

| **用法用量** | 内服研末，3 g。

| **附   注** | 本种别名食用蓟，始载于《内蒙古中草药》。本种分布广泛，资源丰富，但目前对本种的研究较少，仅限于本草考证、植物形态分类、化学成分等方面。研究表明，本种含有豆甾醇、黄酮类、胡萝卜苷、绿原酸、蒙花苷等化学成分。暂无有关药理作用研究的相关报道。因此，应加强对本种的深入研究，为开发其新制剂提供理论依据。

菊科 Asteraceae 蓟属 Cirsium

烟管蓟

Cirsium pendulum Fisch. ex DC.

| 植物别名 | 烟苞蓟。

| 药 材 名 | 烟管蓟（药用部位：全草或根。别名：大蓟）。

| 形态特征 | 多年生草本，高1～3 m。茎直立，粗壮，上部分枝，全部茎枝有条棱，被极稀疏的蛛丝状及多细胞长节毛，上部花序分枝上的蛛丝毛稍稠密。基生叶及下部茎生叶长椭圆形、偏斜椭圆形、长倒披针形或椭圆形，下部渐狭成长或短翼柄或无柄，明显的但却不规则2回羽状分裂，1回为深裂，1回侧裂片5～7对，半长椭圆形或偏斜披针形，中部侧裂片较大，长4～16 cm，宽1.5～6 cm，向上向下的侧裂片渐小，全部1回侧裂片仅一侧深裂或半裂，而另一侧不裂，边缘有针刺状缘毛或兼有少数小型刺齿，2回侧裂片斜三角形，

2 回顶裂片长披针形或宽线形，全部 2 回裂片边缘及先端有针刺；向上的叶渐小，无柄或扩大耳状抱茎。全部叶两面同为绿色或下面稍淡，无毛，边缘及齿顶或裂片先端针刺长可达 3 mm。头状花序下垂，在茎枝先端排成总状圆锥花序；总苞钟状，直径 3.5 ~ 5 cm，无毛；总苞片约 10 层，覆瓦状排列，外层与中层总苞片长三角形至钻状披针形，全长 1 ~ 4 cm，宽 1 ~ 2.5 mm，上部或中部以上总苞片钻状，向外反折或开展，内层及最内层总苞片披针形或线状披针形，长 1.2 ~ 2.5 cm，宽 1.5 ~ 2 mm，先端短钻状渐尖。小花紫色或红色，花冠长约 2.2 cm，细管部细丝状，长约 1.6 cm，檐部短，长约 6 mm，5 浅裂。瘦果偏斜楔状倒披针形，先端斜截形，长约 4 mm，宽约 2 mm，稍压扁；冠毛污白色，多层，基部联合成环，整体脱落；冠毛长羽毛状，长达 2.2 cm，向先端渐细。花果期 6 ~ 9 月。

| **生境分布** | 生于海拔 300 ~ 2 240 m 的山谷、山坡草地、林缘、林下、岩石缝隙、溪旁及村旁。分布于河北围场、滦平、青龙等。

| **资源情况** | 野生资源一般，栽培资源一般。药材主要来源于栽培。

| **采收加工** | 5 ~ 7 月采收地上部分，秋后采挖根，鲜用，或切段，晒干。

| **功能主治** | 甘、苦，凉。解毒，止血，补虚。用于疮肿，疟疾，外伤出血，体虚。

| **用法用量** | 内服煎汤，4.5 ~ 9 g，鲜品可用至 30 ~ 60 g；或加酒煨服；或鲜品捣汁。外用适量，捣敷。

菊科 Asteraceae 菊属 *Chrysanthemum*

菊花
Chrysanthemum morifolium (Ramat.) Hemsl.

| 植物别名 | 小白菊、小汤黄、杭白菊。

| 药 材 名 | 菊花（药用部位：头状花序。别名：节华、日精、女节）。

| 形态特征 | 多年生草本，高 60 ~ 150 cm。茎直立，分枝或不分枝，被柔毛。叶卵形至披针形，长 5 ~ 15 cm，羽状浅裂或半裂，有短柄，叶下面被白色短柔毛。头状花序直径 2.5 ~ 20 cm，大小不一。总苞片多层，外层被柔毛。舌状花颜色多种；管状花黄色。

| 生境分布 | 分布于河北宽城等。

| 资源情况 | 野生资源丰富，栽培资源丰富。药材主要来源于栽培。

| **采收加工** | 9 ～ 11 月花盛开时分批采收，阴干或焙干，或熏、蒸后晒干。 |

| **功能主治** | 甘、苦，微寒。归肺、肝经。散风清热，平肝明目。用于风热感冒，头痛眩晕，目赤肿痛，眼目昏花。 |

| **用法用量** | 内服煎汤，5 ～ 10 g。 |

| **附　注** | 本种为短日照植物，在短日照下能提早开花。喜阳光，忌荫蔽，较耐旱，怕涝。喜温暖湿润气候，但亦能耐寒，严冬季节其根茎能在地下越冬。 |

菊科 Asteraceae 苦苣菜属 Sonchus

长裂苦苣菜 *Sonchus brachyotus* DC.

植物别名

苣荬菜。

药材名

北败酱草（药用部位：全草）。

形态特征

一年生草本，高 50 ~ 100 cm。根垂直直伸，生多数须根。茎直立，有纵条纹，基部直径达 1.2 mm，上部有伞房花序分枝，分枝长或短或极短，全部茎枝光滑无毛。基生叶与下部茎生叶卵形、长椭圆形或倒披针形，长 6 ~ 19 cm，宽 1.5 ~ 11 cm，羽状深裂、半裂或浅裂，极少不裂，向下渐狭，无柄或有长 1 ~ 2 cm 的短翼柄，基部圆耳状扩大，半抱茎，侧裂片 3 ~ 5 对或奇数，对生或部分互生或偏斜互生，线状长椭圆形、长三角形或三角形，极少半圆形，顶裂片披针形，全部裂片全缘，有缘毛或无缘毛或具缘毛状微齿，先端急尖或钝或圆形；中上部茎生叶与基生叶和下部茎生叶同形并等样分裂，但较小；最上部茎生叶宽线形或宽线状披针形，接花序下部的叶常钻形；全部叶两面光滑无毛。头状花序少数在茎枝先端排成伞房花序；总苞钟状，长 1.5 ~ 2 cm，宽 1 ~ 1.5 cm；

总苞片 4 ~ 5 层，最外层总苞片卵形，长约 6 mm，宽约 3 mm，中层总苞片长三角形至披针形，长 9 ~ 13 mm，宽 2.5 ~ 3 mm，内层总苞片长披针形，长约 1.5 cm，宽约 2 mm，全部总苞片先端急尖，外面光滑无毛。舌状小花多数，黄色。瘦果长椭圆状，褐色，稍压扁，长约 3 mm，宽约 1.5 mm，每面有 5 高起的纵肋，肋间有横皱纹；冠毛白色，纤细，柔软，纠缠，单毛状，长约 1.2 cm。花果期 6 ~ 9 月。

| 生境分布 | 生于海拔 350 ~ 2 260 m 的山地草坡、河边或碱地。分布于河北涉县、武安、兴隆等。

| 资源情况 | 野生资源丰富，栽培资源一般。药材主要来源于野生。

| 采收加工 | 春、夏季开花前采挖，除去杂质，晒干。

| 药材性状 | 本品根呈细长圆柱形，下部渐细，长 3 ~ 10 cm，上部直径 0.2 ~ 0.5 cm。茎表面淡黄色，有纵皱纹，上部有近环状突起的叶痕。基生叶卷缩或破碎，完整者展平后呈长卵状披针形，边缘有稀疏缺刻，上表面灰绿色，下表面色较浅；茎生叶无柄，抱茎。质脆。气微，味微苦。

| 功能主治 | 苦，寒。归胃、大肠、肝经。清热解毒，利湿排脓，凉血止血。用于咽喉肿痛，疮疖肿毒，痔疮，急性细菌性痢疾，肠炎，肺脓疡，急性阑尾炎，吐血，衄血，咯血，尿血，便血，崩漏。

| 用法用量 | 内服煎汤，9 ~ 15 g。外用适量，捣敷；或煎汤熏洗。

菊科 Asteraceae 苦苣菜属 *Sonchus*

苦苣菜 *Sonchus oleraceus* L.

| **植物别名** | 滇苦荬菜。

| **药 材 名** | 苦菜（药用部位：全草）。

| **形态特征** | 一年生或二年生草本。根圆锥状，垂直直伸，有多数纤维状的须根。茎直立，单生，高 40 ~ 150 cm，有纵条棱或条纹，不分枝或上部有短的伞房花序状或总状花序式分枝，全部茎枝光滑无毛，或上部花序分枝及花序梗被头状具柄的腺毛。基生叶羽状深裂，长椭圆形或倒披针形，或大头羽状深裂，倒披针形，或基生叶不裂，椭圆形、椭圆状戟形、三角形、三角状戟形或圆形，全部基生叶基部渐狭成长或短翼柄；中下部茎生叶羽状深裂或大头状羽状深裂，椭圆形或倒披针形，长 3 ~ 12 cm，宽 2 ~ 7 cm，基部急狭成翼柄，翼狭窄或宽大，向柄基且逐渐加宽，柄基圆耳状抱茎，顶裂片与侧裂片等

大、较大或大，宽三角形、戟状宽三角形、卵状心形，侧生裂片 1～5 对，椭圆形，常下弯，全部裂片先端急尖或渐尖，下部茎生叶或接花序分枝下方的叶与中下部茎生叶同型并等样分裂或不分裂，披针形或线状披针形，先端长渐尖，下部宽大，基部半抱茎；全部叶或裂片边缘及抱茎小耳边缘有大小不等的急尖锯齿或大锯齿或上部及接花序分枝处的叶边缘大部全缘或上半部全缘，先端急尖或渐尖，两面光滑无毛，质地薄。头状花序少数在茎枝先端排紧密的伞房花序或总状花序或单生茎枝先端；总苞宽钟状，长约 1.5 cm，宽约 1 cm；总苞片3～4 层，覆瓦状排列，向内层渐长；外层总苞片长披针形或长三角形，长3～7 mm，宽1～3 mm，中内层总苞片长披针形至线状披针形，长8～11 mm，宽1～2 mm；全部总苞片先端长急尖，外面无毛或外层或中内层上部沿中脉有

少数头状具柄的腺毛；舌状小花多数，黄色。瘦果褐色，长椭圆形或长椭圆状倒披针形，长约 3 mm，宽不足 1 mm，压扁，每面各有 3 细脉，肋间有横皱纹，先端狭，无喙，冠毛白色，长约 7 mm，单毛状，彼此纠缠。花果期 5 ~ 12 月。

| 生境分布 | 生于海拔 170 ~ 3 200 m 的山坡或山谷林缘、林下或平地田间、空旷处或近水处。分布于河北滦平、永年、张北等。

| 资源情况 | 野生资源丰富。药材主要来源于野生。

| 采收加工 | 春、夏、冬季均可采收，鲜用或晒干。

| 药材性状 | 本品根呈纺锤形，灰褐色，有多数须根。茎呈圆柱形，上部呈压扁状，长 45 ~ 95 cm，直径 4 ~ 8 mm，表面黄绿色，茎基部略带淡紫色，具纵棱，上部有暗褐色腺毛；质脆，易折断，断面中空。叶互生，皱缩破碎，完整叶展平后呈椭圆状广披针形，琴状羽裂，裂片边缘有不整齐的短刺状齿。有的在茎顶可见头状花序，舌状花淡黄色，或有的已结果。气微，味微咸。

| 功能主治 | 苦，寒。归心、脾、胃、大肠经。清热解毒，凉血止血。用于肠炎，痢疾，黄疸，淋证，咽喉肿痛，痈疮肿毒，乳腺炎，痔瘘，吐血，衄血，咯血，尿血，便血，崩漏。

| **用法用量** | 内服煎汤，15 ～ 30 g。外用适量，捣敷；或煎汤熏洗；或取汁涂搽。

| **附　　注** | 苦菜之名始载于《神农本草经》。《名医别录》云："一名游冬，生益州川谷，山陵道旁，凌冬不死，三月三日采，阴干。"《桐君采药录》云："苦菜三月生，扶疏，六月花从叶出，茎直花黄，八月实黑，实落根复生，冬不枯。"《本草纲目》云："苦菜即苦荬也。家栽者呼为苦苣，实一物也。春初生苗，有亦茎、白茎二种，其茎中空而脆，折之有白汁出。"根据以上本草所述"凌冬不死""段之有白汁，花黄似菊"等特征进行考证，《本草纲目》这些本草中所记载的苦菜，极似菊科苦苣菜属植物。

菊科 Asteraceae 苦荬菜属 Ixeris

苦荬菜 *Ixeris polycephala* Cass.

| 植物别名 | 多头苦荬菜、多头莴苣、深裂苦荬菜。

| 药 材 名 | 苦荬菜（药用部位：全草。别名：苦荬、老鹳草）。

| 形态特征 | 一年生草本。根垂直直伸，生多数须根。茎直立，高 10 ~ 80 cm，基部直径 2 ~ 4 mm，上部伞房花序状分枝，或自基部多分枝或少分枝，分枝弯曲斜升，全部茎枝无毛。基生叶花期生存，线形或线状披针形，包括叶柄长 7 ~ 12 cm，宽 5 ~ 8 mm，先端急尖，基部渐狭成长或短柄；中下部茎生叶披针形或线形，长 5 ~ 15 cm，宽 1.5 ~ 2 cm，先端急尖，基部箭头状半抱茎，向上或最上部的叶渐小，与中下部茎生叶同形，基部箭头状半抱茎或长椭圆形，基部收窄，但不成箭头状半抱茎；全部叶两面无毛，全缘，极少下部边缘有稀疏的小尖头。头状花序多数，在茎枝先端排成伞房花序，花序梗细；

总苞圆柱状，长 5 ~ 7 mm，果期扩大成卵球形；总苞片 3 层，外层及最外层总苞片极小，卵形，长约 0.5 mm，宽约 0.2 mm，先端急尖，内层总苞片卵状披针形，长约 7 mm，宽 2 ~ 3 mm，先端急尖或钝，外面近先端有鸡冠状突起或无；舌状小花 10 ~ 25，黄色，极少白色。瘦果压扁，褐色，长椭圆形，长约 2.5 mm，宽约 0.8 mm，无毛，有 10 高起的尖翅肋，先端急尖成喙，喙长约 1.5 mm，细丝状；冠毛白色，纤细，微糙，不等长，长达 4 mm。花果期 3 ~ 6 月。

| 生境分布 | 生于海拔 300 ~ 2 200 m 的山坡林缘、灌丛、草地、田野路旁。分布于河北邢台及兴隆、永年等。

| 资源情况 | 野生资源一般。药材主要来源于野生。

| 采收加工 | 春季采收，鲜用或阴干。

| 药材性状 | 本品长约 50 cm。茎呈圆柱形，直径 1 ~ 4 mm，多分枝，光滑无毛，有纵棱；表面紫红色至青紫色；质硬而脆，断面髓部呈白色。叶皱缩，完整者展开后呈舌状卵形，长 4 ~ 8 cm，宽 1.5 ~ 2 cm，先端尖，基部耳状，微抱茎，边缘具不规则锯齿，无毛，表面黄绿色。头状花序着生枝顶，黄色，冠毛白色；总苞圆筒状。果实纺锤形或圆形，稍扁平。气微，味苦、微酸、涩。

| 功能主治 | 苦，寒。清热解毒，消肿止痛。用于痈疖疔毒，乳痈，喉咙肿痛，黄疸，痢疾，淋证，带下，跌打损伤。

| 用法用量 | 内服煎汤，9 ~ 15 g，鲜品 30 ~ 60 g。外用适量，捣敷；或捣汁涂；或研末调敷；或煎汤洗漱。

| 附　注 | 本品始载于《嘉祐本草》，原名苦荬。《救荒本草》云："所在有之，生田野中，人家园圃种者为苦荬。脚叶似白菜，小叶抪茎而生，梢叶似鸭嘴形。每叶间分叉擎葶，如穿叶状。梢间开黄花。"上述记载及该书附图的形态与今菊科苦荬菜相似。

菊科 Asteraceae 蓝刺头属 Echinops

蓝刺头
Echinops sphaerocephalus L.

| 植物别名 | 白茎蓝刺头。

| 药 材 名 | 禹州漏芦（药用部位：根）。

| 形态特征 | 多年生草本，高 50 ～ 150 cm。茎单生，上部分枝长或短，粗壮，全部茎枝被稠密的多细胞长节毛和稀疏的蛛丝状薄毛。基部和下部茎生叶全形宽披针形，长 15 ～ 25 cm，宽 5 ～ 10 cm，羽状半裂，侧裂片 3 ～ 5 对，三角形或披针形，边缘刺齿，先端针刺状渐尖，向上叶渐小，与基生叶及下部茎生叶同形并等样分裂；全部叶质薄，纸质，两面异色，上面绿色，被稠密短糙毛，下面灰白色，被薄蛛丝状绵毛，但沿中脉有多细胞长节毛。复头状花序单生茎枝先端，直径 4 ～ 5.5 cm；头状花序长约 2 cm。基毛长约 1 cm，为总苞长度

之半，白色，扁毛状，不等长。外层苞片稍长于基毛，长倒披针形，上部椭圆形扩大，褐色，外面被稍稠密的短糙毛及腺点，边缘有稍长的缘毛，先端针芒状长渐尖，爪部下部有长达 4 mm 的长缘毛；中层苞片倒披针形或长椭圆形，长约 1.1 cm，边缘有长缘毛，外面有稠密的短糙毛；内层苞片披针形，长约 8 mm，外面被稠密的短糙毛，先端芒齿裂或芒片裂，中间芒裂较长；全部苞片 14 ~ 18。小花淡蓝色或白色，花冠 5 深裂，裂片线形，花冠管无腺点或有稀疏腺点。瘦果倒圆锥状，长约 7 mm，被黄色、稠密、顺向贴伏的长直毛，不遮盖冠毛；冠毛量杯状，高约 1.2 mm；冠毛膜片线形，边缘糙毛状，大部结合。花果期 8 ~ 9 月。

| **生境分布** | 生于山坡林缘或渠边。分布于河北赤城、阜平、涿鹿等。

| **资源情况** | 野生资源丰富。药材主要来源于野生。

| **采收加工** | 春、秋季采挖，除去须根和泥沙，晒干。

| **药材性状** | 本品呈类圆柱形，稍扭曲，长 10 ~ 25 cm，直径 0.5 ~ 1.5 cm。表面灰黄色或灰褐色，具纵皱纹，先端有纤维状棕色硬毛。质硬，不易折断，断面皮部褐色，木部呈黄黑相间的放射状纹理。气微，味微涩。

| **功能主治** | 苦，寒。归胃经。清热解毒，消痈，下乳，舒筋通脉。用于乳痈肿痛，痈疽发背，瘰疬疮毒，乳汁不通，湿痹拘挛。

| **用法用量** | 内服煎汤，5 ~ 10 g。

菊科 Asteraceae 蓝刺头属 *Echinops*

砂蓝刺头
Echinops gmelinii Turcz.

| 药 材 名 |

砂漏芦（药用部位：全草）。

| 形态特征 |

一年生草本，高 10 ~ 90 cm。根直伸，细圆锥形。茎单生，淡黄色，自中部或基部有开展的分枝或不分枝，全部茎枝被稀疏的头状具柄的长或短腺毛，有时脱毛至无毛。下部茎生叶线形或线状披针形，长 3 ~ 9 cm，宽 0.5 ~ 1.5 cm，基部扩大，抱茎，边缘具刺齿或三角形刺齿裂或刺状缘毛；中上部茎生叶与下部茎生叶同形，但渐小；全部叶质薄，纸质，两面绿色，被稀疏蛛丝状毛及头状具柄的腺点，或上面的蛛丝毛稍多。复头状花序单生茎顶或枝端，直径 2 ~ 3 cm；头状花序长 1.2 ~ 1.4 cm。基毛白色，不等长，长约 1 cm，近总苞长度之半，细毛状，边缘糙毛状，非扁毛状，上部亦不增宽。全部苞片 16 ~ 20；外层苞片线状倒披针形，上部扩大，浅褐色，上部外面被稠密的短糙毛，边缘短缘毛，缘毛细密羽毛状，先端刺芒状长渐尖，爪部基部有长蛛丝状毛，中部有长达 5 mm 的长缘毛，缘毛上部稍扁平扩大；中层苞片倒披针形，长约 1.3 cm，上部外面被短糙毛，下部外面被长蛛丝状毛，自

中部以上边缘短缘毛，缘毛扁毛状，边缘糙毛状或细密羽毛状，自最宽处向上渐尖成刺芒状长渐尖；内层苞片长椭圆形，比中层苞片稍短，先端芒刺裂，但中间的芒刺裂较长，外面被较多的长蛛丝状毛。小花蓝色或白色，花冠5深裂，裂片线形，花冠管无腺点。瘦果倒圆锥形，长约5 mm，被稠密、淡黄棕色、顺向贴伏的长直毛，遮盖冠毛；冠毛量杯状，长1 mm；冠毛膜片线形，边缘稀疏糙毛状，仅基部结合。花果期6～9月。

| 生境分布 | 生于海拔580～3 120 m的山坡砾石地、荒漠草原、黄土丘陵或河滩沙地。分布于河北张北、涿鹿等。

| 资源情况 | 野生资源一般。药材主要来源于野生。

| 采收加工 | 夏、秋季采收，洗净，切碎，晒干。

| 药材性状 | 本品根呈倒圆锥形，较细小完整者长15～25 cm，直径4～8 mm；根头部无纤维状叶柄维管束，但有少数白色绵毛。表面土黄色或淡黄色，有细的纵皱纹，下部常有支根；质坚硬，不易折断，断面黄白色，裂片状，无黄黑相间的菊花纹。气微，味淡。

| 功能主治 | 咸、苦，寒。止血，安胎。用于先兆流产，产后出血。

| 用法用量 | 内服煎汤，6～12 g。

菊科 Asteraceae 漏芦属 Rhaponticum

祁州漏芦
Rhaponticum uniflorum (L.) DC.

| 植物别名 | 和尚头、大口袋花、牛馒土。

| 药 材 名 | 漏芦（药用部位：根。别名：野兰、鹿骊、鬼油麻）。

| 形态特征 | 多年生草本，高（6～）30～100 cm。根茎粗厚。根直伸，直径1～3 cm。茎直立，不分枝，簇生或单生，灰白色，被绵毛，基部直径0.5～1 cm，被褐色残存的叶柄。基生叶及下部茎生叶椭圆形、长椭圆形或倒披针形，长10～24 cm，宽4～9 cm，羽状深裂或几全裂，有长叶柄，叶柄长6～20 cm；侧裂片5～12对，椭圆形或倒披针形，边缘有锯齿或锯齿稍大而使叶呈现2回羽状分裂，或边缘少锯齿或无锯齿，中部侧裂片稍大，向上或向下的侧裂片渐小，最下部的侧裂片小耳状，顶裂片长椭圆形或匙形，边缘有锯齿；中上部茎生叶渐小，与基生叶及下部茎叶同形并等样分裂，无柄或有短

柄；全部叶质柔软，两面灰白色，被稠密或稀疏的蛛丝毛及多细胞糙毛和黄色小腺点；叶柄灰白色，被稠密的蛛丝状绵毛。头状花序单生茎顶，花序梗粗壮，裸露或有少数钻形小叶；总苞半球形，直径 3.5 ~ 6 cm；总苞片约 9 层，覆瓦状排列，向内层渐长，外层总苞片长三角形，长约 4 mm，宽约 2 mm，中层总苞片椭圆形至披针形，内层及最内层总苞片不包括先端附属物披针形，长约 2.5 cm，宽约 5 mm；全部苞片先端有膜质附属物，附属物宽卵形或几圆形，长达 1 cm，宽达 1.5 cm，浅褐色；全部小花两性，管状，花冠紫红色，长约 3.1 cm，细管部长 1.5 cm，花冠裂片长约 8 mm。瘦果具 3 ~ 4 棱，楔状，长约 4 mm，宽约 2.5 mm，先端有果缘，果缘边缘细尖齿，侧生着生面；冠毛褐色，多层，不等长，向内层渐长，长达 1.8 cm，基部联合成环，整体脱落；冠毛刚毛糙毛状。花果期 4 ~ 9 月。

| **生境分布** | 生于海拔 390 ~ 2 700 m 的山坡丘陵地、松林下或桦木林下。分布于河北平山、围场、蔚县等。

| **资源情况** | 野生资源丰富。药材主要来源于野生。

| **采收加工** | 春、秋季采挖，除去须根和泥沙，晒干。

| **药材性状** | 本品呈圆锥形或扁片块状，多扭曲，长短不一，直径 1 ~ 2.5 cm。表面暗棕色、灰褐色或黑褐色，粗糙，具纵沟及菱形的网状裂隙。外层易剥落，根头部膨大，有残茎及鳞片状叶基，先端有灰白色绒毛。体轻，质脆，易折断，断面不整齐，灰黄色，有裂隙，中心有的呈星状裂隙，灰黑色或棕黑色。气特异，味微苦。

| **功能主治** | 苦，寒。归胃经。清热解毒，消痈，下乳，舒筋通脉。用于乳痈肿痛，痈疽发背，瘰疬疮毒，乳汁不通，湿痹拘挛。

| **用法用量** | 内服煎汤，9 ~ 15 g。外用适量，研末醋调敷；或鲜品捣敷。

菊科 Asteraceae 麻花头属 *Klasea*

麻花头
Klasea centauroides (L.) Cass.

| **药 材 名** | 广升麻（药用部位：块根）。

| **形态特征** | 多年生草本，高 40 ~ 100 cm。根茎横走，黑褐色。茎直立，上部少分枝或不分枝，中部以下被稀疏或稠密的节毛，基部被残存纤维状撕裂的叶柄。基生叶及下部茎生叶长椭圆形，长 8 ~ 12 cm，宽 2 ~ 5 cm，羽状深裂，有长 3 ~ 9 cm 的叶柄；侧裂片 5 ~ 8 对，全部裂片长椭圆形至宽线形，全缘或有锯齿或少锯齿，宽 0.4 ~ 0.8（~ 1.3）cm，先端急尖；中部茎生叶与基生叶及下部茎叶同形并等样分裂，无柄或有极短的柄，裂片全缘无锯齿或少锯齿；上部的叶更小，5 ~ 7 回羽状全裂，裂片全缘，无锯齿，或不裂，线形，边缘无锯齿；全部叶两面粗糙，被多细胞长或短节毛。头状花序少数，单生茎枝先端，但不形成明显的伞房花序式排列，或植株含

1头状花序，单生茎端，花序梗或花序枝伸长，几裸露，无叶；总苞卵形或长卵形，直径 1.5 ~ 2 cm，上部有收缢或稍见收缢；总苞片 10 ~ 12 层，覆瓦状排列，向内层渐长，外层与中层总苞片三角形、三角状卵形至卵状披针形，长 4.5 ~ 8.5 mm，宽 3 ~ 3.5 mm，先端急尖，有长约 2.5 mm 的短针刺或刺尖，内层及最内层总苞片椭圆形、披针形或长椭圆形至线形，长 1 ~ 2 cm，宽 1 ~ 4 mm，最内层总苞片最长，上部淡黄白色，硬膜质。全部小花红色、红紫色或白色，花冠长约 2.1 cm，细管部长约 9 mm，檐部长约 1.2 cm，花冠裂片长约 7 mm。瘦果楔状长椭圆形，褐色，有 4 高起的肋棱，长约 5 mm，宽约 2 mm。冠毛褐色或略带土红色，长达 7 mm；冠毛刚毛糙毛状，分散脱落。花果期 6 ~ 9 月。

| **生境分布** | 生于海拔 1 100 ~ 1 590 m 的山坡林缘、草原、草甸、路旁或田间。分布于河北滦平、平泉、张北等。

| **资源情况** | 野生资源丰富。药材主要来源于野生。

| **采收加工** | 夏、秋季采挖，除去芦头及须根，焙干或晒干。

| **药材性状** | 本品呈长纺锤形，稍扭曲，两端稍细，中部稍粗，长 10 ~ 20 cm，直径 0.5 ~ 1 cm。表面灰黄色、棕褐色或黑褐色，有粗纵皱纹和少数须根痕。质坚硬而脆，易折断。断面暗蓝色或灰黄色，略呈角质状。气特异，味淡、微苦、涩。

| **功能主治** | 甘、辛、微苦，寒。归肺、胃经。升阳，散风，解毒，透疹。用于风热头痛，咽喉肿痛，斑疹不透，中气下陷，久泻脱肛，子宫下坠。

| **用法用量** | 内服煎汤，2 ~ 5 g。

菊科 Asteraceae 毛连菜属 Picris

毛连菜 *Picris hieracioides* L.

| 药 材 名 | 毛连菜（药用部位：花序）。

| 形态特征 | 二年生草本，高 16 ~ 120 cm。根垂直直伸，粗壮。茎直立，上部
伞房状或伞房圆状分枝，有纵沟纹，被稠密或稀疏、亮色分叉的钩
状硬毛。基生叶花期枯萎脱落；下部茎生叶长椭圆形或宽披针形，
长 8 ~ 34 cm，宽 0.5 ~ 6 cm，先端渐尖或急尖或钝，全缘或有尖
锯齿或大而钝的锯齿，基部渐狭成长或短翼柄；中部和上部茎生叶
披针形或线形，较下部茎生叶小，无柄，基部半抱茎；最上部茎小，
全缘；全部茎生叶两面特别是沿脉被亮色的钩状分叉的硬毛。头状
花序较多数，在茎枝先端排成伞房花序或伞房圆锥花序，花序梗细
长；总苞圆柱状钟形，长达 1.2 cm；总苞片 3 层，外层总苞片线

形，短，长 2 ~ 4 mm，宽不足 1 mm，先端急尖，内层长，线状披针形，长 10 ~ 12 mm，宽约 2 mm，边缘白色膜质，先端渐尖；全部总苞片外面被硬毛和短柔毛；舌状小花黄色，花冠筒被白色短柔毛。瘦果纺锤形，长约 3 mm，棕褐色，有纵肋，肋上有横皱纹；冠毛白色，外层极短，糙毛状，内层长，羽毛状，长约 6 mm。花果期 6 ~ 9 月。

| 生境分布 | 生于海拔 560 ~ 3 400 m 的山坡草地、林下、沟边、田间、撂荒地或沙滩地。分布于河北易县、张北、涿鹿等。

| 资源情况 | 野生资源丰富。药材主要来源于野生。

| 采收加工 | 夏季花开时采收，晒干。

| 功能主治 | 苦、咸，温。利肺止咳，化痰平喘，宽胸。用于咳嗽痰多，嗳气，胸腹闷胀。

| 用法用量 | 内服煎汤，3 ~ 9 g。

| 附　注 | 单毛毛连菜 *Picris hieracioides* L. subsp. *fuscipilosa* Hand.-Mazz. 与本种的区别在于前者的茎，特别是茎下部被稠密、褐色或紫褐色的长硬毛，硬毛为单毛，不呈分叉的钩毛状。

菊科 Asteraceae 泥胡菜属 Hemisteptia

泥胡菜

Hemisteptia lyrata (Bunge) Fischer & C. A. Meyer

| 植物别名 |

艾草、猪兜菜、石灰青。

| 药 材 名 |

泥胡菜（药用部位：全草。别名：苦马菜、艾草）、泥胡菜根（药用部位：根）。

| 形态特征 |

一年生草本，高 30 ~ 100 cm。茎单生，很少簇生，通常纤细，被稀疏蛛丝毛，上部长分枝，少有不分枝的。基生叶长椭圆形或倒披针形，花期通常枯萎；中下部茎生叶与基生叶同形，长 4 ~ 15 cm 或更长，宽 1.5 ~ 5 cm 或更宽，全部叶大头羽状深裂或几全裂，侧裂片 2 ~ 6 对，通常 4 ~ 6 对，极少为 1 对，倒卵形、长椭圆形、匙形、倒披针形或披针形，向基部的侧裂片渐小，顶裂片大，长菱形、三角形或卵形，全部裂片边缘三角形锯齿或重锯齿，侧裂片边缘通常稀锯齿，最下部侧裂片通常无锯齿；有时全部茎生叶不裂或下部茎生叶不裂，边缘有锯齿或无锯齿。全部茎生叶质薄，两面异色，上面绿色，无毛，下面灰白色，被厚或薄绒毛，基生叶及下部茎生叶有长叶柄，叶柄长达 8 cm，柄基扩大抱茎，上部茎生叶的叶柄渐短，最上部茎生叶无柄。头状花序在茎枝先端排成疏松伞房花序，少有植株仅含 1 头状花序而单生茎顶的；总苞宽钟状或半球形，直径 1.5 ~ 3 cm；总苞片多层，覆瓦状排列，最外层长三角形，长约 2 mm，宽约 1.3 mm，外层及中层总苞片椭圆形或卵状椭圆形，长 2 ~ 4 mm，宽 1.4 ~ 1.5 mm；最内层总苞片线状长椭圆形或长椭圆形，长 7 ~ 10 mm，宽约 1.8 mm；全部苞片质薄，草质，中、外层苞片外面上方近先端有直立的鸡冠状突起的附片，附片紫红色，内层苞片先端长渐尖，上方染红色，但无鸡冠状突起的附片。小花紫色或红色，花冠长约 1.4 cm，檐部长约 3 mm，深 5 裂，花冠裂片线形，长约 2.5 mm，细管部为细丝状，长约 1.1 cm。瘦果小，楔状或偏斜楔形，长约 2.2 mm，深褐色，压扁，有 13 ~ 16 粗细不等而凸起的尖细肋，先端斜截形，有膜质果缘，基底着生面平或稍见偏斜；冠毛异型，白色，两层，外层冠毛刚毛羽毛状，长约 1.3 cm，基部联合成环，整体脱落；内层冠毛刚毛极短，鳞片状，3 ~ 9，着生一侧，宿存。花果期 3 ~ 8 月。

| **生境分布** | 生于海拔 50 ~ 3 280 m 的山坡、山谷、平原、丘陵、林缘、林下、草地、荒地、田间、河边、路旁等。分布于河北兴隆、赞皇、张北等。

| **资源情况** | 野生资源一般。药材主要来源于野生。

| **采收加工** | 夏、秋季采集，洗净，鲜用或晒干。

| **药材性状** | 本品长 30 ~ 80 cm，茎具纵棱，光滑或略被绵毛。叶互生，多卷曲皱缩，完整叶片呈倒披针状卵圆形或倒披针形，羽状深裂。常有头状花序或球形总苞。瘦果圆柱形，长约 2.2 mm，具纵棱及白色冠毛。气微，味微苦。

| **功能主治** | 辛、苦，寒。清热解毒，散结消肿。用于痔漏，痈肿疔疮，乳痈，淋巴结炎，风疹瘙痒，外伤出血，骨折。

| **用法用量** | 内服煎汤，9 ~ 15 g。外用适量，捣敷；或煎汤洗。

| **附　注** | 本种始载于《救荒本草》，该书云："泥胡菜，生田野中。苗高一二尺，茎梗繁多。叶似水芥菜叶，颇大，花叉甚深；又似风花菜叶，却比短小。叶中撺葶，分生茎叉。稍间开淡紫花，似刺蓟花。苗叶味辣。"上述记载及该书附图的植物形态，与今泥胡菜一致。

菊科 Asteraceae 牛蒡属 *Arctium*

牛蒡 *Arctium lappa* L.

| 植物别名 | 大力子、恶实。

| 药 材 名 | 牛蒡子（药用部位：果实。别名：恶实、鼠粘子、黍粘子）。

| 形态特征 | 二年生草本。具粗大的肉质直根，长达 15 cm，直径可达 2 cm，有分枝支根。茎直立，高达 2 m，粗壮，基部直径达 2 cm，通常带紫红色或淡紫红色，有多数高起的条棱，分枝斜升，多数，全部茎枝被稀疏的乳突状短毛及长蛛丝毛并混杂以棕黄色的小腺点。基生叶宽卵形，长达 30 cm，宽达 21 cm，边缘稀疏的浅波状凹齿或齿尖，基部心形，有长达 32 cm 的叶柄，两面异色，上面绿色，有稀疏的短糙毛及黄色小腺点，下面灰白色或淡绿色，被薄绒毛或绒毛稀疏，有黄色小腺点，叶柄灰白色，被稠密的蛛丝状绒毛及黄色小

腺点，但中下部常脱毛；茎生叶与基生叶同形或近同形，具等样的及等量的毛被，接花序下部的叶小，基部平截或浅心形。头状花序多数或少数在茎枝先端排成疏松的伞房花序或圆锥状伞房花序，花序梗粗壮；总苞卵形或卵球形，直径 1.5 ~ 2 cm；总苞片多层，多数，外层三角状或披针状钻形，宽约 1 mm，中、内层披针状或线状钻形，宽 1.5 ~ 3 mm；全部苞片近等长，长约 1.5 cm，先端有软骨质钩刺。小花紫红色，花冠长约 1.4 cm，细管部长约 8 mm，檐部长 6 mm，外面无腺点，花冠裂片长约 2 mm。瘦果倒长卵形或偏斜倒长卵形，长 5 ~ 7 mm，宽 2 ~ 3 mm，两侧压扁，浅褐色，有多数细脉纹，有深褐色的色斑或无色斑；冠毛多层，浅褐色；冠毛刚毛糙毛状，不等长，长达 3.8 mm，基部不联合成环，分散脱落。花果期 6 ~ 9 月。

| 生境分布 | 生于海拔 750 ~ 3 500 m 的山坡、山谷、林缘、林中、灌丛、河边潮湿地、村庄路旁或荒地。分布于河北内丘、沙河、蔚县等。

| 资源情况 | 野生资源丰富。药材主要来源于野生。

| 采收加工 | 秋季果实成熟时采收果序，晒干，打下果实，除去杂质，再晒干。

| 药材性状 | 本品呈长倒卵形，略扁，微弯曲，长 5 ~ 7 mm，宽 2 ~ 3 mm。表面灰褐色，带紫黑色斑点，有数条纵棱，通常中间 1 ~ 2 较明显。先端钝圆，稍宽，顶面有圆环，中间具点状花柱残迹；基部略窄，着生面色较淡。果皮较硬，子叶 2，淡黄白色，富油性。气微，味苦而后微辛、稍麻舌。

| 功能主治 | 苦、辛，寒。归肺、胃经。疏散风热，宣肺祛痰，利咽透疹，解毒消肿。用于风热感冒，咳嗽痰多，麻疹，风疹，咽喉肿痛，痄腮，丹毒，痈肿疮毒。

| 用法用量 | 内服煎汤，6 ~ 12 g。

| 附　注 | 本种原名恶实，始载于《名医别录》，被列为中品，该书记载："生鲁山平泽。"《新修本草》注云："其草叶大如芋，子壳似栗状，实细长如茺蔚子。"《本草图经》云："恶实即牛蒡子也。生鲁山平泽，今处处有之，叶如芋而长，实似葡萄核而褐色。"《本草纲目》云："牛蒡古人种子，以肥壤栽之……三月生苗，起茎高者三四尺。四月开花成丛，淡紫色。"上述记载与《本草图经》"蜀州恶实"图及《本草纲目》附图的形态，均与今牛蒡子的原植物相一致。

菊科 Asteraceae 牛膝菊属 Galinsoga

牛膝菊
Galinsoga parviflora Cav.

| **植物别名** | 铜锤草、珍珠草、向阳花。

| **药 材 名** | 向阳花（药用部位：花）、辣子草（药用部位：全草。别名：兔儿草、
铜锤草、珍珠草）。

| **形态特征** | 一年生草本，高 10 ~ 80 cm。茎纤细，基部直径不足 1 mm，或粗壮，
基部直径约 4 mm，不分枝或自基部分枝，分枝斜升，全部茎枝被疏
散或上部稠密的贴伏短柔毛和少量腺毛，茎基部和中部花期脱毛或
稀毛。叶对生，卵形或长椭圆状卵形，长（1.5 ~）2.5 ~ 5.5 cm，
宽（0.6 ~）1.2 ~ 3.5 cm，基部圆形、宽楔形或狭楔形，先端渐
尖或钝，基出脉 3 或 5，在叶下面稍凸起，在上面平，有叶柄，柄
长 1 ~ 2 cm；向上及花序下部的叶渐小，通常披针形；全部茎生叶
两面粗涩，被白色稀疏贴伏的短柔毛，沿脉和叶柄上的毛较密，边

缘浅或钝锯齿或波状浅锯齿，在花序下部的叶有时全缘或近全缘。头状花序半球形，有长花梗，多数在茎枝先端排成疏松的伞房花序，花序直径约 3 cm；总苞半球形或宽钟状，宽 3 ~ 6 mm；总苞片 5，1 ~ 2 层，外层总苞片短，内层总苞片卵形或卵圆形，长约 3 mm，先端圆钝，白色，膜质；舌状花 4 ~ 5，舌片白色，先端 3 齿裂，筒部细管状，外面被稠密白色短柔毛；管状花花冠长约 1 mm，黄色，下部被稠密的白色短柔毛。托片倒披针形或长倒披针形，纸质，先端 3 裂或不裂或侧裂。瘦果长 1 ~ 1.5 mm，具 3 棱或中央的瘦果具 4 ~ 5 棱，黑色或黑褐色，常压扁，被白色微毛。舌状花冠毛毛状，脱落；管状花冠毛膜片状，白色，披针形，边缘流苏状，固结于冠毛环上，正体脱落。花果期 7 ~ 10 月。

| **生境分布** | 生于林下、河谷地、荒野、河边、田间、溪边或市郊路旁。分布于河北阜平、宽城、邱县等。

| **资源情况** | 野生资源丰富。药材主要来源于野生。

| **采收加工** | **向阳花**：秋季采摘，晒干。
辣子草：夏、秋季采收，洗净，鲜用或晒干。

| **功能主治** | **向阳花**：微苦、涩，平。清肝明目。用于夜盲症，视力模糊。
辣子草：淡，平。清热解毒，止咳平喘，止血。用于扁桃体炎，咽喉炎，黄疸性肝炎，咳喘，肺结核，疔疮，外伤出血。

| **用法用量** | **向阳花**：内服煎汤，15 ~ 25 g。
辣子草：内服煎汤，30 ~ 60 g。外用适量，研末敷。

菊科 Asteraceae 蟛蜞菊属 Sphagneticola

蟛蜞菊
Sphagneticola calendulacea (Linnaeus) Pruski

| 药 材 名 | 蟛蜞菊（药用部位：全草）。

| 形态特征 | 多年生草本。茎匍匐，上部近直立，基部各节生出不定根，长
15 ~ 50 cm，基部直径约 2 mm，分枝，有阔沟纹，疏被贴生的短
糙毛或下部脱毛。叶无柄，椭圆形、长圆形或线形，长 3 ~ 7 cm，
宽 7 ~ 13 mm，基部狭，先端短尖或钝，全缘或有 1 ~ 3 对疏粗
齿，两面疏被贴生的短糙毛，中脉在上面明显或有时不明显，在下
面稍凸起，侧脉 1 ~ 2 对，通常仅有下部离基发出的 1 对较明显，
无网状脉。头状花序少数，直径 15 ~ 20 mm，单生于枝顶或叶腋
内；花序梗长 3 ~ 10 cm，被贴生短粗毛；总苞钟形，宽约 1 cm，
长约 12 mm；总苞片 2 层，外层总苞片叶质，绿色，椭圆形，长
10 ~ 12 mm，先端钝或浑圆，背面疏被贴生短糙毛，内层总苞片较

小，长圆形，长 6 ~ 7 mm，先端尖，上半部有缘毛；托片折叠成线形，长约 6 mm，无毛，先端渐尖，有时具 3 浅裂；舌状花 1 层，黄色，舌片卵状长圆形，长约 8 mm，先端 2 ~ 3 深裂，管部细短，长为舌片的 1/5；管状花较多，黄色，长约 5 mm，花冠近钟形，向上渐扩大，檐部 5 裂，裂片卵形，钝。瘦果倒卵形，长约 4 mm，多疣状突起，先端稍收缩，舌状花的瘦果具 3 边，边缘增厚；无冠毛，而有具细齿的冠毛环。花期 3 ~ 9 月。

| 生境分布 | 生于路旁、田边、沟边或湿润草地上。分布于河北迁安等。

| 资源情况 | 野生资源一般。药材主要来源于野生。

| 采收加工 | 夏、秋季茎叶茂盛时采收，干燥。

| 药材性状 | 本品茎呈圆柱形，弯曲，长可达 40 cm，直径 1.5 ~ 2 mm；表面灰绿色或淡紫色，有纵皱纹，节上有的有细根，嫩茎被短毛。叶对生，近无柄；叶片多皱缩，展平后呈椭圆形或长圆状披针形，长 3 ~ 7 cm，宽 0.7 ~ 1.3 cm；先端短尖或渐尖，边缘有粗锯齿或呈波状；上表面绿褐色，下表面灰绿色，两面均被白色短毛。头状花序通常单生于茎顶或叶腋，花序梗及苞片均被短毛，苞片 2 层，长 6 ~ 8 mm，宽 1.5 ~ 3 mm，灰绿色；舌状花和管状花均为黄色。气微，味微涩。

| 功能主治 | 微苦、甘、凉。清热解毒，泻火养阴。用于急性咽炎，扁桃体炎。

| 用法用量 | 内服煎汤，15 ~ 30 g，鲜品 30 ~ 60 g。外用适量，捣敷；或捣汁含漱。

菊科 Asteraceae 蒲公英属 Taraxacum

白缘蒲公英 *Taraxacum platypecidum* Diels

| 植物别名 | 山西蒲公英、山蒲公英、热河蒲公英。

| 药材名 | 蒲公英（药用部位：全草。别名：凫公英、蒲公草、耩褥草）。

| 形态特征 | 多年生草本。根颈部有黑褐色残存叶柄。叶宽倒披针形或披针状倒披针形，长 10 ~ 30 cm，宽 2 ~ 4 cm，羽状分裂，每侧裂片 5 ~ 8，裂片三角形，全缘或有疏齿，侧裂片较大，三角形，疏被蛛丝状柔毛或几无毛。花葶 1 至数个，高达 45 cm，上部密被白色蛛丝状绵毛；头状花序大型，直径 40 ~ 45 mm；总苞宽钟状，长 15 ~ 17 mm，总苞片 3 ~ 4 层，先端有或无小角；外层总苞片宽卵形，中央有暗绿色宽带，边缘宽，白色膜质，上端粉红色，被疏睫毛，内层总苞片长圆状线形或线状披针形，长约为外层总苞片的 2 倍；舌状花

黄色，边缘花舌片背面有紫红色条纹，花柱和柱头暗绿色，干时多少黑色。瘦果淡褐色，长约 4 mm，宽 1 ~ 1.4 mm，上部有刺状小瘤，先端凸，缢缩为圆锥形至圆柱形的喙基，喙基长约 1 mm，喙纤细，长 8 ~ 12 mm；冠毛白色，长 7 ~ 10 mm。花果期 3 ~ 6 月。

| **生境分布** | 生于海拔 1 900 ~ 3 400 m 的山坡草地或路旁。分布于河北赤城、涞源、滦平等。

| **资源情况** | 野生资源一般。药材主要来源于野生。

| **采收加工** | 春至秋季花初开时采挖，除去杂质，洗净，晒干。

| **药材性状** | 本品呈皱缩卷曲的团块。根呈圆锥状，多弯曲，长 3 ~ 7 cm；表面棕褐色，抽皱；根头部有棕褐色或黄白色的茸毛，有的已脱落。叶基生，多皱缩破碎，完整叶片呈倒披针形，绿褐色或暗灰绿色，先端尖或钝，边缘浅裂或羽状分裂，基部渐狭，下延呈柄状，下表面主脉明显。花茎 1 至数条，每条顶生头状花序，总苞片多层，内面 1 层较长，花冠黄褐色或淡黄白色。有的可见多数具白色冠毛的长椭圆形瘦果。气微，味微苦。

| **功能主治** | 苦、甘，寒。归肝、胃经。清热解毒，消肿散结，利尿通淋。用于疔疮肿毒，乳痈，瘰疬，目赤，咽痛，肺痈，肠痈，湿热黄疸，热淋涩痛。

| **用法用量** | 内服煎汤，10 ~ 15 g。

| **附　　注** | 本种与变种狭苞蒲公英 *Taraxacum platypecidum* var. *angustibracteatum* Ling 的区别在于后者外层总苞片较狭，线形，与内层总苞片等宽。

菊科 Asteraceae 蒲公英属 *Taraxacum*

斑叶蒲公英 *Taraxacum variegatum* Kitag.

| 药 材 名 | 蒲公英（药用部位：全草。别名：凫公英、蒲公草、耩褥草）。

| 形态特征 | 多年生草本。根粗壮，深褐色，圆柱状。叶倒披针形或长圆状披针形，近全缘，不分裂或具倒向羽状深裂，先端裂片三角状戟形，先端稍尖或稍钝，每侧裂片 4 ~ 5，裂片三角形或长三角形，全缘或具小尖齿或为缺刻状齿，两面多少披蛛丝状毛或无毛，叶面有暗紫色斑点，基部渐狭成柄。花葶上端疏被蛛丝状毛，高 5 ~ 15 cm；头状花序直径 40（~ 60）mm；总苞钟状，长 17 ~ 23 mm；外层总苞片卵形或卵状披针形，先端具轻微的短角状突起；内层总苞片线状披针形，先端增厚或具极短的小角，边缘白色膜质；舌状花黄色，边缘花舌片背面具暗绿色宽带。瘦果倒披针形或矩圆状披针形，淡褐色，长 3 ~ 4.5 mm，宽 1.2 ~ 1.5 mm，上部有刺状突起，下部

有小钝瘤，先端略凸，缢缩为长 0.5 ~ 0.8 mm 的圆锥形至圆柱形喙基，喙长达 10 mm；冠毛白色，长 5.5 ~ 8.5 mm。花果期 4 ~ 6 月。

| **生境分布** | 生于山地草甸或路旁。分布于河北昌黎、滦平等。

| **资源情况** | 野生资源一般。药材主要来源于野生。

| **采收加工** | 春至秋季花初开时采挖，除去杂质，洗净，晒干。

| **药材性状** | 本品呈皱缩卷曲的团块。根呈圆锥状，多弯曲，长 3 ~ 7 cm；表面棕褐色，抽皱；根头部有棕褐色或黄白色的茸毛，有的已脱落。叶基生，多皱缩破碎，完整叶片呈倒披针形。绿褐色或暗灰绿色，先端尖或钝，边缘浅裂或羽状分裂，基部渐狭，下延呈柄状，下表面主脉明显。花茎 1 至数条，每条顶生头状花序，总苞片多层，内面 1 层较长，花冠黄褐色或淡黄白色。有的可见多数具白色冠毛的长椭圆形瘦果。气微，味微苦。

| **功能主治** | 苦、甘，寒。归肝、胃经。清热解毒，消肿散结，利尿通淋。用于疔疮肿毒，乳痈，瘰疬，目赤，咽痛，肺痈，肠痈，湿热黄疸，热淋涩痛。

| **用法用量** | 内服煎汤，10 ~ 15 g。

| **附　　注** | 红梗蒲公英 *Taraxacum erythropodium* Kitag. 与本种的主要鉴别点仅为叶柄及花葶是否为红紫色，考虑到花葶红紫色是许多蒲公英种类的共有特征，且两种的叶均有紫色斑点，总苞片特征又相似，产地一致，故将红梗蒲公英并入本种。

菊科 Asteraceae 蒲公英属 Taraxacum

蒲公英
Taraxacum mongolicum Hand.-Mazz.

| 植物别名 | 蒙古蒲公英、黄花地丁、婆婆丁。

| 药 材 名 | 蒲公英（药用部位：全草。别名：蒲公草、地丁）。

| 形态特征 | 多年生草本。根圆柱状，黑褐色，粗壮。叶倒卵状披针形、倒披针形或长圆状披针形，长 4 ~ 20 cm，宽 1 ~ 5 cm，先端钝或急尖，边缘有时具波状齿或羽状深裂，有时倒向羽状深裂或大头羽状深裂，先端裂片较大，三角形或三角状戟形，全缘或具齿，每侧裂片 3 ~ 5，裂片三角形或三角状披针形，通常具齿，平展或倒向，裂片间常夹生小齿，基部渐狭成叶柄，叶柄及主脉常带红紫色，疏被蛛丝状白色柔毛或几无毛。花葶 1 至数个，与叶等长或稍长，高 10 ~ 25 cm，上部紫红色，密被蛛丝状白色长柔毛；头状花序直径 30 ~ 40 mm；总苞钟状，长 12 ~ 14 mm，淡绿色；总苞片 2 ~ 3 层，

外层总苞片卵状披针形或披针形，长 8 ~ 10 mm，宽 1 ~ 2 mm，边缘宽膜质，基部淡绿色，上部紫红色，先端增厚或具小到中等的角状突起；内层总苞片线状披针形，长 10 ~ 16 mm，宽 2 ~ 3 mm，先端紫红色，具小角状突起；舌状花黄色，舌片长约 8 mm，宽约 1.5 mm，边缘花舌片背面具紫红色条纹，花药和柱头暗绿色。瘦果倒卵状披针形，暗褐色，长 4 ~ 5 mm，宽 1 ~ 1.5 mm，上部具小刺，下部具成行排列的小瘤，先端逐渐收缩为长约 1 mm 的圆锥形至圆柱形喙基，喙长 6 ~ 10 mm，纤细；冠毛白色，长约 6 mm。花期 4 ~ 9 月，果期 5 ~ 10 月。

| **生境分布** | 生于中、低海拔地区的山坡草地、路边、田野、河滩。分布于河北辛集、永年等。

| **资源情况** | 野生资源丰富。药材主要来源于野生。

| **采收加工** | 春至秋季花初开时采挖，除去杂质，洗净，晒干。

| **药材性状** | 本品呈皱缩卷曲的团块。根呈圆锥状，多弯曲，长 3 ~ 7 cm；表面棕褐色，抽皱；根头部有棕褐色或黄白色的茸毛，有的已脱落。叶基生，多皱缩破碎，完整叶片呈倒披针形，绿褐色或暗灰色，先端尖或钝，边缘浅裂或羽状分裂，基部渐狭。下延呈柄状，下表面主脉明显。花茎 1 至数条，每条顶生头状花序，总苞片多层，内面 1 层较长，花冠黄褐色或淡黄白色。有的可见多数具白色冠毛的长椭圆形瘦果。气微，味微苦。

| **功能主治** | 苦、甘，寒。归肝、胃经。清热解毒，消肿散结，利尿通淋。用于疔疮肿毒，乳痈，瘰疬，目赤，咽痛，肺痈，肠痈，湿热黄疸，热淋涩痛。

| **用法用量** | 内服煎汤，10 ~ 15 g。

| **附　注** | 本种分布广，植株大小变异较大。本种与黄花地丁、婆婆丁、蒙古蒲公英、灯笼草、姑姑英、地丁 6 个种，按原描述及标本，其内层总苞片先端均增厚或有小角状突起，瘦果上部具小刺，下部具成行排列的小瘤等特征均相同，在叶片形状或总苞片的形状及其先端小角的大小等略有区别，但其特征仍然是连续而没有明显的间断，因此予以归并，同时也归并了前人分立各种下的变型。

菊科 Asteraceae 千里光属 Senecio

额河千里光 *Senecio argunensis* Turcz.

| **植物别名** | 大蓬蒿、羽叶千里光。

| **药 材 名** | 斩龙草（药用部位：全草或根。别名：千里光、大蓬蒿）。

| **形态特征** | 多年生根茎草本。根茎斜升，直径 7 mm，具多数纤维状根。茎单生，直立，高 30 ~ 60（~ 80）cm，被蛛丝状柔毛，有时多少脱毛，上部有花序枝。基生叶和下部茎生叶在花期枯萎，通常凋落；中部茎生叶较密集，无柄，卵状长圆形至长圆形，长 6 ~ 10 cm，宽 3 ~ 6 cm，羽状全裂至羽状深裂，顶生裂片小而不明显，侧裂片约 6 对，狭披针形或线形，长 1 ~ 2.5 cm，宽 0.1 ~ 0.5 cm，钝至尖，边缘具 1 ~ 2 齿或狭细裂，或全缘，稍斜升，纸质，上面无毛，下面有疏蛛丝状毛，或多少脱毛，基部具狭耳或撕裂状耳；上部叶渐小，先端较尖，羽状分裂。头状花序有舌状花，多数，排列成顶生复伞房花序；花序梗

细，长 1 ~ 2.5 cm，有疏至密蛛丝状毛，有苞片和数个线状钻形小苞片；总苞近钟状，长 5 ~ 6 mm，宽 3 ~ 5 mm，具外层苞片；苞片约 10，线形，长 3 ~ 5 mm，总苞片约 13，长圆状披针形，宽 1 ~ 1.5 mm，尖，上端具短髯毛，草质，边缘宽，干膜质，绿色或有时变紫色，背面被疏蛛丝毛；舌状花 10 ~ 13，管部长约 4 mm，舌片黄色，长圆状线形，长 8 ~ 9 mm，宽 2 ~ 3 mm，先端钝，有 3 细齿，具 4 脉；管状花多数，花冠黄色，长约 6 mm，管部长 2 ~ 2.5 mm，檐部漏斗状，裂片卵状长圆形，长约 0.7 mm，尖；花药线形，长约 2 mm，基部有明显稍尖的耳，附片卵状披针形，花药颈部较粗，向基部膨大；花柱分枝长约 0.7 mm，先端截形，有乳头状毛。瘦果圆柱形，长 2.5 mm，无毛；冠毛长约 5.5 mm，淡白色。花期 8 ~ 10 月。

| **生境分布** | 生于海拔 500 ~ 3 300 m 的草坡、山地草甸。分布于河北沽源、隆化、易县等。

| **资源情况** | 野生资源丰富。药材主要来源于野生。

| **采收加工** | 夏季采收，洗净，鲜用或扎成把晒干。

| **药材性状** | 本品根茎两侧和下面生多数黄棕色或红棕色细根，根直径约 1 mm，质脆易断。茎圆柱形，直径 0.3 ~ 0.6 cm。上部多分枝；表面绿黄色，具明显纵条纹，密被蛛丝状毛；质硬而脆，折断面见髓部大，白色。叶片多皱缩破碎，完整者展平后呈椭圆形，羽状分裂，背面具短毛或蛛丝状毛。头状花序呈伞状排列，总序梗细长，花黄色或黄棕色。瘦果圆柱形，冠毛污白色，长约 5 mm。气微，味微苦。

| **功能主治** | 微苦，寒。清热解毒，清肝明目。用于痢疾，咽喉肿痛，目赤，痈肿疮疖，瘰疬，湿疹，疥癣，毒蛇咬伤，蝎蜂蜇伤。

| **用法用量** | 内服煎汤，15 ~ 30 g，鲜品 30 ~ 60 g，大剂量可用至 90 g。外用适量，捣敷；或煎汤熏洗。

| **附　注** | 本种与琥珀千里光 *Senecio ambraceus* Turcz. ex DC. 的形态极为相似，但本种头状花序较小，总苞长 5 ~ 6 mm，宽 3 ~ 5 mm，总苞片尖且常有蛛丝状毛，无明显的脉，全部小花的瘦果无毛，可以此相区别。

菊科 Asteraceae 山柳菊属 Hieracium

山柳菊
Hieracium umbellatum L.

| 植物别名 | 伞花山柳菊。

| 药 材 名 | 山柳菊（药用部位：全草或根）。

| 形态特征 | 多年生草本，高 30 ～ 100 cm。茎直立，单生或少数成簇生，粗壮或纤细，基部直径 2 ～ 5 mm，下部、特别是基部常淡红紫色，上部伞房花序状或伞房圆锥花序状分枝，通常无毛或粗糙，被极稀疏的小刺毛，极少被长单毛，但被白色的小星状毛，特别是茎上部及花梗处的星状毛较多。基生叶及下部茎生叶花期脱落不存在；中上部茎生叶多数或极多数，互生，无柄，披针形至狭线形，长 3 ～ 10 cm，宽 0.5 ～ 2 cm，基部狭楔形，先端急尖或短渐尖，全缘、几全缘或边缘有稀疏的尖犬齿，上面无毛或被稀疏的蛛丝状柔毛，下面

沿脉及边缘被短硬毛；向上的叶渐小，与中上部茎生叶同形并具相似的毛被。头状花序少数或多数，在茎枝先端排成伞房花序或伞房状圆锥花序，极少茎不分枝而头状花序单生茎端，花序梗无头状具柄的腺毛及长单毛，但被稠密或稀疏的星状毛及较硬的短单毛；总苞黑绿色，钟状，长 8 ~ 10 mm，总苞之下有或无小苞片；总苞片 3 ~ 4 层，向内层渐长，外层及最外层总苞片披针形，长 3.5 ~ 4.5 mm，宽 0.8 ~ 1.2 mm，最内层总苞片线状长椭圆形，长 8 ~ 10 mm，宽约 1 mm，全部总苞片先端急尖，外面无毛，有时基部被星状毛，极少沿中脉有单毛及头状具柄的腺毛。舌状小花黄色。瘦果黑紫色，长近 3 mm，圆柱形，向基部收窄，先端截形，有 10 隆起且等粗的细肋，无毛；冠毛淡黄色，长约 6 mm，糙毛状。花果期 7 ~ 9 月。

| **生境分布** | 生于山坡林缘、林下、草丛中、松林伐木迹地及河滩沙地。分布于河北滦平、青龙、张北等。

| **资源情况** | 野生资源一般。药材主要来源于野生。

| **采收加工** | 夏、秋季采收，除去泥土，洗净，鲜用或晒干。

| **功能主治** | 苦，凉。清热解毒，利湿，消积。用于疮痈疖肿，尿路感染，痢疾，腹痛积块。

| **用法用量** | 内服煎汤，9 ~ 15 g。外用适量，捣敷。

菊科 Asteraceae 山牛蒡属 Synurus

山牛蒡 *Synurus deltoides* (Ait.) Nakai

| **植物别名** | 裂叶山牛蒡。

| **药材名** | 臭山牛蒡（药用部位：全草或根）。

| **形态特征** | 多年生草本，高 0.7 ~ 1.5 m。根茎粗。茎直立，单生，粗壮，基部直径达 2 cm，上部分枝或不分枝，全部茎枝粗壮，有条棱，灰白色，被密厚绒毛或下部脱毛而至无毛。基部叶与下部茎生叶有长叶柄，叶柄长达 34 cm，有狭翼，叶片心形、卵形、宽卵形、卵状三角形或戟形，不分裂，长 10 ~ 26 cm，宽 12 ~ 20 cm，基部心形、戟形或平截，边缘有三角形或斜三角形粗大锯齿，但通常半裂或深裂，向上的叶渐小，卵形、椭圆形、披针形或长椭圆状披针形，边缘有锯齿或针刺，有短叶柄至无叶柄；全部叶两面异色，上面绿

色，粗糙，有多细胞节毛，下面灰白色，被密厚的绒毛。头状花序大，下垂，生枝头先端或植株仅含 1 头状花序而单生茎顶；总苞球形，直径 3 ~ 6 cm，被稠密而膨松的蛛丝毛或脱毛至稀毛。总苞片多层多数，通常 13 ~ 15 层，向内层渐长，有时变紫红色，外层与中层总苞片披针形，长 0.7 ~ 2.3 cm，宽 3 ~ 4 mm；内层总苞片绒状披针形，长 2.3 ~ 2.5 cm，宽 1.5 ~ 2 mm；全部苞片上部长渐尖，中、外层苞片平展或下弯，内层上部外面有稠密短糙毛。小花全部为两性，管状，花冠紫红色，长约 2.5 cm，细管部长约 9 mm，檐部长约 1.4 cm，花冠裂片不等大，三角形，长达 3 mm。瘦果长椭圆形，浅褐色，长约 7 mm，宽约 2 mm，先端截形，有果缘，果缘边缘细锯齿，侧生着生面；冠毛褐色，多层，不等长，向内层渐长，长 1.5 ~ 2 cm，基部联合成环，整体脱落，冠毛刚毛糙毛状。花果期 6 ~ 10 月。

| **生境分布** | 生于海拔 550 ~ 2 200 m 的山坡林缘、林下或草甸。分布于河北赤城、滦平、青龙等。

| **资源情况** | 野生资源一般。药材主要来源于野生。

| **采收加工** | 夏、秋季采收，切段，晒干。

| **功能主治** | 苦、辛，凉；有小毒。清热解毒，消肿散结。用于感冒，咳嗽，瘰疬，妇科炎症腹痛，带下。

| **用法用量** | 内服煎汤，60 ~ 90 g。

菊科 Asteraceae 蓍属 Achillea

蓍
Achillea millefolium L.

| 植物别名 | 蚰蜒草、千叶蓍。

| 药 材 名 | 洋蓍草（药用部位：全草。别名：一支蒿、一苗蒿、锯草）。

| 形态特征 | 多年生草本，具细的匍匐根茎。茎直立，高 40 ~ 100 cm，有细条纹，通常被白色长柔毛，上部分枝或不分枝，中部以上叶腋常有缩短的不育枝。叶无柄，披针形、矩圆状披针形或近条形，长 5 ~ 7 cm，宽 1 ~ 1.5 cm，2 ~ 3 回羽状全裂，叶轴宽 1.5 ~ 2 mm，1 回裂片多数，间隔 1.5 ~ 7 mm，有时基部裂片之间的上部有 1 中间齿，末回裂片披针形至条形，长 0.5 ~ 1.5 mm，宽 0.3 ~ 0.5 mm，先端具软骨质短尖，上面密生凹入的腺体，多少被毛，下面被较密的贴伏的长柔毛；下部叶和营养枝的叶长 10 ~ 20 cm，宽 1 ~ 2.5 cm。头

状花序多数，密集成直径 2 ~ 6 cm 的复伞房状；总苞矩圆形或近卵形，长约
4 mm，宽约 3 mm，疏生柔毛；总苞片 3 层，覆瓦状排列，椭圆形至矩圆形，
长 1.5 ~ 3 mm，宽 1 ~ 1.3 mm，背中间绿色，中脉凸起，边缘膜质，棕色或淡
黄色；托片矩圆状椭圆形，膜质，背面散生黄色闪亮的腺点，上部被短柔毛。
边花 5；舌片近圆形，白色、粉红色或淡紫红色，长 1.5 ~ 3 mm，宽 2 ~ 2.5 mm，
先端具 2 ~ 3 齿；盘花两性，管状，黄色，长 2.2 ~ 3 mm，5 齿裂，外面具腺点。
瘦果矩圆形，长约 2 mm，淡绿色，有狭的淡白色边肋，无冠状冠毛。花果期 7 ~
9 月。

| **生境分布** | 生于湿草地、荒地及铁路沿线。分布于河北丰宁、蔚县、张北、涿鹿等。

| **资源情况** | 野生资源一般。药材主要来源于野生。

| **采收加工** | 夏、秋季采收，鲜用，或切段，晒干。

| **药材性状** | 本品根茎短；茎直立，具纵沟棱，疏被贴生长柔毛。叶条状披针形，先端锐尖，
具不等长的缺刻状锯齿，裂片和齿端有软骨质小尖头，两面疏生长柔毛。头状
花序多数，集成伞房状；总苞
钟状，长约 3 mm；总苞片 3
层，宽披针形，先端钝，边
缘膜质，褐色，疏被长柔毛；
舌状花 7 ~ 8，白色，舌片卵
圆形，长 1.5 ~ 2 mm，先端
有 2 ~ 3 小齿；管状花白色，
长 2 ~ 2.5 mm；瘦果宽倒披
针形，长约 2 mm。

| **功能主治** | 苦、辛，凉；有毒。祛风，活血，
止痛，解毒。用于风湿痹痛，
跌打损伤，血瘀痛经，痈肿
疮毒，痔疮出血。

| **用法用量** | 内服煎汤，5 ~ 10 g；或浸酒。
外用适量，煎汤洗；或捣敷。

菊科 Asteraceae 蓍属 Achillea

亚洲蓍
Achillea asiatica Serg.

药 材 名	蓍草（药用部位：全草。别名：班市）。
形态特征	多年生草本。有匍匐生根的细根茎。茎直立，高（4～）18～60 cm，具细条纹，被显著的棉状长柔毛，不分枝或有时上部少分枝，中部叶腋常有缩短的不育枝。叶条状矩圆形、条状披针形或条状倒披针形，（2～）3回羽状全裂，上面具腺点，疏生长柔毛，下面无腺点，被较密的长柔毛，叶轴上毛尤密，中上部叶无柄，长1～6 cm，宽3～12 mm，1回裂片多数，密接，间隔1～1.5 mm，中部叶1回裂片长2～6 mm，宽2～5 mm，羽状全裂，末回裂片条形至披针形，长0.5～2 mm，宽0.1～0.5 mm，先端渐狭成软骨质尖头，下部叶有柄或近无柄，长7～18 cm，宽1～2 cm，裂片向下渐变疏小。头状花序多数，密集成伞房花序，少有成疏松的伞房花序，

总苞矩圆形，长 4 ~ 5 mm，宽 2.5 ~ 3 mm，被疏柔毛，总苞片 3 ~ 4 层，覆瓦状排列，卵形、矩圆形至披针形，长 1.5 ~ 4 mm，宽 0.8 ~ 1.5 mm，先端钝，背部中间黄绿色，中脉凸起，有棕色或淡棕色膜质边缘，托片矩圆状披针形，膜质，边缘透明，上部具疏伏毛，上部边缘棕色；舌状花 5，长约 4 mm，管部略扁，具黄色腺点，舌片粉红色或淡紫红色，少有变白色，半椭圆形或近圆形，长 2 ~ 2.5 mm，宽 2 ~ 2.2 mm，先端近截形，具 3 圆齿，管状花长约 3 mm，5 齿裂，具腺点。瘦果矩圆状楔形，长 2 ~ 2.2 mm，先端截形，光滑，具边肋。花期 7 ~ 8 月，果期 8 ~ 9 月。

| **生境分布** | 生于海拔 590 ~ 2 600 m 的山坡草地、河边、草场、林缘湿地。分布于河北赤城、涞源、迁安等。

| **资源情况** | 野生资源一般，栽培资源丰富。药材主要来源于栽培。

| **采收加工** | 夏、秋季花开时采收，除去杂质，阴干或煎膏。

| **药材性状** | 本品茎呈深灰绿色至浅棕绿色，圆柱形，长（4 ~）18 ~ 60 cm，有明显棱线，叶多卷缩，灰绿色或稍深。质脆，易碎。花序中主为淡棕色总苞，并有少数黄色白舌状花留存。气微，味微辛。

| **功能主治** | 苦、辛，温。破痈，消肿，止痛。

| **用法用量** | 内服煮散剂，3 ~ 5 g；或入丸、散剂。

| **附　注** | 本种与丝叶蓍 *Achillea setacea* Waldst. et Kit. 的形态相似，但本种舌片呈粉红色、淡紫红色或部分变白色，总苞片有较宽的棕色边缘，叶小裂片较宽，可以以此相区别。蓍 *Achillea millefolium* var. *mandshurica* Kitam. 与本种的形态一致，应并于本种。

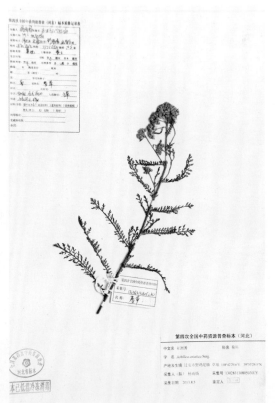

菊科 Asteraceae 天名精属 Carpesium

大花金挖耳
Carpesium macrocephalum Franch. et Sav.

| 植物别名 | 香油罐、千日草、神灵草。

| 药 材 名 | 香油罐（药用部位：全草或根皮）。

| 形态特征 | 多年生草本。茎高 60 ~ 140 cm，基部直径 6 ~ 9 mm，有纵条纹，
被卷曲短柔毛，中上部分枝。茎叶于花前枯萎，基下部叶大，具长柄，
柄长 15 ~ 18 cm，具狭翅，向叶基部渐宽，叶片广卵形至椭圆形，
长 15 ~ 20 cm，宽 10 ~ 15 cm，先端锐尖，基部骤然收缩成楔形，
下延，边缘具粗大不规整的重牙齿，齿端有腺体状胼胝，上面深绿
色，下面淡绿色，两面均被短柔毛，沿叶脉较密，侧脉在叶基部与
中肋几成直角，在中上部则弯拱上升，中部叶椭圆形至倒卵状椭圆
形，先端锐尖，中部以下收缩渐狭，无柄，基部略呈耳状，半抱茎，

上部叶长圆状披针形，两端渐狭。头状花序单生于茎端及枝端，开花时下垂；苞叶多枚，椭圆形至披针形，长 2 ~ 7 cm，叶状，边缘有锯齿；总苞盘状，直径 2.5 ~ 3.5 cm，长 8 ~ 10 mm，外层苞片叶状，披针形，长 1.5 ~ 2 cm，宽 5 ~ 9 mm，先端锐尖，两面密被短柔毛，中层长圆状条形，较外层稍短，先端草质，锐尖，被柔毛，下部干膜质，无毛，内层匙状条形，干膜质；两性花筒状，长 4 ~ 5 mm，向上稍宽，冠檐 5 齿裂，花药基部箭形，具撕裂状的长尾，雌花较短，长 3 ~ 3.5 mm。瘦果长 5 ~ 6 mm。

| **生境分布** | 生于山坡灌丛及混交林边。分布于河北滦平、内丘、武安等。

| **资源情况** | 野生资源一般。药材主要来源于野生。

| **采收加工** | 夏、秋季采收全草，秋后采收根皮，鲜用或晒干。

| **药材性状** | 本品茎细长，分枝，有纵条纹，被短毛，表面灰绿色。叶多皱缩破碎，广卵形至椭圆形，灰绿色，叶缘具粗大不规则的重牙齿。头状花序枯黄色，着生于茎、枝端、苞片叶状、披针形，总苞扁球形或杯状。气香，味涩。

| **功能主治** | 苦，微寒。凉血，散瘀，止血。用于跌打损伤，外伤出血。

| **用法用量** | 外用适量，鲜品捣敷；或干品研末调敷。

菊科 Asteraceae 天名精属 *Carpesium*

金挖耳

Carpesium divaricatum Sieb. et Zucc.

| **植物别名** | 除州鹤虱。

| **药 材 名** | 金挖耳（药用部位：全草）、金挖耳根（药用部位：根）。

| **形态特征** | 多年生草本。茎直立，高 25 ~ 150 cm，被白色柔毛，初时较密，后渐稀疏，中部以上分枝，枝通常近平展。基生叶于开花前凋萎，下部叶卵形或卵状长圆形，长 5 ~ 12 cm，宽 3 ~ 7 cm，先端锐尖或钝，基部圆形或稍呈心形，有时呈阔楔形，边缘具粗大、具胼胝尖的牙齿，上面深绿色，被具球状膨大基部的柔毛，老时脱落稀疏而留下膨大的基部，叶面稍粗糙，下面淡绿色，被白色短柔毛并杂以疏长柔毛，沿中肋较密；叶柄较叶片短或近等长，与叶片连接处有狭翅，下部无翅；中部叶长椭圆形，先端渐尖，基部楔形，叶柄

较短，无翅，上部叶渐变小，长椭圆形或长圆状披针形，两端渐狭，几无柄。头状花序单生茎端及枝端；苞叶 3 ~ 5，披针形至椭圆形，其中 2 较大，较总苞长 2 ~ 5 倍，密被柔毛和腺点；总苞卵状球形，基部宽，上部稍收缩，长 5 ~ 6 mm，直径 6 ~ 10 mm，苞片 4 层，覆瓦状排列，外层短（向内逐层增长），广卵形，干膜质或先端稍带草质，背面被柔毛，中层狭长椭圆形，干膜质，先端钝，内层条形；雌花狭筒状，长 1.5 ~ 2 mm，冠檐 4 ~ 5 齿裂，两性花筒状，长 3 ~ 3.5 mm，向上稍宽，冠檐 5 齿裂，筒部在放大镜下可见极少数柔毛。瘦果长 3 ~ 3.5 mm。

| 生境分布 | 生于路旁及山坡灌丛中。分布于河北赤城等。

| 资源情况 | 野生资源一般。药材主要来源于野生。

| 采收加工 | 金挖耳：8 ~ 9 月花期时采收，鲜用，或切段，晒干。
金挖耳根：秋季采挖，鲜用，或切段，晒干。

| 药材性状 | 金挖耳：本品茎细而长，通体被有丝光毛，幼嫩处尤为浓密，表面灰绿色至暗棕色。叶多皱缩破碎，卵状长圆形，灰绿色至棕绿色。茎基丛生细根，长 5 ~ 10 cm，暗棕色。有时带有头状花序，呈枯黄色。有毒草气，味涩。

| 功能主治 | 金挖耳：苦、辛，寒。清热解毒，消肿止痛。用于感冒发热，头风，风炎赤眼，咽喉肿痛，疟腮，牙痛，乳痛，疮疖肿毒，痔疾出血，腹痛泄泻，急惊风。

金挖耳根：苦、辛，寒。止痛，解毒。用于产后腹痛，水泻腹痛，牙痛，乳蛾。

| 用法用量 | 金挖耳：内服煎汤，6 ~ 15 g；或捣汁。外用适量，捣敷；或煎汤洗。
金挖耳根：内服煎汤，6 ~ 15 g；或捣烂冲酒。外用适量，捣敷。

| 附 注 | 民间将本种用于感冒发热，咽喉肿痛，牙痛，蛔虫腹痛，急性肠炎，痢疾，尿路感染，淋巴结结核；外用于疮疖肿毒，乳腺炎，带状疱疹，毒蛇咬伤。

菊科 Asteraceae　天名精属 Carpesium

天名精
Carpesium abrotanoides L.

| 植物别名 | 地菘、天蔓青、鹤虱。

| 药 材 名 | 鹤虱（药用部位：果实）。

| 形态特征 | 多年生粗壮草本。茎高 60 ~ 100 cm，圆柱状，下部木质，近于无毛，上部密被短柔毛，有明显的纵条纹，多分枝。基叶于开花前凋萎，茎下部叶广椭圆形或长椭圆形，长 8 ~ 16 cm，宽 4 ~ 7 cm，先端钝或锐尖，基部楔形，上面深绿色，被短柔毛，老时脱落，几无毛，叶面粗糙，下面淡绿色，密被短柔毛，有细小腺点，边缘具不规整的钝齿，齿端有腺体状胼胝体；叶柄长 5 ~ 15 mm，密被短柔毛；茎上部节间长 1 ~ 2.5 cm，叶较密，长椭圆形或椭圆状披针形，先端渐尖或锐尖，基部阔楔形，无柄或具短柄。头状花序多数，生于茎端及沿茎、枝生于叶腋，近无梗，呈穗状花序式排列，着生于茎

端及枝端者具椭圆形或披针形、长 6 ～ 15 mm 的苞叶 2 ～ 4，腋生头状花序无苞叶或有时具 1 ～ 2 甚小的苞叶；总苞钟状球形，基部宽，上端稍收缩，成熟时开展成扁球形，直径 6 ～ 8 mm；苞片 3 层，外层较短，卵圆形，先端钝或短渐尖，膜质或先端草质，具缘毛，背面被短柔毛，内层长圆形，先端圆钝或具不明显的啮蚀状小齿；雌花狭筒状，长约 1.5 mm，两性花筒状，长 2 ～ 2.5 mm，向上渐宽，冠檐 5 齿裂。瘦果长约 3.5 mm。

| **生境分布** | 生于海拔 2 000 m 的村旁、路边荒地、溪边及林缘。分布于河北阜平、涉县、武安等。

| **资源情况** | 野生资源丰富，栽培资源一般。药材主要来源于野生。

| **采收加工** | 秋季果实成熟时采收，晒干，除去杂质。

| **药材性状** | 本品呈圆柱状，细小，长 3 ～ 4 mm，直径不及 1 mm。表面黄褐色或暗褐色，具多数纵棱。先端收缩，呈细喙状，先端扩展成灰白色圆环，基部稍尖，有着生痕迹。果皮薄，纤维性，种皮薄而透明，子叶 2，类白色，稍有油性。气特异，味微苦。

| **功能主治** | 辛，寒。归肝、肺经。杀虫消积。用于蛔虫病，蛲虫病，绦虫病，虫积腹痛，小儿疳积。

| **用法用量** | 内服煎汤，9 ～ 15 g；或研末，3 ～ 6 g；或捣汁；或入丸、散剂。外用适量，捣敷；或煎汤洗及含漱。

菊科 Asteraceae 天名精属 Carpesium

烟管头草 *Carpesium cernuum* L.

| 植物别名 | 烟袋草、杓儿菜。

| 药 材 名 | 杓儿菜（药用部位：全草）。

| 形态特征 | 多年生草本。茎高50～100 cm，下部密被白色长柔毛及卷曲的短柔毛，基部及叶腋尤密，常呈绵毛状，上部被疏柔毛，后渐脱落稀疏，有明显的纵条纹，多分枝。基叶于开花前凋萎，稀宿存；茎下部叶较大，具长柄，柄长约为叶片的2/3或与叶片近等长，下部具狭翅，向叶基渐宽，叶片长椭圆形或匙状长椭圆形，长6～12 cm，宽4～6 cm，先端锐尖或钝，基部长渐狭下延，上面绿色，被稍密的倒伏柔毛，下面淡绿色，被白色长柔毛，沿叶脉较密，在中肋及叶柄上常密集成绒毛状，两面均有腺点，边缘具稍不规整、具胼胝尖的锯齿；茎中部叶椭圆形至长椭圆形，长8～11 cm，宽3～4 cm，

先端渐尖或锐尖，基部楔形，具短柄；茎上部叶渐小，椭圆形至椭圆状披针形，近全缘。头状花序单生于茎端及枝端，开花时下垂；苞叶多枚，大小不等，其中 2 ~ 3 枚较大，椭圆状披针形，长 2 ~ 5 cm，两端渐狭，具短柄，密被柔毛及腺点，其余较小，条状披针形或条状匙形，稍长于总苞；总苞壳斗状，直径 1 ~ 2 cm，长 7 ~ 8 mm；苞片 4 层，外层苞片叶状，披针形，与内层苞片等长或稍长，草质或基部干膜质，密被长柔毛，先端钝，通常反折，中层及内层干膜质，狭矩圆形至条形，先端钝，有不规整的微齿；雌花狭筒状，长约 1.5 mm，中部较宽，两端稍收缩，两性花筒状，向上增宽，冠檐 5 齿裂。瘦果长 4 ~ 4.5 mm。

| 生境分布 | 生于路边荒地及山坡、沟边等。分布于河北武安、邢台、兴隆等。

| 资源情况 | 野生资源丰富。药材来源于野生。

| 采收加工 | 秋季初开花时采收，鲜用，或切段，晒干。

| 药材性状 | 本品茎具细纵纹，表面绿色或黑棕色，被白色柔毛，折断面粗糙，皮部纤维性强，髓部疏松，最外层表皮易剥落。叶多破碎不全，两面均被柔毛，头状花序着生于分枝的先端，花梗向下弯曲，近倒悬伏。花黄棕色。

| 功能主治 | 苦、辛，寒。清热解毒，消肿止痛。用于感冒发热，高热惊风，咽喉肿痛，疟腮，牙痛，尿路感染，淋巴结结核，疮疡疖肿，乳腺炎等。

| 用法用量 | 内服煎汤，6 ~ 15 g，鲜品 15 ~ 30 g。外用适量，捣敷；或煎水含漱及外洗。

| 附 注 | （1）民间把本种与金挖耳当作同一种使用。
（2）本种与尼泊尔天名精 Carpesium nepalense Less. 近似，不同点在于后者苞片先端锐尖，下部茎叶基部圆形或心形，骤然渐狭下延。本种在我国分布极广，而尼泊尔天名精仅见于西藏、云南和台湾。Hiro Hara 在其 1966 年出版的 The Flora of Eastern Himalaya 一书中认为，本种仅产于南欧、苏联高加索及远东地区，中国无分布，显然错误。

菊科 Asteraceae 兔儿伞属 Syneilesis

兔儿伞
Syneilesis aconitifolia (Bge.) Maxim.

| **药 材 名** | 兔儿伞（药用部位：全草或根。别名：七里麻、一把伞、伞草）。

| **形态特征** | 多年生草本。根茎短，横走，具多数须根。茎直立，高 70 ~ 120 cm，下部直径 2.5 ~ 6 mm，紫褐色，无毛，具纵肋，不分枝。叶通常 2，疏生；下部叶具长柄，叶片盾状圆形，直径 20 ~ 30 cm，掌状深裂，裂片 7 ~ 9，每裂片再次 2 ~ 3 浅裂，小裂片宽 4 ~ 8 mm，线状披针形，边缘具不等长的锐齿，先端渐尖，初时反折成闭伞状，密被蛛丝状绒毛，后开展成伞状，变无毛，上面淡绿色，下面灰色，叶柄长 10 ~ 16 cm，无翅，无毛，基部抱茎；中部叶较小，直径 12 ~ 24 cm，裂片通常 4 ~ 5，叶柄长 2 ~ 6 cm；其余的叶呈苞片状，披针形，向上渐小，无柄或具短柄。头状花序多数，在茎端密集成复伞房状，干时宽 6 ~ 7 mm；花序梗长 5 ~ 16 mm，

具数枚线形小苞片；总苞筒状，长 9 ～ 12 mm，宽 5 ～ 7 mm，基部有 3 ～ 4 小苞片；总苞片 1 层，5，长圆形，先端钝，边缘膜质，外面无毛；小花 8 ～ 10，花冠淡粉白色，长约 10 mm，管部窄，长 3.5 ～ 4 mm，檐部窄钟状，5 裂；花药变紫色，基部短箭形；花柱分枝伸长，扁，先端钝，被笔状微毛。瘦果圆柱形，长 5 ～ 6 mm，无毛，具肋；冠毛污白色或变红色，糙毛状，长 8 ～ 10 mm。花期 6 ～ 7 月，果期 8 ～ 10 月。

| **生境分布** | 生于海拔 500 ～ 1 800 m 的山坡荒地林缘或路旁。分布于河北赤城、宽城、隆化等。

| **资源情况** | 野生资源一般。药材主要来源于野生。

| **采收加工** | 5 ～ 8 月采收，鲜用，或切段，晒干。

| **药材性状** | 本品根茎呈扁圆柱形，多弯曲，长 1 ～ 4 cm，直径 0.3 ～ 0.8 cm；表面棕褐色，粗糙，具不规则的环节和纵皱纹，两侧向下生多条根。根类圆柱状，弯曲，长 5 ～ 15 cm，直径 0.1 ～ 0.3 cm；表面灰棕色或淡棕黄色，表面密被灰白色根毛，具细纵皱纹；质脆，易折断，折断面略平坦，皮部白色，木质部棕黄色。气微特异，味辛、凉。

| **功能主治** | 辛、苦，微温；有毒。祛风除湿，解毒活血，消肿止痛。用于风湿麻木，肢体疼痛，跌打损伤等。

| **用法用量** | 内服煎汤，10 ～ 15 g，或浸酒。外用适量，捣敷，或煎汤洗，或取汁涂。

菊科 Asteraceae 橐吾属 Ligularia

齿叶橐吾
Ligularia dentata (A. Gray) Hara

| **药 材 名** | 山紫菀（药用部位：根及根茎）。 |
| **形态特征** | 多年生草本。根肉质，多数，粗壮。茎直立，高30 ~ 120 cm，上部有分枝，被白色蛛丝状柔毛和黄色有节短柔毛或下部光滑，基部直径达1.2 cm，被枯叶柄包围。丛生叶与茎下部叶具柄，柄粗壮，长22 ~ 60 cm，无翅，被白色蛛丝状柔毛，有细棱，基部膨大成鞘，叶片肾形，长7 ~ 30 cm，宽12 ~ 38 cm，先端圆形，边缘具整齐的齿，齿间具睫毛，基部弯缺宽，长为叶片的1/3，上面绿色，光滑，下面近灰白色，被白色蛛丝状柔毛，叶脉掌状，主脉5 ~ 7，在下面明显凸起；茎中部叶与下部叶同形，较小；茎上部叶肾形，近无柄，具膨大的鞘。伞房状或复伞房花序开展，分枝叉开；花序梗长达9 cm，毛被同茎；苞片及小苞片卵形至线状披针形；头状 |

花序多数，辐射状；总苞半球形，宽大于长，长 1.5 ~ 2.5 cm，宽 1.8 ~ 3 cm，总苞片 8 ~ 14，2 层，排列紧密，背部隆起，两侧有脊，长圆形，宽至 1 cm，先端三角状急尖，具长尖头，有褐色睫毛，背部密被白色蛛丝状柔毛，内层具宽的褐色膜质边缘；舌状花黄色，舌片狭长圆形，长达 5 cm，宽 0.4 ~ 0.7 cm，管部长 0.7 ~ 1.2 cm，先端急尖；管状花多数，长 1 ~ 1.8 cm，管部长 0.3 ~ 0.7 cm，冠毛红褐色，与花冠等长。瘦果圆柱形，长 7 ~ 10 mm，有肋，光滑。花果期 7 ~ 10 月。

| **生境分布** | 生于海拔 650 ~ 3 200 m 的山坡、水边、林缘和林中。分布于河北阜平、涉县、武安等。

| **资源情况** | 野生资源一般，栽培资源稀少。药材主要来源于野生。

| **采收加工** | 春、秋季采挖，除去茎叶，洗净泥土，晒干。

| **药材性状** | 本品根直径 1.5 ~ 2.5 mm，表面棕褐色或黄褐色。

| **功能主治** | 辛、苦，温。归肺经。祛痰止咳，润肺下气。用于气逆咳嗽，痰吐不利，肺虚久咳，痰中带血。

| **用法用量** | 内服煎汤，8 ~ 15 g；或研末。

菊科 Asteraceae 万寿菊属 Tagetes

孔雀草

Tagetes patula L.

| 植物别名 | 小万寿菊、红黄草、西番菊。

| 药 材 名 | 孔雀草（药用部位：全草。别名：黄菊花、五瓣莲、老来红）。

| 形态特征 | 一年生草本，高 30 ~ 100 cm。茎直立，通常近基部分枝，分枝斜展。叶羽状分裂，长 2 ~ 9 cm，宽 1.5 ~ 3 cm，裂片线状披针形，边缘有锯齿，齿端常有长细芒，齿的基部通常有 1 腺体。头状花序单生，直径 3.5 ~ 4 cm，花序梗长 5 ~ 6.5 cm，先端稍增粗；总苞长约 1.5 cm，宽约 0.7 cm，长椭圆形，上端具锐齿，有腺点；舌状花金黄色或橙色，带有红色斑；舌片近圆形，长 8 ~ 10 mm，宽 6 ~ 7 mm，先端微凹；管状花花冠黄色，长 10 ~ 14 mm，与冠毛等长，5 齿裂。瘦果线形，基部缩小，长 8 ~ 12 mm，黑色，被短柔毛，冠毛鳞片状，

其中 1 ~ 2 长芒状，2 ~ 3 短而钝。花期 7 ~ 9 月。

| **生境分布** | 生于路边草甸，亦有栽培。分布于河北井陉、涞源、隆化等，河北多地有栽培。

| **资源情况** | 栽培资源丰富。药材主要来源于栽培。

| **采收加工** | 夏、秋季采收，鲜用或晒干。

| **功能主治** | 苦，凉。清热解毒，止咳。用于风热感冒，咳嗽，百日咳，痢疾，腮腺炎，乳痈，疖肿，牙痛，口腔炎，目赤肿痛。

| **用法用量** | 内服煎汤，9 ~ 15 g；或研末。外用适量，研末调敷；或鲜品捣敷。

菊科 Asteraceae 万寿菊属 *Tagetes*

万寿菊 *Tagetes erecta* L.

| 植物别名 | 臭芙蓉、孔雀草。

| 药 材 名 | 万寿菊花（药用部位：花序。别名：臭芙蓉、金菊、黄菊）。

| 形态特征 | 一年生草本，高 50 ~ 150 cm。茎直立，粗壮，具纵细条棱，分枝向上平展。叶羽状分裂，长 5 ~ 10 cm，宽 4 ~ 8 cm，裂片长椭圆形或披针形，边缘具锐锯齿，上部叶裂片的齿端有长细芒；沿叶缘有少数腺体。头状花序单生，直径 5 ~ 8 cm，花序梗先端棍棒状膨大；总苞长 1.8 ~ 2 cm，宽 1 ~ 1.5 cm，杯状，先端具齿尖；舌状花黄色或暗橙色，长约 2.9 cm，舌片倒卵形，长约 1.4 cm，宽约 1.2 cm，基部收缩成长爪，先端微弯缺；管状花花冠黄色，长约 9 mm，先端 5 齿裂。瘦果线形，基部缩小，黑色或褐色，长 8 ~ 11 mm，被短微

毛；冠毛有 1 ~ 2 长芒和 2 ~ 3 短而钝的鳞片。花期 7 ~ 9 月。

| **生境分布** | 生于海拔 1 150 ~ 1 480 m 的路边及草甸。分布于河北滦平等，河北多地均有栽培。

| **资源情况** | 野生资源一般，栽培资源稀少。药材主要来源于野生。

| **采收加工** | 夏、秋季采收，鲜用或晒干。

| **功能主治** | 苦，凉。清热，化痰，解毒。用于眩晕，小儿惊风，咽喉肿痛，痰热咳嗽，百日咳，目赤肿痛，口糜，牙痛，痄腮，乳痈，闭经，血瘀腹痛，痈疮肿毒。

| **用法用量** | 内服煎汤，3 ~ 9 g。外用适量，煎汤熏洗；或研末调敷；或鲜品捣敷。

菊科 Asteraceae 莴苣属 Lactuca

山莴苣

Lactuca sibirica (L.) Benth. ex Maxim.

| 植物别名 |

山苦菜、北山莴苣。

| 药 材 名 |

山莴苣（药用部位：全草或根）。

| 形态特征 |

多年生草本，高 50 ～ 130 cm。根垂直直伸。茎直立，通常单生，常淡红紫色，上部伞房状或伞房圆锥状花序分枝，全部茎枝光滑无毛。中下部茎生叶披针形、长披针形或长椭圆状披针形，长 10 ～ 26 cm，宽 2 ～ 3 cm，先端渐尖、长渐尖或急尖，基部收窄，无柄，心形、心状耳形或箭头状半抱茎，全缘、几全缘、小尖头状微锯齿或小尖头，极少边缘缺刻状或羽状浅裂，向上的叶渐小，与中下部茎生叶同形。全部叶两面光滑无毛。头状花序含舌状小花约 20，多数在茎枝先端排成伞房花序或伞房圆锥花序，果期长约 1.1 cm，不为卵形；总苞片 3 ～ 4 层，不成明显的覆瓦状排列，通常淡紫红色，中、外层总苞片三角形、三角状卵形，长 1 ～ 4 mm，宽约 1 mm，先端急尖，内层长披针形，长约 1.1 cm，宽 1.5 ～ 2 mm，先端长渐尖，全部苞片外面无毛；舌状小花蓝色或蓝紫色。

瘦果长椭圆形或椭圆形，褐色或榄绿色，压扁，长约 4 mm，宽约 1 mm，中部有 4 ~ 7 线形或线状椭圆形而不等粗的小肋，先端短收窄，果颈长约 1 mm，边缘加宽加厚成厚翅；冠毛白色，2 层，冠毛刚毛纤细，锯齿状，不脱落。花果期 7 ~ 9 月。

| **生境分布** | 生于林缘、林下、草甸、河岸、湖地水湿地。分布于河北围场、武安、邢台等。

| **资源情况** | 栽培资源丰富。药材主要来源于栽培。

| **采收加工** | 春、夏季采收，洗净，鲜用或晒干。

| **药材性状** | 本品根呈圆锥形，多自顶部分枝，长 5 ~ 15 cm，直径 0.7 ~ 1.7 cm，先端有圆盘形的芽或芽痕；表面灰黄色或灰褐色，具细纵皱纹及横向点状须根痕，经加工蒸煮者呈黄棕色，半透明状；质坚实，较易折断，折断面近平坦，隐约可见不规则的形成层环纹；有时有放射状裂隙；气微臭，味微甜而后苦。茎长条形而抽皱，叶互生，无柄，叶形多变，叶缘不分裂、深裂或全裂；基部扩大、戟形半抱茎。有的可见头状花序或果序。果实黑色，有灰白色长冠毛。气微，味微甜而后苦。

| **功能主治** | 苦，寒。清热解毒，活血，止血。用于咽喉肿痛，肠痈，疮疖肿毒，宫颈炎，产后瘀血腹痛，疣瘤，崩漏，痔疮出血。

| **用法用量** | 内服煎汤，9 ~ 15 g。外用适量，捣敷。

菊科 Asteraceae 莴苣属 Lactuca

翅果菊

Lactuca indica (L.) Shih

| 植物别名 | 山莴苣、苦莴苣、山马草。

| 药 材 名 | 山莴苣（药用部位：全草或根。别名：野生菜、土莴苣、鸭子食）。

| 形态特征 | 一年生或二年生草本。根垂直直伸，生多数须根。茎直立，单生，高 0.4 ～ 2 m，基部直径 3 ～ 10 mm，上部圆锥状或总状圆锥状分枝，全部茎枝无毛。全部茎叶线形，中部茎叶长达 21 cm 或更长，宽 0.5 ～ 1 cm，大部全缘，或仅基部或中部以下两侧边缘有小尖头或稀疏细锯齿或尖齿，或全部茎叶线状长椭圆形、长椭圆形或倒披针状长椭圆形，中下部茎叶长 13 ～ 22 cm，宽 1.5 ～ 3 cm，边缘有稀疏的尖齿或几全缘，或全部茎叶椭圆形，中下部茎叶长 15 ～ 20 cm，宽 6 ～ 8 cm，边缘有三角形锯齿或偏斜卵状大齿；全

部茎叶先端长渐急尖或渐尖，基部楔形渐狭，无柄，两面无毛。头状花序果期卵球形，多数沿茎枝先端排成圆锥花序或总状圆锥花序；总苞长 1.5 cm，宽 0.9 cm，总苞片 4 层，外层卵形或长卵形，长 3 ~ 3.5 mm，宽 1.5 ~ 2 mm，先端急尖或钝，中、内层长披针形或线状披针形，长 1 cm 或更多，宽 1 ~ 2 mm，先端钝或圆形，全部苞片边缘染紫红色；舌状小花 25，黄色。瘦果椭圆形，长 3 ~ 5 mm，宽 1.5 ~ 2 mm，黑色，压扁，边缘有宽翅，先端急尖或渐尖成长 0.5 ~ 1.5 mm、细或稍粗的喙，每面有 1 细纵脉纹；冠毛 2 层，白色，几单毛状，长 8 mm。花果期 4 ~ 11 月。

| **生境分布** | 生于山谷、山坡林缘及林下、灌丛中、水沟边、山坡草地或田间。分布于河北平山、武安、邢台等。

| **资源情况** | 野生资源丰富。药材主要来源于野生。

| **采收加工** | 春、夏季采收，洗净，鲜用或晒干。

| **药材性状** | 本品根呈圆锥形，多自顶部分枝，长 5 ~ 15 cm，直径 0.7 ~ 1.7 cm，先端有圆盘形的芽或芽痕；表面灰黄色或灰褐色，具细纵皱纹及横向点状须根痕，经加工蒸煮者呈黄棕色，半透明状；质坚实，较易折断，折断面近平坦，隐约可见不规则的形成层环纹；有时有放射状裂隙；气微臭，味微甜而后苦。茎长条形而抽皱，叶互生，无柄，叶形多变，叶缘不分裂、深裂或全裂；基部扩大、戟形半抱茎。有的可见头状花序或果序。果实黑色，有灰白色长冠毛。气微，味微甜而后苦。

| **功能主治** | 苦,寒。清热解毒,活血,止血。用于咽喉肿痛，肠痈，疮疖肿毒，宫颈炎，产后瘀血腹痛，疣瘤，崩漏，痔疮出血。

| **用法用量** | 内服煎汤，9 ~ 15 g。外用适量，捣敷。

菊科 Asteraceae 莴苣属 Lactuca

莴苣
Lactuca sativa L.

药 材 名

莴苣（药用部位：茎、叶。别名：莴菜、千金菜）、莴苣子（药用部位：果实。别名：苣藤子、白苣子、生菜子）。

形态特征

一年生或二年生草本，高 25 ~ 100 cm。根垂直直伸。茎直立，单生，上部圆锥状花序分枝，全部茎枝白色。基生叶及下部茎叶大，不分裂，倒披针形、椭圆形或椭圆状倒披针形，长 6 ~ 15 cm，宽 1.5 ~ 6.5 cm，先端急尖、短渐尖或圆形，无柄，基部心形或箭头状半抱茎，边缘波状或有细锯齿；向上叶渐小，与基生叶及下部茎叶同形或披针形；圆锥花序分枝下部的叶及上部的叶极小，卵状心形，无柄，基部心形或箭头状抱茎，全缘；全部叶两面无毛。头状花序多数或极多数，在茎枝先端排成圆锥花序；总苞果期卵球形，长约 1.1 cm，宽约 0.6 cm；总苞片 5 层，最外层宽三角形，长约 1 mm，宽约 2 mm，外层三角形或披针形，长 5 ~ 7 mm，宽约 2 mm，中层披针形至卵状披针形，长约 9 mm，宽 2 ~ 3 mm，内层线状长椭圆形，长约 1 cm，宽约 0.2 cm，全部总苞片先端急尖，外面无毛；舌状小花约 15。瘦果倒披针形，长约 4 mm，宽约 1.3 mm，压扁，浅褐色，每面有 6 ～ 7 条细脉纹，先端急尖成细喙，喙细丝状，长约 4 mm，与瘦果几等长；冠毛 2 层，纤细，微糙毛状。花果期 2 ～ 9 月。

| 生境分布 | 生于菜园或田野。分布于河北昌黎、阜平、邢台等。

| 资源情况 | 栽培资源丰富。药材主要来源于栽培。

| 采收加工 | 莴苣：春季嫩茎肥大时采收，多为鲜用。

莴苣子：夏、秋季果实成熟时，割取地上部分，晒干，打下种子，除去杂质。

| 药材性状 | 莴苣子：本品呈椭圆状倒卵形或长椭圆形，略扁，长 4 mm，宽 1.3 mm。表面灰白色或黄白色，少有棕褐色，具光泽，一端渐尖，另一端钝圆，两面具 6 ～ 7 弧形纵肋，上部有开展的柔毛；质坚实，断面类白色；搓去外表皮，呈纤维状，除去外皮后，内为棕色种仁，富油性。无臭，味微甜。

| 功能主治 | 莴苣：苦、甘，凉。归胃、小肠经。利尿，通乳，清热解毒。用于小便不利，尿血，乳汁不通，虫蛇咬伤，肿毒。

莴苣子：苦、辛，微温。归胃、肝经。通乳汁，利小便，活血行瘀。用于乳汁不通，小便不利，跌打损伤，瘀肿疼痛，阴囊肿痛。

| 用法用量 | 莴苣：内服煎汤，15 ～ 30 g；或浸酒，1.5 ～ 3 g。外用适量，嫩叶捣膏；或根磨酒搽。

莴苣子：内服煎汤，6 ～ 15 g；或研末，3 g。外用适量，研末涂擦；或煎汤熏洗。

| 附 注 | 本种耐寒，喜冷凉气候，不耐高温。

菊科 Asteraceae 豨莶属 Sigesbeckia

豨莶
Sigesbeckia orientalis Linnaeus

| 植物别名 | 粘糊菜、虾柑草。

| 药 材 名 | 豨莶草（药用部位：地上部分。别名：火莶、猪膏莓、虎膏）。

| 形态特征 | 一年生草本。茎直立，高 30 ~ 100 cm，分枝斜升，上部的分枝常呈复二歧状；全部分枝被灰白色短柔毛。基部叶花期枯萎；中部叶三角状卵圆形或卵状披针形，长 4 ~ 10 cm，宽 1.8 ~ 6.5 cm，基部阔楔形，下延成具翼的柄，先端渐尖，边缘有规则的浅裂或粗齿，纸质，上面绿色，下面淡绿色，具腺点，两面被毛，三出基脉，侧脉及网脉明显；上部叶渐小，卵状长圆形，边缘浅波状或全缘，近无柄。头状花序直径 15 ~ 20 mm，多数聚生于枝端，排列成具叶的圆锥花序；花梗长 1.5 ~ 4 cm，密生短柔毛；总苞阔钟状；总苞片2层，叶质，背面被紫褐色、头状、具柄的腺毛；外层苞片 5 ~ 6，

线状匙形或匙形，开展，长 8 ~ 11 mm，宽约 1.2 mm；内层苞片卵状长圆形或卵圆形，长约 5 mm，宽 1.5 ~ 2.2 mm；外层托片长圆形，内弯，内层托片倒卵状长圆形；花黄色，雌花花冠的管部长 0.7 mm，两性管状花上部钟状，上端有 4 ~ 5 卵圆形裂片。瘦果倒卵圆形，具 4 棱，先端有灰褐色环状突起，长 3 ~ 3.5 mm，宽 1 ~ 1.5 mm。花期 4 ~ 9 月，果期 6 ~ 11 月。

| **生境分布** | 生于海拔 100 ~ 2 700 m 的山野、荒草地、灌丛或林下。分布于河北丰宁、灵寿、迁西等。

| **资源情况** | 野生资源丰富。药材主要来源于野生。

| **采收加工** | 夏、秋季花开前和花期均可采割，除去杂质，晒干。

| **药材性状** | 本品茎略呈方柱形，多分枝，长 30 ~ 100 cm，直径 0.3 ~ 1 cm；表面灰绿色、黄棕色或紫棕色，有纵沟和细纵纹，被灰色柔毛；节明显，略膨大；质脆，易折断，断面黄白色或带绿色，髓部宽广，类白色，中空。叶对生，叶片多皱缩、卷曲，展平后呈卵圆形，灰绿色，边缘有钝锯齿，两面皆有白色柔毛，主脉三出。有的可见黄色头状花序，总苞片匙形。气微，味微苦。

| **功能主治** | 苦、辛，寒；有小毒。归肝、肾经。祛风湿，利关节，解毒。用于风湿痹痛，筋骨无力，腰膝酸软，四肢麻痹，半身不遂，风疹湿疮。

| **用法用量** | 内服煎汤，3 ~ 9 g。外用适量，煎汤洗。

菊科 Asteraceae 豨莶属 Sigesbeckia

腺梗豨莶
Sigesbeckia pubescens (Makino) Makino

| 植物别名 | 珠草、棉苍狼、毛豨莶。

| 药 材 名 | 豨莶草（药用部位：地上部分。别名：豨莶草、黏糊菜）。

| 形态特征 | 一年生草本。茎直立，粗壮，高 30 ~ 110 cm，上部多分枝，被开展的灰白色长柔毛和糙毛。基部叶卵状披针形，花期枯萎；中部叶卵圆形或卵形，开展，长 3.5 ~ 12 cm，宽 1.8 ~ 6 cm，基部宽楔形，下延成具翼、长 1 ~ 3 cm 的柄，先端渐尖，边缘有尖头状、规则或不规则的粗齿；上部叶渐小，披针形或卵状披针形；全部叶上面深绿色，下面淡绿色，基出脉 3，侧脉和网脉明显，两面被平伏短柔毛，沿脉有长柔毛。头状花序直径 18 ~ 22 mm，多数生于枝端，排列成松散的圆锥花序；花梗较长，密生紫褐色头状具柄腺毛和长柔毛；

总苞宽钟状；总苞片 2 层，叶质，背面密生紫褐色头状具柄腺毛，外层线状匙形或宽线形，长 7 ~ 14 mm，内层卵状长圆形，长约 3.5 mm；舌状花花冠管部长 1 ~ 1.2 mm，舌片先端 2 ~ 3 齿裂，有时 5 齿裂；两性管状花长约 2.5 mm，冠檐钟状，先端 4 ~ 5 裂。瘦果倒卵圆形，具 4 棱，先端有灰褐色环状突起。花期 5 ~ 8 月，果期 6 ~ 10 月。

| **生境分布** | 生于海拔 160 ~ 3 400 m 的山坡、山谷林缘、灌丛林下的草坪中；河谷、溪边、河槽潮湿地、旷野、耕地边等处也常见。分布于河北井陉等。

| **资源情况** | 栽培资源丰富。药材主要来源于栽培。

| **采收加工** | 夏、秋季花开前和花期均可采割，除去杂质，晒干。

| **药材性状** | 本品茎略呈方柱形，多分枝，长 30 ~ 110 cm，直径 0.3 ~ 1 cm；表面灰绿色、黄棕色或紫棕色，有纵沟和细纵纹，被灰色柔毛；节明显，略膨大；质脆，易折断，断面黄白色或带绿色，髓部宽广，类白色，中空。叶对生，叶片多皱缩、卷曲，展平后呈卵圆形，灰绿色，边缘有钝锯齿，两面皆有白色柔毛，主脉三出。有的可见黄色头状花序，总苞片匙形。气微，味微苦。

| **功能主治** | 苦、辛，寒；有小毒。归肝、肾经。祛风湿，利关节，解毒。用于风湿痹痛，筋骨无力，腰膝酸软，四肢麻痹，半身不遂，风疹湿疮。

| **用法用量** | 内服煎汤，9 ~ 12 g，大剂量可用至 30 ~ 60 g；或捣汁；或入丸、散剂。外用适量，捣敷；或研末撒；或煎汤洗。

菊科 Asteraceae 线叶菊属 Filifolium

线叶菊 *Filifolium sibiricum* (L.) Kitam.

| 植物别名 | 兔毛蒿。

| 药 材 名 | 兔毛蒿（药用部位：全草。别名：兔子毛、疗毒草、惊草）。

| 形态特征 | 多年生草本。根粗壮，直伸，木质化。茎丛生，密集，基部具密厚的纤维鞘，高 20 ～ 60 cm，不分枝或上部稍分枝，分枝斜升，无毛，有条纹。基生叶有长柄，倒卵形或矩圆形，长 20 cm，宽 5 ～ 6 cm；茎生叶较小，互生，全部叶 2 ～ 3 回羽状全裂，末次裂片丝形，长达 4 cm，宽达 0.1 cm，无毛，有白色乳头状小突起。头状花序在茎枝先端排成伞房花序，花梗长 1 ～ 11 mm，总苞球形或半球形，直径 4 ～ 5 mm，无毛，总苞片 3 层，卵形至宽卵形，边缘膜质，先端圆形，背部厚硬，黄褐色；边花约 6，花冠筒状，压扁，先端稍狭，

具 2 ~ 4 齿，有腺点；盘花多数，花冠管状，黄色，长约 2.5 mm，先端 5 齿裂，下部无狭管。瘦果倒卵形或椭圆形，稍压扁，黑色，无毛，腹面有 2 条纹。花果期 6 ~ 9 月。

| **生境分布** | 生于山坡草地。分布于河北丰宁、沽源、围场等。

| **资源情况** | 野生资源一般。药材主要来源于野生。

| **采收加工** | 夏、秋季采收，阴干。

| **功能主治** | 苦，寒。清热解毒，安神，调经。用于高热，心悸，失眠，月经不调，痈肿。

| **用法用量** | 内服煎汤，9 ~ 15 g。外用适量，熬膏敷。

菊科 Asteraceae 香青属 Anaphalis

铃铃香青 *Anaphalis hancockii* Maxim.

| 植物别名 |

铜钱花、铃铃香。

| 药 材 名 |

五月霜（药用部位：全草。别名：灵香蒿、
零陵香、铃铃香）。

| 形态特征 |

根茎细长，稍木质，匍枝有膜质鳞片状叶和
顶生的莲座状叶丛。茎从膝曲的基部直立，
高 5 ~ 35 cm，稍细，被蛛丝状毛及具柄头
状腺毛，上部被蛛丝状密绵毛，常有稍疏的
叶。莲座状叶与茎下部叶匙状或线状长圆
形，长 2 ~ 10 cm，宽 0.5 ~ 1.5 cm，基部
渐狭成具翅的柄或无柄，先端圆形或急尖；
茎中部及上部叶直立，常贴附于茎上，线
形或线状披针形，稀线状长圆形，多少开
展，边缘平，先端有膜质枯焦状长尖头；全
部叶薄质，两面被蛛丝状毛及头状具柄腺
毛，边缘被灰白色蛛丝状长毛，有明显的离
基 3 出脉或另有 2 不明显的侧脉。头状花序
9 ~ 15，在茎端密集成复伞房状；花序梗长
1 ~ 3 mm；总苞宽钟状，长 8 ~ 9 mm，稀
11 mm，宽 8 ~ 10 mm；总苞片 4 ~ 5 层，
稍开展；外层卵圆形，长 5 ~ 6 mm，红褐

色或黑褐色，内层长圆状披针形，长 8 ~ 10 mm，宽 3 ~ 4 mm，先端尖，上部白色，最内层线形，有占全长 1/3 ~ 1/2 的爪部；花序托有缝状毛；雌株头状花序有多层雌花，中央有 1 ~ 6 雄花，雄株头状花序全部为雄花；花冠长 4.5 ~ 5 mm；冠毛较花冠稍长，雄花冠毛上部较粗扁，有锯齿。瘦果长圆形，长约 1.5 mm，密被乳头状突起。花期 6 ~ 8 月，果期 8 ~ 9 月。

| **生境分布** | 生于海拔 2 000 ~ 3 700 m 的亚高山山顶或山坡草地。分布于河北阜平、蔚县、武安等。

| **资源情况** | 野生资源一般。药材主要来源于野生。

| **采收加工** | 6 ~ 8 月采收，阴干。

| **功能主治** | 苦、微辛，凉。清热，燥湿，杀虫。用于子宫炎症，滴虫性阴道炎。

| **用法用量** | 内服煎汤，6 ~ 12 g。

菊科 Asteraceae 向日葵属 Helianthus

菊芋
Helianthus tuberosus L.

| 植物别名 |

鬼子姜、番羌、洋羌。

| 药 材 名 |

菊芋（药用部位：根茎或茎叶。别名：洋姜、番羌）。

| 形态特征 |

多年生草本，高 1 ~ 3 m，有块状地下茎及纤维状根。茎直立，有分枝，被白色糙毛或刚毛。叶通常对生，有叶柄，但上部叶互生；下部叶卵圆形或卵状椭圆形，有长柄，长 10 ~ 16 cm，宽 3 ~ 6 cm，基部宽楔形或圆形，有时微心形，先端渐细尖，边缘有粗锯齿，有离基三出脉，上面被白色短粗毛，下面被柔毛，叶脉上有短硬毛；上部叶长椭圆形至阔披针形，基部渐狭，下延成短翅状，先端渐尖，短尾状。头状花序较大，少数或多数，单生于枝端，有 1 ~ 2 线状披针形的苞叶，直立，直径 2 ~ 5 cm；总苞片多层，披针形，长 14 ~ 17 mm，宽 2 ~ 3 mm，先端长渐尖，背面被短伏毛，边缘被开展的缘毛；托片长圆形，长约 8 mm，背面有肋，上端不等 3 浅裂；舌状花通常 12 ~ 20，舌片黄色，开展，长椭圆形，长 1.7 ~ 3 cm；管状花花

冠黄色，长约 6 mm。瘦果小，楔形，上端有 2～4 有毛的锥状扁芒。花期 8～9 月。

| **生境分布** | 生于废墟、宅边、路旁。分布于河北隆化、涉县、永年等。

| **资源情况** | 野生资源丰富。药材主要来源于野生。

| **采收加工** | 秋季采挖块茎，夏、秋季采收茎叶，鲜用或晒干。

| **药材性状** | 本品根茎块状。茎上部分枝，被短糙毛或刚毛。基部叶对生，上部叶互生，长卵形至卵状椭圆形，长 10～15 cm，宽 3～6 cm，具 3 脉，上表面粗糙，下表面有柔毛，叶缘具锯齿，先端急尖或渐尖，基部宽楔形，叶柄上均具狭翅。

| **功能主治** | 甘、微苦，凉。清热凉血，消肿。用于热病，肠热出血，跌打损伤，骨折肿痛。

| **用法用量** | 内服煎汤，10～15 g。外用适量，捣敷。

菊科 Asteraceae 小苦荬属 Ixeridium

抱茎小苦荬

Ixeridium sonchifolium (Maxim.) Shih

| 植物别名 |

精细小苦荬、抱茎小苦荬、尖裂黄瓜菜。

| 药 材 名 |

苦荬菜（药用部位：全草）。

| 形态特征 |

多年生草本，高 15 ~ 60 cm。根垂直直伸，不分枝或分枝；根茎极短。茎单生，直立，基部直径 1 ~ 4 mm，上部伞房花序状或伞房圆锥花序状分枝，全部茎枝无毛。基生叶莲座状，匙形、长倒披针形或长椭圆形，包括基部渐狭的宽翼柄长 3 ~ 15 cm，宽 1 ~ 3 cm，或不分裂，边缘有锯齿，先端圆形或急尖，或大头羽状深裂，顶裂片大，近圆形、椭圆形或卵状椭圆形，先端圆形或急尖，边缘有锯齿，侧裂片 3 ~ 7 对，半椭圆形、三角形或线形，边缘有小锯齿；中下部茎生叶长椭圆形、匙状椭圆形、倒披针形或披针形，与基生叶等大或较小，羽状浅裂或半裂，极少大头羽状分裂，向基部扩大，心形或耳状抱茎；上部茎生叶及接花序分枝处的叶心状披针形，全缘，极少有锯齿或尖锯齿，先端渐尖，向基部心形或圆耳状扩大抱茎；全部叶两面无毛。头状花序多数或

少数，在茎枝先端排成伞房花序或伞房圆锥花序，含舌状小花约 17；总苞圆柱形，长 5 ~ 6 mm；总苞片 3 层，外层及最外层总苞片短，卵形或长卵形，长 1 ~ 3 mm，宽 0.3 ~ 0.5 mm，先端急尖，内层总苞片长披针形，长 5 ~ 6 mm，宽约 1 mm，先端急尖；全部总苞片外面无毛。舌状小花黄色。瘦果黑色，纺锤形，长约 2 mm，宽约 0.5 mm，有 10 高起的钝肋，上部沿肋有上指的小刺毛，向上渐尖成细喙，喙细丝状，长约 0.8 mm。冠毛白色，微糙毛状，长约 3 mm。花果期 3 ~ 5 月。

| 生境分布 | 生于海拔 100 ~ 2 700 m 的山坡或平原路旁、林下、河滩地、岩石上或庭院中。分布于河北灵寿、滦平、内丘等。

| 资源情况 | 野生资源一般。药材来源于野生。

| 采收加工 | 春、夏、秋季均可采收，除去杂质，鲜用或干燥。

| 药材性状 | 本品长约 50 cm。根细小，分枝，表面棕黄色，有纵沟纹，断面纤维性。茎呈圆柱形，直径 1 ~ 4 mm，多分枝，光滑无毛，有纵枝；表面紫红色或青紫色；质硬而脆，断面髓部呈白色。叶皱缩，展开后呈舌状卵形，无柄，长 4 ~ 8 cm，宽 1 ~ 4 cm，先端尖；基部耳状，微抱茎；边缘具不规则锯齿，无毛，表面黄绿色。头状花序着生枝顶，黄色，冠毛白色；总苞圆筒形。果实纺锤形或圆形，稍扁平。气微，味苦、微酸、涩。

| 功能主治 | 苦，微寒。归心、肺、肝、胃经。清热解毒，止痛消肿。用于肺痈，乳痈，疖肿，跌打损伤，毒蛇咬伤等。

| 用法用量 | 内服煎汤，9 ~ 15 g，鲜品 30 ~ 60 g。外用适量，捣敷；或捣汁涂；或研末调搽；或煎汤洗漱。

菊科 Asteraceae 小苦荬属 Ixeridium

细叶小苦荬 Ixeridium gracile (DC.) Shih

| 植物别名 | 纤细苦荬菜。

| 药 材 名 | 粉苞苣（药用部位：全草。别名：细叶苦菜）。

| 形态特征 | 多年生草本，高 10 ~ 70 cm。根茎极短。茎直立，上部伞房花序状分枝或自基部分枝，全部茎枝无毛。基生叶长椭圆形、线状长椭圆形、线形或狭线形，长 4 ~ 15 cm，宽 0.4 ~ 1 cm，向两端渐狭，基部有长或短的狭翼柄；茎生叶少数，狭披针形、线状披针形或狭线形，上部渐狭，基部无柄；全部叶两面无毛，全缘。头状花序多数在茎枝先端排成伞房花序或伞房状圆锥花序，含舌状小花 6，花序梗极纤细；总苞极小，圆柱状，长约 6 mm，总苞片 2 层，外层少数且极小，2 ~ 3，卵形，长不足 1 mm，宽不足 0.5 mm，内层长，

线状长椭圆形，长约 6 mm，宽约 0.8 mm。瘦果褐色，长圆锥状，长约 3 mm，有细肋或细脉 10，向先端渐成细丝状的喙；喙弯曲，长约 1 mm；冠毛褐色或淡黄色，微糙毛状，长约 3 mm。花果期 3～10 月。

| **生境分布** | 生于海拔 800～3 000 m 的山坡、山谷林缘、林下、田间、荒地或草甸。分布于河北灵寿等。

| **资源情况** | 野生资源丰富。药材主要来源于野生。

| **采收加工** | 7～8 月采收，洗净，鲜用或晒干。

| **药材性状** | 本品长 10～30 cm。茎单一或基部分枝。叶互生，皱缩，完整叶展平后呈条状披针形或长条形，长 4～15 cm，0.4～1 cm，全缘，几无柄。头状花序排列成聚伞状。瘦果纺锤形，棕褐色，具条棱；喙短，长约 1 mm。气微，味苦。

| **功能主治** | 苦，寒。清热，解毒，利湿。用于黄疸性肝炎，结膜炎，疖肿。

| **用法用量** | 内服煎汤，6～12 g。外用适量，捣敷。

菊科 Asteraceae 小苦荬属 Ixeridium

小苦荬 *Ixeridium dentatum* (Thunb.) Tzvel.

| 药 材 名 | 小苦荬（药用部位：全草）。

| 形态特征 | 多年生草本，高 10 ~ 50 cm。根茎短缩，生多数等粗的细根。茎直立，单生，基部直径 1 ~ 3 mm，上部伞房花序状分枝或自基部分枝，全部茎枝无毛。基生叶长倒披针形、长椭圆形、椭圆形，长 1.5 ~ 15 cm，宽不足 1 cm 至 1.5 cm，不分裂，先端急尖或钝，有小尖头，全缘，但通常中下部边缘或仅基部边缘有稀疏的缘毛状或长尖头状锯齿，基部渐狭成长或宽的翼柄，翼柄长 2.5 ~ 6 cm，极少羽状浅裂或深裂，如羽状分裂，侧裂片 1 ~ 3 对，线状长三角形或偏斜三角形，通常集中在叶片的中下部；茎生叶少数，大小不等，披针形、长椭圆状披针形或倒披针形，不分裂，基部扩大、耳状抱茎，中部以下边缘或基部边缘有缘毛状锯齿；全部叶两面无毛。头状花序

多数，在茎枝先端排成伞房花序，花序梗细；总苞圆柱状，长 7 ~ 8 mm；总苞片 2 层，外层宽卵形，长约 1.5 mm，宽不足 1 mm，内层长，长椭圆形，长 7 ~ 8 mm，宽 1 mm 或不足 1 mm，先端急尖；舌状小花 5 ~ 7，黄色，少白色。瘦果纺锤形，长约 3 mm，宽 0.6 ~ 0.7 mm，稍压扁，褐色，有 10 细肋或细脉，先端渐狭成长约 1 mm 的细喙；喙细丝状，上部沿脉有微刺毛；冠毛麦秆黄色或黄褐色，长约 4 mm，微糙毛状。花果期 4 ~ 8 月。

| 生境分布 | 生于海拔 380 ~ 1 050 m 的山坡、山坡林下、潮湿处或田边。分布于河北灵寿、永年等。

| 资源情况 | 野生资源丰富，栽培资源丰富。药材来源于栽培。

| 采收加工 | 早春采收，洗净，鲜用或晒干。

| 功能主治 | 清热解毒，消肿排脓，凉血止血。用于肠痈，肺脓肿，肺热咳嗽，肠炎，痢疾，胆囊炎，盆腔炎，疮疖肿毒，阴囊湿疹，吐血，衄血，血崩，跌打损伤。

| 用法用量 | 内服煎汤，10 ~ 15 g；或研末，每次 3 g。外用适量，捣敷；或研末调涂；或煎汤熏洗。

菊科 Asteraceae 蟹甲草属 Parasenecio

山尖子 *Parasenecio hastatus* (L.) H. Koyama

| 植物别名 | 戟叶兔儿伞、山尖菜。

| 药材名 | 山尖菜（药用部位：全草）。

| 形态特征 | 多年生草本。根茎平卧，有多数纤维状须根。茎坚硬，直立，高 40 ~ 150 cm，不分枝，具纵沟棱，下部无毛或近无毛，上部被密腺状短柔毛。下部叶在花期枯萎凋落；中部叶叶片三角状戟形，长 7 ~ 10 cm，宽 13 ~ 19 cm，先端急尖或渐尖，基部戟形或微心形，沿叶柄下延成具狭翅的叶柄，叶柄长 4 ~ 5 cm，基部不扩大，边缘具不规则的细尖齿，基生侧裂片有时具缺刻的小裂片，上面绿色，无毛或被疏短毛，下面淡绿色，被密或较密的柔毛；上部叶渐小，基部裂片退化而呈三角形或近菱形，先端渐尖，基部截形或宽楔形；最上部叶和苞片披针形至线形。头状花序多数，下垂，在茎

端和上部叶腋排列成塔状的狭圆锥花序；花序梗长 4 ～ 20 mm，被密腺状短柔毛；总苞圆柱形，长 9 ～ 11 mm，宽 5 ～ 8 mm；总苞片 7 ～ 8，线形或披针形，宽约 2 mm，先端尖，外面被密腺状短毛，基部有 2 ～ 4 钻形小苞片；小花 8 ～ 15（～ 20），花冠淡白色，长 9 ～ 11 mm，管部长约 4 mm，檐部窄钟状，裂片披针形，渐尖；花药伸出花冠，基部具长尾，花柱分枝细长，外弯，先端截形，被乳头状微毛。瘦果圆柱形，淡褐色，长 6 ～ 8 mm，无毛，具肋；冠毛白色，约与瘦果等长或短于瘦果。花期 7 ～ 8 月，果期 9 月。

| **生境分布** | 生于林下、林缘或草丛中。分布于河北阜平、武安、兴隆等。

| **资源情况** | 野生资源一般。药材主要来源于野生。

| **采收加工** | 夏、秋季采收，鲜用，或切段，阴干。

| **药材性状** | 本品茎粗壮，上部密生腺状短柔毛。下部叶枯萎，上、中部叶三角状戟形，基部截形或微心形，下延成上部有狭翅的叶柄，基生叶不抱茎，叶缘具不规则的尖齿。总苞筒状，总苞片狭长圆形或披针形，密生腺状短毛，花筒状，淡白色。气微，味淡。

| **功能主治** | 苦，凉。解毒，利尿。用于伤口化脓，小便不利。

| **用法用量** | 内服煎汤，5 ～ 10 g。外用适量，煎汤洗；或捣敷。

| **附　　注** | 无毛山尖子（变种）*Parasenecio hastatus* var. *glaber* (Ledeb.) Y. L. Chen 与本种的区别在于叶下面无毛或仅沿脉被疏短柔毛，总苞片外面无毛或仅基部被微毛。

菊科 Asteraceae 旋覆花属 Inula

欧亚旋覆花
Inula britannica Linnaeus

| 植物别名 | 大花旋覆花、旋覆花。

| 药 材 名 | 旋覆花（药用部位：头状花序。别名：盛椹、飞天蕊）。

| 形态特征 | 多年生草本。根茎短，横走或斜升。茎直立，单生或 2 ~ 3 簇生，高 20 ~ 70 cm，直径 2 ~ 4 mm，稀 6 mm，基部常有不定根，上部有伞房状分枝，稀不分枝，被长柔毛，全部有叶；节间长 1.5 ~ 5 cm。基部叶在花期常枯萎，长椭圆形或披针形，长 3 ~ 12 cm，宽 1 ~ 2.5 cm，下部渐狭成长柄；中部叶长椭圆形，长 5 ~ 13 cm，宽 0.6 ~ 2.5 cm，基部宽大，无柄，心形或有耳，半抱茎，先端尖或稍尖，有浅或疏齿，稀近全缘，上面无毛或被疏伏毛，下面被密伏柔毛，有腺点；中脉和侧脉被较密的长柔毛；上部叶渐小。头状花序 1 ~ 5，

生于茎端或枝端，直径 2.5 ~ 5 cm；花序梗长 1 ~ 4 cm；总苞半球形，直径 1.5 ~ 2.2 cm，长达 1 cm；总苞片 4 ~ 5 层，外层线状披针形，基部稍宽，上部草质，被长柔毛，有腺点和缘毛，但最外层全部草质，且常较长，常反折，内层披针状线形，除中脉外干膜质；舌状花舌片线形，黄色，长 10 ~ 20 mm；管状花花冠上部稍宽大，有三角状披针形的裂片；冠毛 1 层，白色，与管状花花冠约等长，有 20 ~ 25 微糙毛。瘦果圆柱形，长 1 ~ 1.2 mm，有浅沟，被短毛。花期 7 ~ 9 月，果期 8 ~ 10 月。

| **生境分布** | 生于河流沿岸、湿润坡地、田埂和路旁。分布于河北赞皇、张北、涿鹿等。

| **资源情况** | 野生资源一般，栽培资源丰富。药材主要来源于栽培。

| **采收加工** | 夏、秋季花开时采收，除去杂质，阴干或晒干。

| **药材性状** | 本品呈扁球形或类球形，直径 1 ~ 2 cm。总苞由多数苞片组成，呈覆瓦状排列，苞片披针形或条形，灰黄色，长 4 ~ 11 mm；总苞基部有时残留花梗，苞片及花梗表面被白色茸毛，舌状花 1 列，黄色，长约 1 cm，多卷曲，常脱落，先端 3 齿裂；管状花多数，棕黄色，长约 5 mm，先端 5 齿裂；子房先端有多数白色冠毛，长 5 ~ 6 mm。有的可见椭圆形小瘦果。体轻，易散碎。气微，味微苦。

| **功能主治** | 苦、辛、咸，微温。归肺、脾、胃、大肠经。降气，消痰，行水，止呕。用于风寒咳嗽，痰饮蓄结，胸膈痞闷，喘咳痰多，呕吐嗳气，心下痞硬。

| **用法用量** | 内服煎汤（纱布包煎或滤去毛），3 ~ 10 g。

| **附　　注** | 本种是欧亚寒温带和温带地区的广布种，在分枝的多少、叶的大小和形状、头状花序的大小和数目、舌片的长短等方面均有显著的变异，曾被分为许多的变种和亚种。除一部分变种或亚种通常被视为独立种外，其他较常见的有：①多枝变种，茎中部以上或上部有多数分枝，头状花序多数，较小，直径 2 ~ 3 cm，常密集，总苞直径 0.7 ~ 1 cm，叶两面或下面被柔毛。②狭叶变种，同上变种，但叶狭长，长 3 ~ 10 cm，宽 0.3 ~ 1 cm。③棉毛变种，茎、花序梗、叶下面和总苞片外面被棉状长柔毛，产于华北、东北、新疆等地。此外，另有叶狭长而茎和花序梗被基部疣状柔毛的变型与里海旋覆花不易与本种相区别，该两种产自新疆和内蒙古的干旱地区。

菊科 Asteraceae 旋覆花属 Inula

土木香 *Inula helenium* L.

| 植物别名 | 青木香、堆心菊。

| 药 材 名 | 土木香（药用部位：根。别名：青木香、祁木香、藏木香）。

| 形态特征 | 多年生草本。根茎块状，有分枝。茎直立，高 60 ~ 150 cm 或达
250 cm，粗壮，直径达 1 cm，不分枝或上部有分枝，被开展的长毛，
下部有较疏的叶；节间长 4 ~ 15 cm。基部叶和下部叶在花期常生
存，基部渐狭成具翅、长达 20 cm 的柄，连同柄长 30 ~ 60 cm，宽
10 ~ 25 cm；叶片椭圆状披针形，边缘有不规则的齿或重齿，先端
尖，上面被基部疣状的糙毛，下面被黄绿色密茸毛；中脉和近 20 对
侧脉在下面稍凸起，网脉明显；中部叶卵圆状披针形或长圆形，长
15 ~ 35 cm，宽 5 ~ 18 cm，基部心形，半抱茎；上部叶较小，披
针形。头状花序少数，直径 6 ~ 8 cm，排列成伞房花序；花序梗长

6～12 cm，为多数苞叶所围裹；总苞5～6层，外层草质，宽卵圆形，先端钝，常反折，被茸毛，宽6～9 mm，内层长圆形，先端扩大成卵圆状三角形，干膜质，背面有疏毛，有缘毛，较外层长达3倍，最内层线形，先端稍扩大或狭尖；舌状花黄色；舌片线形，长2～3 cm，宽2～2.5 mm，先端有3～4个浅裂片；管状花长9～10 mm，有披针形裂片；冠毛污白色，长8～10 mm，有极多数具细齿的毛。瘦果四面形或五面形，有棱和细沟，无毛，长3～4 mm。花期6～9月。

| **生境分布** | 生于河边、田边等潮湿处。分布于河北涉县、邢台等。

| **资源情况** | 野生资源稀少，栽培资源丰富。药材主要来源于栽培。

| **采收加工** | 秋季采挖，除去泥沙，晒干。

| **药材性状** | 本品呈圆锥形，略弯曲，长5～20 cm。表面黄棕色或暗棕色，有纵皱纹及须根痕。根头粗大，先端有凹陷的茎痕及叶鞘残基，周围有圆柱形支根。质坚硬，不易折断，断面略平坦，黄白色至浅灰黄色，有凹点状油室。气微香，味苦、辛。

| **功能主治** | 苦、辛，温。归肝、脾经。健脾和胃，行气止痛，安胎。用于胸胁、脘腹胀痛，呕吐泻痢，胸胁挫伤，岔气作痛，胎动不安。

| **用法用量** | 内服煎汤，3～9 g；或入丸、散剂。

菊科 Asteraceae 旋覆花属 Inula

线叶旋覆花
Inula linariifolia Turczaninow

| 植物别名 | 窄叶旋覆花、驴耳朵、蚂蚱膀子。

| 药 材 名 | 金沸草（药用部位：地上部分。别名：金佛草、白芷胡、黄花草）。

| 形态特征 | 多年生草本，基部常有不定根。茎直立，单生或 2 ~ 3 簇生，高 30 ~ 80 cm，多少粗壮，有细沟，被短柔毛，上部常被长毛，杂有 腺体，中部以上或上部有多数细长、常稍直立的分枝，全部有稍密 的叶，节间长 1 ~ 4 cm。基部叶和下部叶在花期常生存，线状披针 形，有时椭圆状披针形，长 5 ~ 15 cm，宽 0.7 ~ 1.5 cm，下部渐狭 成长柄，边缘常反卷，有不明显的小锯齿，先端渐尖，质较厚，上 面无毛，下面有腺点，被蛛丝状短柔毛或长伏毛，中脉在上面稍下陷， 网脉有时明显；中部叶渐无柄；上部叶渐狭小，线状披针形至线 形。头状花序直径 1.5 ~ 2.5 cm，在枝端单生或 3 ~ 5 排列成伞房

状；花序梗短或细长；总苞半球形，长 5 ～ 6 mm；总苞片约 4 层，多少等长或外层较短，线状披针形，上部叶质，被腺毛和短柔毛，下部革质，但有时最外层叶状，较总苞稍长，内层较狭，先端尖，除中脉外干膜质，有缘毛；舌状花较总苞长 2 倍，舌片黄色，长圆状线形，长达 10 mm；管状花长 3.5 ～ 4 mm，有尖三角形裂片；冠毛 1 层，白色，与管状花花冠等长，有多数微糙毛。子房和瘦果圆柱形，有细沟，被短粗毛。花期 7 ～ 9 月，果期 8 ～ 10 月。

| **生境分布** | 生于海拔 150 ～ 500 m 的山坡、荒地、路旁、河岸。分布于河北磁县、抚宁、阜平等。

| **资源情况** | 野生资源一般。药材主要来源于野生。

| **采收加工** | 夏、秋季采割，鲜用或晒干。

| **药材性状** | 本品茎呈圆柱形，上部分枝，长 30 ～ 70 cm，直径 0.2 ～ 0.5 cm；表面绿褐色或棕褐色，疏被短柔毛，有多数细纵纹；质脆，断面黄白色，髓部中空。叶互生，叶片条形或条状披针形，长 5 ～ 10 cm，宽 0.5 ～ 1 cm；先端尖，基部抱茎，全缘，边缘反卷，上表面近无毛，下表面被短柔毛。头状花序顶生，直径 0.5 ～ 1 cm，冠毛白色，长约 0.2 cm。气微，味微苦。

| **功能主治** | 苦、辛、咸，温。归肺、大肠经。降气，消痰，行水。用于外感风寒，痰饮蓄结，咳喘痰多，胸膈痞满。

| **用法用量** | 内服煎汤，3 ～ 9 g；或鲜品捣汁。外用适量，捣敷；或煎汤洗。

菊科 Asteraceae 旋覆花属 Inula

旋覆花
Inula japonica Thunb.

| 植物别名 |

六月菊、金佛草、金佛花。

| 药 材 名 |

旋覆花（药用部位：头状花序。别名：金钱花）、金沸草（药用部位：地上部分。别名：金佛草）。

| 形态特征 |

多年生草本。根茎短，横走或斜升，有多少粗壮的须根。茎单生，有时 2 ～ 3 簇生，直立，高 30 ～ 70 cm，有时基部具不定根，基部直径 3 ～ 10 mm，有细沟，被长伏毛，或下部有时脱毛，上部有上升或开展的分枝，全部有叶；节间长 2 ～ 4 cm。基部叶常较小，在花期枯萎；中部叶长圆形、长圆状披针形或披针形，长 4 ～ 13 cm，宽 1.5 ～ 3.5 cm，稀 4 cm，基部多少狭窄，常有圆形半抱茎的小耳，无柄，先端稍尖或渐尖，边缘有小尖头状疏齿或全缘，上面有疏毛或近无毛，下面有疏伏毛和腺点，中脉和侧脉有较密的长毛；上部叶渐狭小，线状披针形。头状花序直径 3 ～ 4 cm，多数或少数排列成疏散的伞房花序；花序梗细长；总苞半球形，直径 13 ～ 17 mm，长 7 ～ 8 mm；总苞片约

6 层，线状披针形，近等长，但最外层常叶质而较长，外层基部革质，上部叶质，背面有伏毛或近无毛，有缘毛，内层除绿色中脉外干膜质，渐尖，有腺点和缘毛；舌状花黄色，较总苞长 2 ~ 2.5 倍，舌片线形，长 10 ~ 13 mm；管状花花冠长约 5 mm，有三角状披针形的裂片；冠毛 1 层，白色有 20 微糙毛或更多，与管状花近等长。瘦果长 1 ~ 1.2 mm，圆柱形，有 10 沟，先端截形，被疏短毛。花期 6 ~ 10 月，果期 9 ~ 11 月。

| **生境分布** | 生于海拔 150 ~ 2 400 m 山坡路旁、湿润草地、河岸和田埂上。分布于河北北戴河、隆化、兴隆等。

| **资源情况** | 野生资源较丰富。药材主要来源于野生。

| **采收加工** | 旋覆花：夏、秋季花开时采收，除去杂质，阴干或晒干。
金沸草：夏、秋季采割，晒干。

| **药材性状** | 旋覆花：本品呈扁球形或类球形，直径 1 ~ 2 cm。总苞球形，由多数苞片组成，呈覆瓦状排列，苞片披针形或条形，灰黄色，长 4 ~ 11 mm；总苞基部有残留花梗，苞片及花梗表面被白色茸毛，舌状花 1 列，黄色，长约 1 cm，多卷曲，常脱落，先端 3 齿裂；管状花多数，棕黄色，长约 5 mm，先端 5 齿裂；子房先端有多数白色冠毛，长 5 ~ 6 mm。有的可见椭圆形小瘦果。体轻，易散碎。气微，味微苦。以完整、朵大、色黄、无枝梗者为佳。

金沸草：本品茎呈圆柱形，上部分枝，长 30 ~ 70 cm，直径 0.2 ~ 0.5 cm；表面绿褐色或棕褐色，疏被短柔毛，有多数细纵纹；质脆，断面黄白色，髓部中空。叶互生，叶片椭圆状披针形，长 5 ~ 10 cm，宽 1 ~ 2.5 cm；先端尖，基部抱茎，全缘，上表面近无毛，下表面被短柔毛。头状花序顶生，直径 1 ~ 2 cm，冠毛白色，长约 0.5 cm。气微，味微苦。以色绿褐、叶多、带花者为佳。

| 功能主治 | 旋覆花：苦、辛、咸，微温。归肺、脾、胃、大肠经。降气，消痰，行水，止呕。用于风寒咳嗽，痰饮蓄结，胸膈痞闷，喘咳痰多，呕吐嗳气，心下痞硬。

金沸草：苦、辛、咸，微温。归肺、大肠经。降气，消痰，行水，散风寒，化痰饮，消肿毒，祛风湿。用于外感风寒，痰饮蓄结，咳喘痰多，胸膈痞满，风湿疼痛。

| 用法用量 | 旋覆花：内服煎汤（纱布包煎或滤去毛），3 ~ 10 g。

金沸草：内服煎汤，3 ~ 9 g；或鲜品捣汁。外用适量，捣敷；或煎汤洗。

菊科 Asteraceae 鸦葱属 *Scorzonera*

鸦葱
Scorzonera austriaca Willd.

| **药 材 名** | 鸦葱（药用部位：全草或根。别名：人头发、土参、黄花地丁）。 |

| **形态特征** | 多年生草本，高 10 ~ 42 cm。根垂直直伸，黑褐色。茎多数，簇生，不分枝，直立，光滑无毛，茎基被稠密、棕褐色、纤维状撕裂的鞘状残留物。基生叶线形、狭线形、线状披针形、线状长椭圆形或长椭圆形，长 3 ~ 35 cm，宽 0.2 ~ 2.5 cm，先端渐尖或钝而有小尖头，或急尖，向下部渐狭成具翼的长柄，柄基鞘状扩大或向基部直接形成扩大的叶鞘，三至七出脉，侧脉不明显，边缘平或稍见皱波状，两面无毛或仅沿基部边缘有蛛丝状柔毛；茎生叶少数，2 ~ 3，鳞片状，披针形或钻状披针形，基部心形，半抱茎。头状花序单生于茎端；总苞圆柱状，直径 1 ~ 2 cm；总苞片约 5 层，外层三角形或卵状三角形，长 6 ~ 8 mm，宽约 6.5 mm，中层偏斜披针形或长椭圆 |

形，长 1.6 ~ 2.1 cm，宽 0.5 ~ 0.7 cm，内层线状长椭圆形，长 2 ~ 2.5 cm，宽 0.3 ~ 0.4 cm；全部总苞片外面光滑无毛，先端急尖、钝或圆形；舌状小花黄色。瘦果圆柱状，长约 1.3 cm，有多数纵肋，无毛，无脊瘤；冠毛淡黄色，长约 1.7 cm，与瘦果连接处有蛛丝状毛环，大部为羽毛状，羽枝蛛丝毛状，上部为细锯齿状。花果期 4 ~ 7 月。

| 生境分布 | 生于海拔 400 ~ 2 000 m 的山坡、草滩及河滩地。分布于河北昌黎、赤城、磁县等。

| 资源情况 | 野生资源一般，栽培资源稀少。药材主要来源于野生。

| 采收加工 | 春、秋季采收，洗净，鲜用或晒干。

| 药材性状 | 本品根呈长圆柱形，长可达 20 cm 以上，直径 0.6 ~ 1 cm；根头部残留众多棕色毛须（叶基纤维束与维管束）；表面棕黑色，直立，上部具密集的横皱纹，全体具多数瘤状物；质较疏松，断面黄白色，有放射状裂隙。气微，味微苦、涩。

| 功能主治 | 微苦，寒。归心经。消肿解毒。用于五劳七伤，疔疮痈肿。

| 用法用量 | 内服煎汤，9 ~ 15 g；或熬膏。外用适量，捣敷；或取汁涂。

菊科 Asteraceae 一枝黄花属 Solidago

一枝黄花 *Solidago decurrens* Lour.

植物别名

千斤癀、兴安一枝黄花。

药材名

一枝黄花（药用部位：全草。别名：野黄菊、山边半枝香、洒金花）。

形态特征

多年生草本，高（9～）35～100 cm。茎直立，通常细弱，单生或少数簇生，不分枝或中部以上有分枝。中部茎叶椭圆形、长椭圆形、卵形或宽披针形，长2～5 cm，宽1～1.5（～2）cm，下部楔形渐窄，有具翅的柄，仅中部以上边缘有细齿或全缘；向上叶渐小；下部叶与中部茎叶同形，有长2～4 cm或更长的翅柄；全部叶质地较厚，叶两面、沿脉及叶缘有短柔毛或下面无毛。头状花序较小，长6～8 mm，宽6～9 mm，多数在茎上部排列成紧密或疏松、长6～25 cm的总状花序或伞房状圆锥花序，少排列成复头状花序；总苞片4～6层，披针形或狭披针形，先端急尖或渐尖，中、内层长5～6 mm；舌状花舌片椭圆形，长约6 mm。瘦果长约3 mm，无毛，极少在先端被稀疏柔毛。花果期4～11月。

| 生境分布 | 生于海拔 565 ～ 2 850 m 的阔叶林林缘、林下、灌丛中或山坡草地上。分布于河北迁西等。

| 资源情况 | 野生资源丰富。药材主要来源于野生。

| 采收加工 | 秋季花果期采挖，除去泥沙，晒干。

| 药材性状 | 本品长 30 ～ 100 cm。根茎短粗，簇生淡黄色细根。茎圆柱形，直径 0.2 ～ 0.5 cm；表面黄绿色、灰棕色或暗紫红色，有棱线，上部被毛；质脆，易折断，断面纤维性，有髓。单叶互生，多皱缩、破碎，完整叶片展平后呈卵形或披针形，宽 0.3 ～ 1.5 cm；先端稍尖或钝，全缘或有不规则的疏锯齿，基部下延成柄。头状花序直径约 0.7 cm，排成总状，偶有黄色舌状花残留，多皱缩扭曲，卵状披针形。瘦果细小，冠毛黄白色。气微香，味微苦、辛。

| 功能主治 | 苦、辛，凉。归肺、肝经。清热解毒，疏散风热。用于喉痹，乳蛾，咽喉肿痛，疮疖肿毒，风热感冒。

| 用法用量 | 内服煎汤，9 ～ 15 g，鲜品 20 ～ 30 g。外用适量，鲜品捣敷；或煎汁搽。

菊科 Asteraceae 泽兰属 Eupatorium

林泽兰
Eupatorium lindleyanum DC.

| 植物别名 |

尖佩兰。

| 药 材 名 |

野马追（药用部位：地上部分。别名：白鼓钉、化食草）。

| 形态特征 |

多年生草本，高 30 ~ 150 cm。根茎短，有多数细根。茎直立，下部及中部红色或淡紫红色，基部直径达 2 cm，常自基部分枝或不分枝而上部仅有伞房花序分枝；全部茎枝被稠密的白色长或短柔毛。下部茎叶花期脱落；中部茎叶长椭圆状披针形或线状披针形，长 3 ~ 12 cm，宽 0.5 ~ 3 cm，不分裂或 3 全裂，质厚，基部楔形，先端急尖，三出基脉，两面粗糙，被白色长或短粗毛及黄色腺点，上面及沿脉的毛密；自中部向上与向下的叶渐小，与中部茎叶同形同质；全部茎叶三出基脉，边缘有深或浅犬齿，无柄或几无柄。头状花序多数在茎顶或枝端排成紧密的伞房花序，花序直径 2.5 ~ 6 cm，或排成大型的复伞房花序，花序直径达 20 cm；花序枝及花梗紫红色或绿色，被白色密集的短柔毛；总苞钟状，含 5 小花；总苞片覆瓦状排列，约3层，外层苞片短，长1~2 mm，披针形或宽披针形，中层及内层苞片渐长，长5~6 mm，长椭圆形或长椭圆状披针形，全部苞片绿色或紫红色，先端急尖；花白色、粉红色或淡紫红色，花冠长约4.5 mm，外面散生黄色腺点。瘦果黑褐色，长约3 mm，椭圆状，具5棱，散生黄色腺点；冠毛白色，与花冠等长或稍长。花果期5~12月。

| **生境分布** | 生于海拔200~2 600 m的山谷阴处湿地、林下湿地或草原上。分布于河北宽城、邢台、兴隆等。

| **资源情况** | 野生资源丰富。药材主要来源于野生。

| **采收加工** | 秋季花初开时采割，晒干。

| **药材性状** | 本品茎呈圆柱形，长30~90 cm，直径0.2~0.5 cm；表面黄绿色或紫褐色，有纵棱，密被灰白色茸毛；质硬，易折断，断面纤维性，髓部白色。叶对生，无柄；叶片多皱缩，展平后叶片3全裂，似轮生，裂片条状披针形，中间裂片较长；先端钝圆，边缘具疏锯齿，上表面绿褐色，下表面黄绿色，两面被毛，有腺点。头状花序顶生。气微，叶味苦、涩。

| **功能主治** | 苦，平。归肺经。化痰止咳平喘。用于痰多咳嗽气喘。

| **用法用量** | 内服煎汤，30~60 g。

菊科 Asteraceae 泽兰属 Eupatorium

佩兰
Eupatorium fortunei Turcz.

| 植物别名 |

兰草、香草、八月白。

| 药 材 名 |

佩兰（药用部位：地上部分。别名：兰草）、千金花（药用部位：花）。

| 形态特征 |

多年生草本，高 40 ~ 100 cm。根茎横走，淡红褐色。茎直立，绿色或红紫色，基部茎直径达 0.5 cm，分枝少或仅在茎顶有伞房花序分枝；全部茎枝被稀疏的短柔毛，花序分枝及花序梗上的毛较密。中部茎生叶较大，3 全裂或 3 深裂，总叶柄长 0.7 ~ 1 cm，中裂片较大，长椭圆形、长椭圆状披针形或倒披针形，长 5 ~ 10 cm，宽 1.5 ~ 2.5 cm，先端渐尖，侧裂片与中裂片同形但较小，上部的茎生叶常不分裂；或全部茎生叶不裂，披针形、长椭圆状披针形或长椭圆形，长 6 ~ 12 cm，宽 2.5 ~ 4.5 cm，叶柄长 1 ~ 1.5 cm；全部茎生叶两面光滑，无毛，无腺点，具羽状脉，边缘有粗齿或不规则的细齿；中部以下茎叶渐小，基部叶花期枯萎。头状花序多数在茎顶及枝端排成复伞房花序，花序直径 3 ~ 6 (~ 10) cm；总苞钟状，

长 6 ~ 7 mm；总苞片 2 ~ 3 层，覆瓦状排列，外层短，卵状披针形，中、内层苞片渐长，长约 7 mm，长椭圆形；全部苞片紫红色，外面无毛、无腺点，先端钝；花白色或带微红色，花冠长约 5 mm，外面无腺点。瘦果黑褐色，长椭圆形，具 5 棱，长 3 ~ 4 mm，无毛，无腺点；冠毛白色，长约 5 mm。花果期 7 ~ 11 月。

| 生境分布 | 生于路边灌丛及山沟路旁。分布于河北迁西等。

| 资源情况 | 野生资源一般。药材主要来源于野生。

| 采收加工 | 佩兰：夏、秋季分 2 次采割，除去杂质，晒干。
千金花：夏、秋季采收，洗净，鲜用或阴干。

| 药材性状 | 佩兰：本品茎呈圆柱形，长 30 ~ 100 cm，直径 0.2 ~ 0.5 cm；表面黄棕色或黄绿色，有的带紫色，有明显的节和纵棱线；质脆，断面髓部白色或中空。叶对生，有柄，叶片多皱缩、破碎，绿褐色；完整叶片 3 裂或不分裂，分裂者中裂片较大，展平后呈披针形或长圆状披针形，基部狭窄，边缘有锯齿；不分裂者展平后呈卵圆形、卵状披针形或椭圆形。气芳香，味微苦。

| 功能主治 | 佩兰：辛，平。归脾、胃、肺经。芳香化湿，醒脾开胃，发表解暑。用于湿浊中阻，脘痞呕恶，口中甜腻，口臭，多涎，暑湿表证，湿温初起，发热倦怠，胸闷不舒。
千金花：苦、辛，平。化湿宣气。用于痢疾。

| 用法用量 | 佩兰：内服煎汤，6 ~ 10 g，鲜品 15 ~ 30 g。
千金花：内服酒煮，3 ~ 6 g；或浸酒。

| 附　注 | 湖北（建始）、贵州（台江）和广西（阳朔）的标本，叶线形、线状长椭圆形或线状长披针形，边缘有均匀而稠密的细尖锯齿，可以看作本种比较独立的一类（狭叶变种 *Eupatorium fortunei* Turcz. var. *angustilobum* Ling）。

菊科 Asteraceae 栉叶蒿属 *Neopallasia*

栉叶蒿
Neopallasia pectinata (Pallas) Poljakov

| 植物别名 | 恶臭蒿、黏蒿、籽蒿。

| 药 材 名 | 篦齿蒿（药用部位：全草）。

| 形态特征 | 一年生草本。茎自基部分枝或不分枝，直立，高 12 ~ 40 cm，常带淡紫色，多少被稠密的白色绢毛。叶长圆状椭圆形，栉齿状羽状全裂，裂片线状钻形，单一或有 1 ~ 2 同形的小齿，无毛，有时具腺点，无柄，羽轴向基部逐渐膨大，下部茎生叶长 1.5 ~ 3 cm，宽 0.5 ~ 1 cm，或更小，中部茎生叶长 0.3 ~ 0.5 (~ 1) cm，上部和花序下的叶变短小。头状花序无梗或几无梗，卵形或狭卵形，长 3 ~ 4 (5) mm，单生或数个集生于叶腋，多数头状花序在小枝或茎中上部排成多少紧密的穗状或狭圆锥状花序；总苞片宽卵形，无毛，

草质，有宽的膜质边缘，外层稍短，有时上半部叶质化，内层较狭；边缘的雌性花 3 ~ 4，能育，花冠狭管状，全缘；中心花两性，9 ~ 16，有 4 ~ 8 着生于花托下部，能育，其余着生于花托顶部的不育，全部两性花花冠 5 裂，有时带粉红色。瘦果椭圆形，长 1.2 ~ 1.5 mm，深褐色，具细沟纹，在花托下部排成 1 圈。花果期 7 ~ 9 月。

| **生境分布** | 生于荒漠、河谷砾石地及山坡荒地。分布于河北沽源、张北等。

| **资源情况** | 野生资源一般。药材主要来源于野生。

| **采收加工** | 夏、秋季采收，洗净，晾干。

| **功能主治** | 苦，寒。清利肝胆，消炎止痛。用于急性黄疸性肝炎，头痛，头晕。

| **用法用量** | 内服煎汤，3 ~ 5 g；或研末。

菊科 Asteraceae 紫菀属 Aster

马兰

Aster indicus L.

| 植物别名 | 狭叶马兰、多型马兰。

| 药 材 名 | 马兰（药用部位：全草或根。别名：紫菊、阶前菊、鸡儿肠）。

| 形态特征 | 根茎有匍枝，有时具直根。茎直立，高 30 ~ 70 cm，上部有短毛，上部或从下部起有分枝。基部叶在花期枯萎；茎部叶倒披针形或倒卵状矩圆形，长 3 ~ 6 cm，稀达 10 cm，宽 0.8 ~ 2 cm，稀达 5 cm，先端钝或尖，基部渐狭成具翅的长柄，边缘从中部以上具小尖头的钝或尖齿或有羽状裂片；上部叶小，全缘，基部急狭无柄，全部叶稍薄质，两面或上面有疏微毛或近无毛，边缘及下面沿脉有短粗毛，中脉在下面凸起。头状花序单生于枝端并排列成疏伞房状；总苞半球形，直径 6 ~ 9 mm，长 4 ~ 5 mm；总苞片 2 ~ 3 层，覆

瓦状排列，外层总苞片倒披针形，长 2 mm，内层总苞片倒披针状矩圆形，长达 4 mm，先端钝或稍尖，上部草质，有疏短毛，边缘膜质，有缘毛；花托圆锥形；舌状花 1 层，15 ～ 20，管部长 1.5 ～ 1.7 mm；舌片浅紫色，长达 10 mm，宽 1.5 ～ 2 mm；管状花长约 3.5 mm，管部长约 1.5 mm，被短密毛。瘦果倒卵状矩圆形，极扁，长 1.5 ～ 2 mm，宽约 1 mm，褐色，边缘浅色而有厚肋，上部被腺及短柔毛；冠毛长 0.1 ～ 0.8 mm，弱而易脱落，不等长。花期 5 ～ 9 月，果期 8 ～ 10 月。

| 生境分布 | 生于路边、田野、山坡上。分布于河北迁西、涉县、蔚县等。

| 资源情况 | 野生资源丰富。药材主要来源于野生。

| 采收加工 | 夏、秋季采收，洗净，鲜用或晒干。

| 药材性状 | 本品根茎呈细长圆柱形，着生多数浅棕黄色细根和须根。茎圆柱形，直径 2 ～ 3 mm，表面黄绿色，有细纵纹，质脆，易折断，断面中央有白色髓。叶互生，叶片皱缩卷曲，多以碎落，完整者展平后呈倒卵形、椭圆形或披针形，被短毛，有的于枝顶可见头状花序，花淡紫色或已结果。瘦果倒卵状长圆形，扁平，有毛。

| 功能主治 | 辛，凉。归肺、肝、胃、大肠经。清热解毒，散瘀止血，消积。用于感冒发热，咳嗽，急性咽炎，扁桃体炎，流行性腮腺炎，病毒性肝炎，复合性胃和十二指肠溃疡，小儿疳积，肠炎，痢疾，吐血，崩漏，月经不调；外用于疮疖肿痛，乳腺炎，外伤出血。

| 用法用量 | 内服煎汤，10 ～ 30 g，鲜品 30 ～ 60 g；或捣汁。外用适量，捣敷；或煎汤熏洗。

| 附　　注 | 本种曾被误称为"鸡儿肠"，后者是紫菀属的一个种，不宜食用。

菊科 Asteraceae 紫菀属 Aster

蒙古马兰 *Aster mongolicus* Franch.

| 药 材 名 |

蒙古马兰（药用部位：全草或根。别名：北方马兰、羽叶马兰）。

| 形态特征 |

多年生草本。茎直立，高 60 ~ 100 cm，有沟纹，被向上的糙伏毛，上部分枝。叶纸质或近膜质，最下部叶花期枯萎，中部及下部叶倒披针形或狭矩圆形，长 5 ~ 9 cm，宽 2 ~ 4 cm，羽状中裂，两面疏生短硬毛或近无毛，边缘具较密的短硬毛；裂片条状矩圆形，先端钝，全缘；上部分枝上的叶条状披针形，长 1 ~ 2 cm。头状花序单生于长短不等的分枝先端，直径 2.5 ~ 3.5 cm；总苞半球形，直径 1 ~ 1.5 cm；总苞片 3 层，覆瓦状排列，无毛，椭圆形至倒卵形，长 5 ~ 7 mm，宽 3 ~ 4 mm，先端钝，有白色或带紫色、红色的膜质缝缘，背面上部绿色；舌状花淡蓝紫色、淡蓝色或白色，管部长约 2 mm；舌片长约 2.2 cm，宽约 3.5 mm；管状花黄色，长约 5 mm，管部长约 1.5 mm。瘦果倒卵形，长约 3.5 mm，宽约 2.5 mm，黄褐色，有黄绿色边肋，扁或有时有三肋而果呈三棱形，边缘及表面疏生细短毛；冠毛淡红色，不等长，舌状花瘦果冠毛长约

0.5 mm，管状花瘦果的冠毛长 1 ~ 1.5 mm。花果期 7 ~ 9 月。

| 生境分布 | 生于山坡、灌丛、田边。分布于河北青龙等。

| 资源情况 | 野生资源一般。药材主要来源于野生。

| 采收加工 | 夏、秋季采挖，洗净，鲜用或晒干。

| 功能主治 | 辛，凉。清热解毒，利湿，凉血止血。用于感冒发热，咳嗽，咽喉肿痛，肠炎，痢疾，水肿，疮疖肿毒，外伤出血。

| 用法用量 | 内服煎汤，10 ~ 15 g。

菊科 Asteraceae 紫菀属 Aster

山马兰

Aster lautureanus (Debeaux) Franch.

| **植物别名** | 山鸡儿肠、紫菀。

| **药 材 名** | 山马兰（药用部位：全草）。

| **形态特征** | 多年生草本，高 50 ～ 100 cm。茎直立，单生或 2 ～ 3 簇生，具沟纹，被白色向上的糙毛，上部分枝。叶厚或近革质，下部叶花期枯萎；中部叶披针形或矩圆状披针形，长 3 ～ 6（～ 9）cm，宽 0.5 ～ 2（～ 4）cm，先端渐尖或钝，茎部渐狭，无柄，有疏齿或羽状浅裂，分枝上的叶条状披针形，全缘，全部叶两面疏生短糙毛或无毛，边缘均有短糙毛。头状花序单生于分枝先端且排成伞房状，直径 2 ～ 3.5 cm；总苞半球形，直径 10 ～ 14 mm；总苞片 3 层，覆瓦状排列，上部绿色，无毛，外层较短，长椭圆形，先端微尖，内层

总苞片倒披针状长椭圆形，长 5 ~ 6 mm，宽 2 ~ 3 mm，先端钝，边缘有膜质缲状边缘；舌状花淡蓝色，长 1.5 ~ 2 cm，宽 2 ~ 3 mm，管部长约 1.8 mm；管状花黄色，长约 4 mm，管部长约 1.3 mm。瘦果倒卵形，长 3（~ 4）mm，宽约 2 mm，扁平，淡褐色，疏生短柔毛，有浅色边肋或偶有 3 肋，果实呈三棱形；冠毛淡红色，长 0.5 ~ 1 mm。

| **生境分布** | 生于山坡、草原、灌丛中。分布于河北赤城、蔚县、张北等。

| **资源情况** | 野生资源一般。药材主要来源于野生。

| **采收加工** | 8 ~ 9 月采收，洗净，鲜用或晒干。

| **功能主治** | 苦，寒。清热解毒，止血。用于感冒发热，咳嗽，急性咽炎，扁桃体炎，病毒性肝炎，复合性胃和十二指肠溃疡，疮疖肿毒，乳腺炎，外伤出血。

| **用法用量** | 内服煎汤，10 ~ 15 g。外用适量，捣敷。

菊科 Asteraceae 紫菀属 Aster

阿尔泰狗娃花 *Aster altaicus* Willd.

| **植物别名** | 阿尔泰紫菀。

| **药 材 名** | 阿尔泰紫菀（药用部位：全草或根、花）。

| **形态特征** | 植株绿色。茎斜升或直立，高 20 ～ 60 cm，被上曲的短贴毛，从基部分枝，上部有少数分枝，头状花序单生于枝端；叶条状披针形或匙形，长 3 ～ 7（～ 10）cm，宽 0.2 ～ 0.7 cm，开展；总苞直径 0.5 ～ 1.5 cm，总苞片外层草质或边缘狭膜质，内层边缘宽膜质，被腺点及毛。

| **生境分布** | 生于海拔 4 000 m 以下的草原、荒漠、沙地或干旱山地。分布于河北永年、张北、涿鹿等。

| **资源情况** | 野生资源一般。药材主要来源于野生。

| **采收加工** | 夏、秋季花开时采收，阴干。

| **药材性状** | 本品呈不规则球形，直径 0.5 ~ 1 cm；总苞片 2 层，长 3 ~ 6 mm，外层稍长，灰绿色，条形或条状披针形，边缘膜质；边缘舌状花 1 轮，花冠淡蓝紫色，长 1 ~ 1.5 cm，宽约 1 mm；中央管状花多数，黄色，长约 6 mm；花冠常脱落，冠毛浅红棕色。气微香，味苦。

| **功能主治** | 微苦，凉。清热降火，排脓止咳。用于肝胆火旺，肺脓疡，咳吐脓血，膀胱炎，疱疹疮疖。

| **用法用量** | 内服煎汤，5 ~ 10 g。外用适量，捣敷。

| **附　　注** | 本种具有较高大、直立或斜升的茎，总苞片先端渐尖，至少内层有明显的膜质边缘，具较小的舌片等，新疆、内蒙古的植物常被较密而细短的毛；华北的植物常被较疏的粗毛。通过以上特点可与邻种相区别。

菊科 Asteraceae 紫菀属 Aster

东风菜 *Aster scaber* Thunb.

| 植物别名 | 山蛤芦、钻山狗、白云草。

| 药 材 名 | 东风菜（药用部位：全草或根茎。别名：仙白草、仙蛤芦、盘龙草）。

| 形态特征 | 根茎粗壮。茎直立，高 100 ~ 150 cm，上部有斜升的分枝，被微毛。基部叶在花期枯萎，叶片心形，长 9 ~ 15 cm，宽 6 ~ 15 cm，边缘有具小尖头的齿，先端尖，基部急狭成长 10 ~ 15 cm、被微毛的柄；中部叶较小，卵状三角形，基部圆形或稍截形，有具翅的短柄；上部叶小，矩圆状披针形或条形；全部叶两面被微糙毛，下面浅色，有三或五出脉，网脉显明。头状花序直径 18 ~ 24 mm，圆锥伞房状排列；花序梗长 9 ~ 30 mm；总苞半球形，宽 4 ~ 5 mm；总苞片约 3 层，无毛，边缘宽膜质，有微缘毛，先端尖或钝，覆瓦状排列，

外层长约 1.5 mm；舌状花约 10，舌片白色，条状矩圆形，长 11 ~ 15 mm，管部长 3 ~ 3.5 mm；管状花长约 5.5 mm，檐部钟状，有线状披针形裂片，管部急狭，长约 3 mm。瘦果倒卵圆形或椭圆形，长 3 ~ 4 mm，除边肋外，一面有 2 脉，一面有 1 ~ 2 脉，无毛；冠毛污黄白色，长 3.5 ~ 4 mm，有多数微糙毛。花期 6 ~ 10 月，果期 8 ~ 10 月。

| **生境分布** | 生于山地林缘及溪谷旁草丛中。分布于河北赤城、沽源、涞源等。

| **资源情况** | 野生资源一般。药材主要来源于野生。

| **采收加工** | 夏、秋季采收全草，秋季采挖根茎，洗净，鲜用或晒干。

| **功能主治** | 辛、甘，寒。清热解毒，明目，利咽。用于风热感冒，头痛目眩，目赤肿痛，咽喉红肿，急性肾炎，肺病吐血，跌打损伤，痈肿疔疮，毒蛇咬伤。

| **用法用量** | 内服煎汤，15 ~ 30 g。外用适量，捣敷。

菊科 Asteraceae 紫菀属 Aster

狗娃花 *Aster hispidus* Thunb.

| 药 材 名 | 狗娃花（药用部位：根）。

| 形态特征 | 一年生或二年生草本，有垂直的纺锤状根。茎高 30 ~ 50 cm，有时达 150 cm，单生，有时数个丛生，被上曲或开展的粗毛，下部常脱毛，有分枝。基部及下部叶在花期枯萎，倒卵形，长 4 ~ 13 cm，宽 0.5 ~ 1.5 cm，渐狭成长柄，先端钝或圆形，全缘或有疏齿；中部叶矩圆状披针形或条形，长 3 ~ 7 cm，宽 0.3 ~ 1.5 cm，常全缘，上部叶小，条形；全部叶质薄，两面被疏毛或无毛，边缘有疏毛，中脉及侧脉显明。头状花序直径 3 ~ 5 cm，单生于枝端而排列成伞房状；总苞半球形，长 7 ~ 10 mm，直径 10 ~ 20 mm；总苞片 2 层，近等长，条状披针形，宽约 1 mm，草质，或内层菱状披针形而下部及边缘膜质，背面及边缘有多少上曲的粗毛，常有腺点；舌状花约

30 余个，管部长 2 mm，舌片浅红色或白色，条状矩圆形，长 12 ~ 20 mm，宽 2.5 ~ 4 mm；管状花花冠长 5 ~ 7 mm，管部长 1.5 ~ 2 mm，裂片长 1 mm 或 1.5 mm。瘦果扁倒卵形，长 2.5 ~ 3 mm，宽约 1.5 mm，有细边肋，被密毛；冠毛在舌状花极短，白色，膜片状，或部分带红色，长，糙毛状；在管状花糙毛状，初白色，后带红色，与花冠近等长。花期 7 ~ 9 月，果期 8 ~ 9 月。

| 生境分布 | 生于海拔达 2 400 m 的荒地、路旁、林缘及草地。分布于河北永年、赞皇、涿鹿等。

| 资源情况 | 野生资源丰富。药材主要来源于野生。

| 采收加工 | 夏、秋季采挖，洗净，鲜用或晒干。

| 功能主治 | 苦，凉。清热解毒，消肿。用于疮肿，毒蛇咬伤。

| 用法用量 | 外用适量，捣敷。

| 附　注 | 本种多变异，具有许多变种及变型。舌状花的冠毛有时全部为白色膜片状（*Aster hispidus* var. *heterochata* Franch. et Savat.），有时部分短膜片状，部分长糙毛状（*Aster hispidus* var. *merochaeta* Franch. et Savat.），而在同一株上有时也可见到这些变异。舌状花的舌片有时较短或不存在（*Aster hispidus* var. *disciflorus* Komar.），产于我国东北部，不常见，有时蓝紫色且短 [*Aster hispidus* var. *decipiens* (Maxim.) Komar.]。同时，由于植株的发育状态不同，本种曾被视为不同的变种，例如，有时茎较低，数个丛生于根颈，叶较小，植株全部被密粗毛（*Aster hispidus* var. *microphyllus* Pamp.），见于湖北及安徽；有时茎数个簇生于根颈，植株较大，全部近无毛（*Heteropappus pinetorum* Kom.），见于我国东北部及河北，常被视为一个独立的种（Ta mamschan，1959）；有时植株全部近无毛或被疏毛（*Heteropappus hispidus* var. *elongatus* Novopokr.），见于西伯利亚南部及我国东北部；有时茎高大，多分枝，植株全部近无毛，头状花序较大，见于四川东部及陕西东南部。这些变种与原变种之间因变异界限模糊而不易区别。

菊科 Asteraceae 紫菀属 Aster

全叶马兰 *Aster pekinensis* (Hance) Kitag.

| 植物别名 |

全叶鸡儿肠。

| 药 材 名 |

全叶马兰（药用部位：全草。别名：全缘叶马兰）

| 形态特征 |

多年生草本，有长纺锤状直根。茎直立，高 30 ~ 70 cm，单生或数个丛生，被细硬毛，中部以上有近直立的帚状分枝。下部叶在花期枯萎；中部叶多而密，条状披针形、倒披针形或矩圆形，长 2.5 ~ 4 cm，宽 0.4 ~ 0.6 cm，先端钝或渐尖，常有小尖头，基部渐狭，无柄，全缘，边缘稍反卷；上部叶较小，条形；全部叶下面灰绿色，两面密被粉状短绒毛；中脉在下面凸起。头状花序单生枝端且排成疏伞房状；总苞半球形，直径 7 ~ 8 mm，长约 4 mm；总苞片 3 层，覆瓦状排列，外层近条形，长约 1.5 mm，内层矩圆状披针形，长几达 4 mm，先端尖，上部单质，有短粗毛及腺点；舌状花 1 层，20 余个，管部长约 1 mm，有毛，舌片淡紫色，长约 11 mm，宽约 2.5 mm；管状花花冠长约 3 mm，管部长约 1 mm，有毛。瘦果倒卵

形，长 1.8 ~ 2 mm，宽约 1.5 mm，浅褐色，扁，有浅色边肋，或一面有肋而果实呈三棱形，上部有短毛及腺点；冠毛带褐色，长 0.3 ~ 0.5 mm，不等长，弱而易脱落。花期 6 ~ 10 月，果期 7 ~ 11 月。

| 生境分布 | 生于山坡、林缘、灌丛、路旁。分布于河北青龙、武安、赞皇等。

| 资源情况 | 野生资源丰富。药材主要来源于野生。

| 采收加工 | 8 ~ 9 月采收，洗净，晒干。

| 功能主治 | 苦，寒。清热解毒，止咳。用于感冒发热，咳嗽，咽炎。

| 用法用量 | 内服煎汤，15 ~ 30 g。

| 附　　注 | 本种的瘦果与马兰近似，但茎、叶及总苞密被短绒毛，极易与后者相区别。

菊科 Asteraceae 紫菀属 Aster

三脉紫菀

Aster trinervius subsp. *ageratoides* (Turczaninow) Grierson

| **植物别名** | 山雪花、山白菊、野白菊花。

| **药 材 名** | 山白菊（药用部位：全草或根。别名：野白菊、小雪花、白升麻）。

| **形态特征** | 多年生草本，根茎粗壮。茎直立，高 40 ~ 100 cm，细或粗壮，有棱及沟，被柔毛或粗毛，上部有时曲折，有上升或开展的分枝。下部叶在花期枯落，叶片宽卵圆形，急狭成长柄；中部叶椭圆形或长圆状披针形，长 5 ~ 15 cm，宽 1 ~ 5 cm，中部以上急狭成楔形具宽翅的柄，先端渐尖，边缘有 3 ~ 7 对浅或深锯齿；上部叶渐小，有浅齿或全缘，全部叶纸质，上面被短糙毛，下面浅色被短柔毛，常有腺点，或两面被短茸毛而下面沿脉有粗毛，有离基（有时长达 7 cm）三出脉，侧脉 3 ~ 4 对，网脉常显明。头状花序直径 1.5 ~

2 cm，排列成伞房或圆锥伞房状，花序梗长 0.5 ~ 3 cm。总苞倒锥状或半球状，直径 4 ~ 10 mm，长 3 ~ 7 mm；总苞片 3 层，覆瓦状排列，线状长圆形，下部近革质或干膜质，上部绿色或紫褐色，外层长达 2 mm，内层长约 4 mm，有短缘毛；舌状花 10 余个，管部长约 2 mm，舌片线状长圆形，长达 11 mm，宽约 2 mm，紫色、浅红色或白色；管状花黄色，长 4.5 ~ 5.5 mm，管部长约 1.5 mm，裂片长 1 ~ 2 mm；花柱附片长达 1 mm；冠毛浅红褐色或污白色，长 3 ~ 4 mm。瘦果倒卵状长圆形，灰褐色，长 2 ~ 2.5 mm，有边肋，一面常有肋，被短粗毛。花果期 7 ~ 12 月。

| 生境分布 | 生于海拔 100 ~ 3 350 m 的林下、林缘、灌丛或山谷湿地。分布于河北内丘、平山、武安等。

| 资源情况 | 野生资源丰富。药材主要来源于野生。

| 采收加工 | 夏、秋季采收，洗净，鲜用或扎把晾干。

| 药材性状 | 本品根茎较粗壮，有多数棕黄色须根。茎圆柱形，基部光滑或略有毛，有时稍带淡褐色，下部茎呈暗紫色，上部茎多分枝，呈暗绿色；质脆，易折断，断面不整齐，中央有髓，黄白色。单叶互生，叶片多皱缩或破碎，完整叶展平后呈长椭圆状披针形，灰绿色，边缘具疏锯齿，具明显的离基三出脉，表面粗糙，背面网脉显著。头状花序顶生，排列成伞房状或圆锥状，舌状花白色、青紫色或淡红色，管状花黄色。瘦果椭圆形，冠毛污白色或褐色。气微香，味稍苦。

| 功能主治 | 苦、辛，凉。清热解毒，祛痰镇咳，凉血止血。用于感冒发热，扁桃体炎，支气管炎，肝炎，痢疾，热淋，血热吐衄，痈肿疔毒，蛇虫咬伤。

| 用法用量 |　内服煎汤，15 ~ 60 g。外用适量，捣敷。

| 附　注 |　（1）本种与三基脉紫菀 *Aster trinervius* D. Don 的形态相似，前者的叶具明显的离基三出脉，基部渐狭，侧脉在渐狭部分以上发出，通过上述特征等可与后者相区别。1964 年，Grierson 曾述及在喜马拉雅南部（阿萨密）有这两种的中间类型存在，应将本种与三基脉紫菀合并，并作为后者的一个亚种。由于本种的种名在东亚沿用已久，且有大量的变种，为了避免引起混乱，仍将其作为独立的种。

（2）三脉叶紫菀是一个广布而多型的种，曾经 Kitamura（1937）及 Handel-Mazzetti（1938）分别发现了变种或亚种，其毛茸、叶形、头状花序的排列、总苞的形状和大小等特征均有一系列变异，而不同部位的变异常没有关联，故一些变种的区别并不明显。

菊科 Asteraceae 紫菀属 Aster

紫菀

Aster tataricus L. f.

| 植物别名 |

还魂草、青菀、驴耳朵菜。

| 药 材 名 |

紫菀（药用部位：根及根茎。别名：青菀、紫箭、返魂草根）。

| 形态特征 |

多年生草本。根茎斜升。茎直立，高40～50 cm，粗壮，基部有纤维状枯叶残片且常有不定根，有棱及沟，被疏粗毛，有疏生的叶。基部叶在花期枯落，长圆状或椭圆状匙形，下半部渐狭成长柄，连柄长20～50 cm，宽3～13 cm，先端尖或渐尖，边缘有具小尖头的圆齿或浅齿。下部叶匙状长圆形，常较小，下部渐狭或急狭成具宽翅的柄，渐尖，边缘除顶部外有密锯齿；中部叶长圆形或长圆披针形，无柄，全缘或有浅齿，上部叶狭小；全部叶厚纸质，上面被短糙毛，下面被稍疏但沿脉被较密的短粗毛；中脉粗壮，与5～10对侧脉在下面凸起，网脉明显。头状花序多数，直径2.5～4.5 cm，在茎和枝端排列成复伞房状；花序梗长，有线形苞叶；总苞半球形，长7～9 mm，直径10～25 mm；总苞片3层，线形或线状披

针形，先端尖或圆形，外层长 3 ～ 4 mm，宽约 1 mm，全部或上部草质，被密短毛，内层长达 8 mm，宽达 1.5 mm，边缘宽膜质且带紫红色，有草质中脉；舌状花约 20 余个，管部长约 3 mm，舌片蓝紫色，长 15 ～ 17 mm，宽 2.5 ～ 3.5 mm，有 4 至多脉；管状花长 6 ～ 7 mm 且稍有毛，裂片长约 1.5 mm；花柱附片披针形，长约 0.5 mm。瘦果倒卵状长圆形，紫褐色，长 2.5 ～ 3 mm，两面各有 1 或少有 3 脉，上部被疏粗毛；冠毛污白色或带红色，长约 6 mm，有多数不等长的糙毛。花期 7 ～ 9 月，果期 8 ～ 10 月。

| 生境分布 | 生于海拔 400 ～ 2 000 m 的低山阴坡湿地、山顶和低山草地及沼泽地。分布于河北巨鹿、宽城、涞源等。

| 资源情况 | 野生资源一般，栽培资源丰富。药材主要来源于栽培。

| 采收加工 | 春、秋季采挖，除去有节的根茎（习称"母根"）和泥沙，编成辫状晒干，或直接晒干。

| 药材性状 | 本品根茎呈不规则块状，大小不一，先端有茎、叶的残基，质稍硬。根茎簇生多数细根，长 3 ～ 15 cm，直径 0.1 ～ 0.3 cm，多编成辫状，表面紫红色或灰红色，有纵皱纹，质较柔韧。气微香，味甜、微苦。

| 功能主治 | 苦、辛，温。归肺经。润肺下气，消痰止咳。用于痰多喘咳，新久咳嗽，劳嗽咯血。

| 用法用量 |　内服煎汤，4.5 ~ 10 g，或入丸、散剂。

| 附　　注 |　本种曾被分为一些变种：①植株较小，叶较狭，总苞片较狭，先端渐尖，外层草质，内层边缘狭膜质，稀先端稍紫色，舌片浅蓝紫色（*Aster tataricus* var. *minor* Makino，*Aster tataricus* var. *nakaii* Kitam.），分布于东北、华北及西北等地，也产于朝鲜；有时头状花序直径 2.5 cm，舌片长仅 1 cm，产于河北及甘肃；②植株较大，下部及基部叶宽大，被密糙毛，花序多分枝，总苞片长 8 ~ 9 mm，先端钝或圆形，紫色，舌片白色而较长（*Aster tataricus* var. *robustus* Nakai，*Aster tataricus* ssp. *decompositus* Novopokr.），产于河北、山西等地；但这些变种之间有中间类型存在，不易区别；③据前人记载，另有一花期较早的类型，总苞片狭较而草质，舌片较宽大，长 15 ~ 20 mm，宽 3 ~ 4 mm，瘦果稍有毛（*Aster tataricus* var. *vernalis* Nakai），产于辽宁。本种另有一栽培类型（*Aster tataricus* var. *petersianus* Hort. ex Bailey），原产于我国，供观赏用。

泽泻科 Alismataceae 泽泻属 *Alisma*

东方泽泻 *Alisma orientale* (Samuel.) Juz.

| **药 材 名** | 泽泻（药用部位：块茎）。

| **形态特征** | 多年生水生或沼生草本。叶多数；挺水叶宽披针形、椭圆形，长 3.5 ~ 11.5 cm，宽 1.3 ~ 6.8 cm，先端渐尖，基部近圆形或浅心形，叶脉 5 ~ 7，叶柄长 3.2 ~ 34 cm，较粗壮，基部渐宽，边缘窄膜质。花葶高 35 ~ 90 cm，或更高；花序长 20 ~ 70 cm，具 3 ~ 9 轮分枝，每轮分枝 3 ~ 9 枚；花两性，直径约 6 mm；花梗不等长，（0.5 ~） 1 ~ 2.5 cm；外轮花被片卵形，长 2 ~ 2.5 mm，宽约 1.5 mm，边缘窄膜质，具 5 ~ 7 脉，内轮花被片近圆形，比外轮大，白色、淡红色，稀黄绿色，边缘波状；心皮排列不整齐，花柱长约 0.5 mm，直立，柱头长约为花柱的 1/5；花丝长 1 ~ 1.2 mm，基部宽 0.3 mm，向上渐窄，花药黄绿色或黄色，长 0.5 ~ 0.6 mm，宽 0.3 ~ 0.4 mm；花

托在果期呈凹凸状，高约 0.4 mm。瘦果椭圆形，长 1.5 ~ 2 mm，宽 1 ~ 1.2 mm，背部具 1 ~ 2 浅沟，腹部自果喙处凸起，呈膜质翅，两侧果皮纸质，半透明或否，果喙长约 0.5 mm，自腹侧中上部伸出；种子紫红色，长约 1.1 mm，宽约 0.8 mm。花果期 5 ~ 9 月。

| **生境分布** | 生于湖泊、水塘、沟渠、沼泽中，海拔低至几十米，高达 2 500 m 左右。分布于河北行唐、滦平、涉县等。

| **资源情况** | 野生资源丰富。药材主要来源于野生。

| **采收加工** | 冬季茎叶开始枯萎时采挖，洗净，干燥，除去须根和粗皮。

| **药材性状** | 本品呈类球形、椭圆形或卵圆形，长 2 ~ 7 cm，直径 2 ~ 6 cm。表面淡黄色至淡黄棕色，有不规则的横向环状浅沟纹和多数细小凸起的须根痕，底部有的有瘤状芽痕。质坚实，断面黄白色，粉性，有多数细孔。气微，味微苦。

| **功能主治** | 甘、淡，寒。归肾、膀胱经。利水渗湿，泻热，化浊降脂。用于小便不利，水肿胀满，泄泻，痰饮眩晕，热淋涩痛，高脂血症。

| **用法用量** | 内服煎汤，6 ~ 10 g。

| **附　注** | 本种与泽泻 *Alisma plantago-aquatica* L. 的外部形态十分相似，但前者花果较小，花柱很短，内轮花被片边缘波状，花托在果期中部呈凹形，瘦果在花托上排列不整齐等，可以以此相区别。

水麦冬科 | Juncaginaceae 水麦冬属 | *Triglochin*

水麦冬 *Triglochin palustris* Linnaeus

| 药 材 名 | 水麦冬（药用部位：果实）。

| 形态特征 | 多年生湿生草本，植株弱小。根茎短，生有多数须根。叶全部基生，条形，长达 20 cm，宽约 0.1 cm，先端钝，基部具鞘，两侧鞘缘膜质，残存叶鞘纤维状。花葶细长，直立，圆柱形，无毛；总状花序，花排列较疏散，无苞片；花梗长约 2 mm；花被片 6，绿紫色，椭圆形或舟形，长 2 ~ 2.5 mm；雄蕊 6，近无花丝，花药卵形，长约 1.5 mm，2 室；雌蕊由 3 合生心皮组成，柱头毛笔状。蒴果棒状条形，长约 6 mm，直径约 1.5 mm，成熟时自下至上呈 3 瓣开裂，仅顶部联合。花果期 6 ~ 10 月。

| 生境分布 | 生于咸湿地或浅水处。分布于河北沽源、平泉、张北等。

| **资源情况** | 野生资源一般，栽培资源丰富。药材主要来源于栽培。

| **采收加工** | 9 ~ 10 月采收，晾干。

| **功能主治** | 消炎，止泻。用于眼痛，腹痛。

| **用法用量** | 研末与其他药配用。

| **附　　注** | 圆果水麦冬（海韭菜）*Triglochin maritimum* L. 的叶较粗长，果实为长圆形，有 6 心皮，花较密集；常与水麦冬生长在同种生境中，但比本种耐盐碱；亦作水麦冬入药。

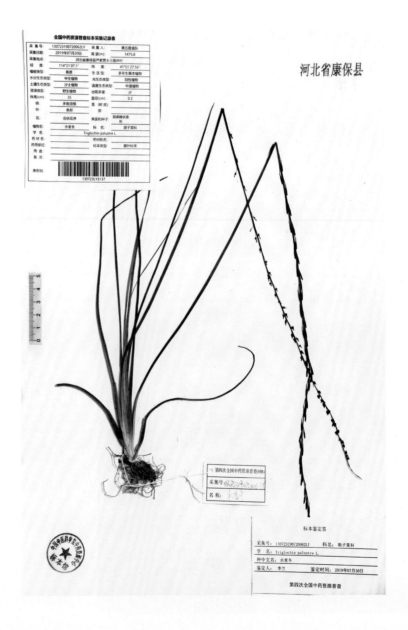

菝葜科 Smilacaceae 菝葜属 Smilax

鞘柄菝葜
Smilax stans Maxim.

药材名

铁丝灵仙（药用部位：根及根茎）。

形态特征

落叶灌木或半灌木，直立或披散，高 0.3 ～ 3 m。茎和枝条稍具棱，无刺。叶纸质，卵形、卵状披针形或近圆形，长 1.5 ～ 4（～ 6）cm，宽 1.2 ～ 3.5（～ 5）cm，下面稍苍白色或有时有粉尘状物；叶柄长 5 ～ 12 mm，向基部渐宽成鞘状，背面有多条纵槽，无卷须，脱落点位于近先端。花序具 1 ～ 3 或更多的花；总花梗纤细，比叶柄长 3 ～ 5 倍；花序托不膨大；花绿黄色，有时淡红色；雄花外花被片长 2.5 ～ 3 mm，宽约 1 mm，内花被片稍狭；雌花比雄花略小，具 6 退化雄蕊，退化雄蕊有时具不育花药。浆果直径 6 ～ 10 mm，成熟时黑色，具粉霜。花期 5 ～ 6 月，果期 10 月。

生境分布

生于海拔 400 ～ 3 200 m 的林下、灌丛中或山坡阴处。分布于河北涉县、武安、兴隆等。

资源情况

野生资源丰富。药材来源于野生。

| **采收加工** | 春、秋季采挖，除去杂质，洗净泥土，晒干，或须根切段，根茎切厚片，晒干。

| **药材性状** | 本品呈不规则块状，略横长而弯曲。根茎上端常有残留茎基，有的残茎具膨大结节，着生黑褐色短刺；根茎周围及下侧着生细长圆柱形的根，根茎着生细根处呈乳状膨大。细根直径 0.5 ~ 1.5 cm，上端较粗，呈长倒锥形，直径达3 mm；表面灰褐色或棕褐色，平滑，具稀疏细小钩状刺及少数纤细须根。根茎质坚硬，难折断，断面肉红色；根质坚韧如铁丝，具弹性，不易折断，断面类白色，外围为浅棕色环，中部有 1 环状排列的小孔。气微，味淡。

| **功能主治** | 辛、微苦，平。祛风除湿，舒筋活络，活血止痛。用于风寒湿痹，关节疼痛，腰脚诸痛，癥瘕积聚，心膈痰饮，鱼骨鲠喉等。

| **用法用量** | 内服煎汤，3 ~ 9 g。

百合科 Liliaceae 百合属 Lilium

卷丹

Lilium lancifolium Thunb.

| **植物别名** | 卷丹百合、河花。

| **药 材 名** | 百合（药用部位：肉质鳞叶。别名：重迈、中庭、百合蒜）、百合花（药用部位：花）。

| **形态特征** | 鳞茎近宽球形，高约 3.5 cm，直径 4 ~ 8 cm；鳞片宽卵形，长 2 ~ 5 cm，宽 1.4 ~ 2.5 cm，白色。茎高 0.8 ~ 1.5 m，带紫色条纹，具白色绵毛。叶散生，矩圆状披针形或披针形，长 6.5 ~ 9 cm，宽 1 ~ 1.8 cm，两面近无毛，先端有白毛，边缘有乳头状突起，有 5 ~ 7 脉，上部叶腋有珠芽。花 3 ~ 6 或更多；苞片叶状，卵状披针形，长 1.5 ~ 2 cm，宽 2 ~ 5 mm，先端钝，有白绵毛；花梗长 6.5 ~ 9 cm，紫色，有白色绵毛；花下垂，花被片披针形，反卷，橙红色，有紫黑色斑点；外轮花被片长 6 ~ 10 cm，宽 1 ~ 2 cm；内轮花被片稍宽，

蜜腺两边有乳头状突起，尚有流苏状突起；雄蕊四面张开，花丝长 5 ~ 7 cm，淡红色，无毛，花药矩圆形，长约 2 cm；子房圆柱形，长 1.5 ~ 2 cm，宽 0.2 ~ 0.3 cm，花柱长 4.5 ~ 6.5 cm，柱头稍膨大，3 裂。蒴果狭长卵形，长 3 ~ 4 cm。花期 7 ~ 8 月，果期 9 ~ 10 月。

| 生境分布 | 生于海拔 400 ~ 2 500 m 的山坡灌木林下、草地、路边或水旁。分布于河北宽城、滦平、平泉等。

| 资源情况 | 野生资源一般，栽培资源丰富。药材主要来源于栽培。

| 采收加工 | **百合**：秋季采挖，洗净，剥取鳞叶，置沸水中略烫，干燥。
百合花：6 ~ 7 月采摘，阴干或晒干。

| 药材性状 | **百合**：本品长椭圆形，长 2 ~ 5 cm，宽 1 ~ 2 cm，中部厚 1.3 ~ 4 mm。表面黄白色至淡棕黄色，有的微带紫色，有数条纵直平行的白色维管束。先端稍尖，基部较宽，边缘薄，微波状，略向内弯曲。质硬而脆，断面较平坦，角质样。气微，味微苦。

| 功能主治 | **百合**：甘，寒。归心、肺经。养阴润肺，清心安神。用于阴虚燥咳，劳嗽咯血，虚烦惊悸，失眠多梦，精神恍惚。
百合花：甘、微苦，微寒。归心、肺经。清热润肺，宁心安神。用于咳嗽痰少或黏，眩晕，心烦，夜寐不安，天疱疮。

| 用法用量 | **百合**：内服煎汤，6 ~ 12 g，或入丸、散剂；亦可蒸食、煮粥。外用适量，捣敷。
百合花：内服煎汤，6 ~ 12 g。外用适量，研末调敷。

山丹
Lilium pumilum DC.

| 植物别名 | 细叶百合。

| 药 材 名 | 百合（药用部位：肉质鳞叶。别名：重迈、中庭、百合蒜）。

| 形态特征 | 鳞茎卵形或圆锥形，高 2.5 ~ 4.5 cm，直径 2 ~ 3 cm；鳞片矩圆形或长卵形，长 2 ~ 5 cm，白色。茎高 15 ~ 60 cm，有小乳头状突起，有的带紫色条纹。叶散生于茎中部，条形，长 3.5 ~ 9 cm，宽 0.15 ~ 0.3 cm，中脉下面突出，边缘有乳头状突起。花单生或数朵排成总状花序，鲜红色，通常无斑点，有时有少数斑点，下垂；花被片反卷，长 4 ~ 4.5 cm，宽 0.8 ~ 1.1 cm，蜜腺两边有乳头状突起；花丝长 1.2 ~ 2.5 cm，无毛，花药长椭圆形，长约 1 cm，黄色，花粉近红色；子房圆柱形，长 0.8 ~ 1 cm，花柱长 1.2 ~ 1.6 cm，柱

头膨大，直径 5 mm，3 裂。蒴果矩圆形，长约 2 cm，宽 1.2 ~ 1.8 cm。花期 7 ~ 8 月，果期 9 ~ 10 月。

| 生境分布 | 生于海拔 400 ~ 2 600 m 的山坡草地或林缘。分布于河北蔚县、武安、易县等。

| 资源情况 | 野生资源丰富。药材主要来源于野生。

| 采收加工 | 秋季采挖，洗净，剥取鳞叶，置沸水中略烫，干燥。

| 药材性状 | 本品呈长椭圆形，长 2 ~ 5 cm，宽 1 ~ 2 cm，中部厚 1.3 ~ 4 mm。表面类白色、淡棕黄色或微带紫色，有数条纵直平行的白色维管束。先端稍尖，基部较宽，边缘薄，微波状，略向内弯曲。质硬而脆，断面较平坦，角质样。气微，味微苦。

| 功能主治 | 甘，寒。归心、肺经。养阴润肺，清心安神。用于阴虚燥咳，劳嗽咯血，虚烦惊悸，失眠多梦，精神恍惚。

| 用法用量 | 内服煎汤，6 ~ 12 g，或入丸、散剂；亦可蒸食、煮粥。外用适量，捣敷。

| 附　注 | 本种在花被片未卷时与渥丹 *Lilium concolor* Salisb. 难以区别，二者的不同之处在于前者花大，花被片长 4 ~ 4.5 cm，花柱比子房长或稍长，而后者花小，花被片长 2.2 ~ 3.5 cm，花柱比子房短或稍短。

百合科 Liliaceae 黄精属 Polygonatum

多花黄精
Polygonatum cyrtonema Hua

| 植物别名 | 姜状黄精。

| 药 材 名 | 黄精（药用部位：根茎）。

| 形态特征 | 根茎肥厚，通常连珠状或结节成块，少有近圆柱形，直径 1 ~ 2 cm。茎高 50 ~ 100 cm，通常具 10 ~ 15 叶。叶互生，椭圆形、卵状披针形至矩圆状披针形，少有稍作镰状弯曲，长 10 ~ 18 cm，宽 2 ~ 7 cm，先端尖至渐尖。花序具 2 ~ 7 花，伞形，总花梗长 1 ~ 4 cm，花梗长 0.5 ~ 1.5 cm；苞片微小，位于花梗中部以下，或不存在；花被黄绿色，全长 18 ~ 25 mm，裂片长约 3 mm；花丝长 3 ~ 4 mm，两侧扁或稍扁，具乳头状突起至具短绵毛，先端稍膨大至具囊状突起，花药长 3.5 ~ 4 mm；子房长 3 ~ 6 mm，花柱长 12 ~ 15 mm。

浆果黑色，直径约 1 cm，具 3 ～ 9 种子。花期 5 ～ 6 月，果期 8 ～ 10 月。

| 生境分布 | 生于海拔 500 ～ 2 100 m 的生林下、灌丛或山坡阴处。分布于河北兴隆等。

| 资源情况 | 野生资源丰富，栽培资源丰富。药材主要来源于栽培。

| 采收加工 | 春、秋季采挖，除去须根，洗净，置沸水中略烫或蒸至透心，干燥。

| 药材性状 | 本品按形状不同，习称"大黄精""鸡头黄精""姜形黄精"。
大黄精：本品呈肥厚肉质的结节块状，结节长可达 10 cm 以上，宽 3 ～ 6 cm，厚 2 ～ 3 cm。表面淡黄色至黄棕色，具环节，有皱纹及须根痕，结节上侧茎痕呈圆盘状，圆周凹入，中部凸出。质硬而韧，不易折断，断面角质，淡黄色至黄棕色。气微，味甜，嚼之有黏性。
鸡头黄精：本品呈结节状弯柱形，长 3 ～ 10 cm，直径 0.5 ～ 1.5 cm。结节长 2 ～ 4 cm，略呈圆锥形，常有分枝。表面黄白色或灰黄色，半透明，有纵皱纹，茎痕圆形，直径 5 ～ 8 mm。
姜形黄精：本品呈长条结节块状，长短不等，常数个块状结节相连。表面灰黄色或黄褐色，粗糙，结节上侧有凸出的圆盘状茎痕，直径 0.8 ～ 1.5 cm。

| 功能主治 | 甘，平。归脾、肺、肾经。补气养阴，健脾，润肺，益肾。用于脾胃虚弱，体倦乏力，口干食少，肺虚燥咳，精血不足，内热消渴。

| 用法用量 | 内服煎汤，10 ～ 15 g，鲜品 30 ～ 60 g；或入丸、散、膏剂。外用适量，熬膏涂；或浸酒搽。

百合科 Liliaceae 黄精属 Polygonatum

黄精
Polygonatum sibiricum Delar. ex Redoute

| 植物别名 |

笔管菜、鸡头黄精、黄鸡菜。

| 药 材 名 |

黄精（药用部位：根茎。别名：鸡头黄精）。

| 形态特征 |

根茎圆柱状，由于结节膨大，因此"节间"一头粗、一头细，在粗的一头有短分枝，直径 1 ~ 2 cm。茎高 50 ~ 90 cm，或可达 1 m 以上，有时呈攀缘状。叶轮生，每轮 4 ~ 6，条状披针形，先端拳卷或弯曲成钩。花序通常具 2 ~ 4 花，似呈伞状，总花梗长 1 ~ 2 cm，花梗长 2.5 ~ 10 mm，俯垂；苞片位于花梗基部，膜质，钻形或条状披针形，长 3 ~ 5 mm，具 1 脉；花被乳白色至淡黄色，全长 9 ~ 12 mm，花被筒中部稍缢缩，裂片长约 4 mm；花丝长 0.5 ~ 1 mm，花药长 2 ~ 3 mm；子房长约 3 mm，花柱长 5 ~ 7 mm。浆果直径 7 ~ 10 mm，黑色，具 4 ~ 7 种子。花期 5 ~ 6 月，果期 8 ~ 9 月。

| 生境分布 |

生于海拔 800 ~ 2 800 m 的林下、灌丛或山坡阴处。分布于河北隆化、滦平、内丘等。

| 资源情况 | 野生资源丰富。药材主要来源于野生。

| 采收加工 | 春、秋季采挖，除去须根，洗净，置沸水中略烫或蒸至透心，干燥。

| 药材性状 | 按形状不同，习称"大黄精""鸡头黄精""姜形黄精"。

大黄精：本品呈肥厚肉质的结节块状，结节长可达 10 cm 以上，宽 3 ~ 6 cm，厚 2 ~ 3 cm。表面淡黄色至黄棕色，具环节，有皱纹及须根痕，结节上侧茎痕呈圆盘状，圆周凹入，中部凸出。质硬而韧，不易折断，断面角质，淡黄色至黄棕色。气微，味甜，嚼之有黏性。

鸡头黄精：本品呈结节状弯柱形，长 3 ~ 10 cm，直径 0.5 ~ 1.5 cm。结节长 2 ~ 4 cm，略呈圆锥形，常有分枝。表面黄白色或灰黄色，半透明，有纵皱纹，茎痕圆形，直径 5 ~ 8 mm。

姜形黄精：本品呈长条结节块状，长短不等，常数个块状结节相连。表面灰黄色或黄褐色，粗糙，结节上侧有凸出的圆盘状茎痕，直径 0.8 ~ 1.5 cm。

| 功能主治 | 甘，平。归脾、肺、肾经。补气养阴，健脾，润肺，益肾。用于脾胃气虚，体倦乏力，胃阴不足，口干食少，肺虚燥咳，劳嗽咯血，精血不足，腰膝酸软，须发早白，内热消渴。

| 用法用量 | 内服煎汤，10 ~ 15 g，鲜品 30 ~ 60 g；或入丸、散、膏剂。外用适量，煎汤洗；或熬膏涂；或浸酒搽。

百合科 Liliaceae 黄精属 Polygonatum

玉竹
Polygonatum odoratum (Mill.) Druce

| 植物别名 | 地管子、尾参、铃铛菜。

| 药 材 名 | 玉竹（药用部位：根茎。别名：地节、女萎）。

| 形态特征 | 根茎圆柱形，直径 0.5 ~ 1.4 cm。茎高 20 ~ 50 cm，具 7 ~ 12 叶。叶互生，椭圆形至卵状矩圆形，长 5 ~ 12 cm，宽 3 ~ 16 cm，先端尖，下面带灰白色，下面脉上平滑至呈乳头状粗糙。花序具 1 ~ 4 花（在栽培情况下，可多至 8 花）；总花梗（单花时为花梗）长 1 ~ 1.5 cm，无苞片或有条状披针形苞片；花被黄绿色至白色，全长 13 ~ 20 mm，花被筒较直，裂片长 3 ~ 4 mm；花丝丝状，近平滑至具乳头状突起，花药长约 4 mm；子房长 3 ~ 4 mm，花柱长 10 ~ 14 mm。浆果蓝黑色，直径 7 ~ 10 mm，具 7 ~ 9 种子。花期 5 ~ 6 月，果期 7 ~ 9 月。

| **生境分布** | 生于海拔 500 ~ 3 000 m 的林下或山野阴坡。分布于河北内丘、平泉、平山、迁安等。 |

| **资源情况** | 野生资源一般，栽培资源丰富。药材来源于栽培。 |

| **采收加工** | 秋季采挖，除去须根，洗净，晒至柔软后，反复揉搓、晾晒至无硬心，晒干；或蒸透后，揉至半透明，晒干。 |

| **药材性状** | 本品呈长圆柱形，略扁，少有分枝，长 4 ~ 18 cm，直径 0.3 ~ 1.4 cm。表面黄白色或淡黄棕色，半透明，具纵皱纹和微隆起的环节，有白色圆点状的须根痕和圆盘状茎痕。质硬而脆或稍软，易折断，断面角质样或显颗粒性。气微，味甘，嚼之发黏。 |

| **功能主治** | 甘，微寒。归肺、胃经。养阴润燥，生津止渴。用于肺胃阴伤，燥热咳嗽，咽干口渴，内热消渴。 |

| **用法用量** | 内服煎汤，6 ~ 12 g；或入丸、散、膏、酒剂。外用适量，鲜品捣敷；或熬膏涂。 |

铃兰
Convallaria majalis L.

| **植物别名** | 草玉玲、糜子草、扫帚糜子。

| **药 材 名** | 铃兰（药用部位：全草或根。别名：香水花、鹿铃草、草寸香）。

| **形态特征** | 多年生草本；植株全部无毛，高 18 ~ 30 cm，常成片生长。叶椭圆形或卵状披针形，长 7 ~ 20 cm，宽 3 ~ 8.5 cm，先端近急尖，基部楔形；叶柄长 8 ~ 20 cm。花葶高 15 ~ 30 cm，稍外弯；苞片披针形，短于花梗；花梗长 6 ~ 15 mm，近先端有关节，果实成熟时从关节处脱落；花白色，长、宽各 5 ~ 7 mm；裂片卵状三角形，先端锐尖，有 1 脉；花丝稍短于花药，向基部扩大，花药近矩圆形；花柱柱状，长 2.5 ~ 3 mm。浆果直径 6 ~ 12 mm，成熟后红色，稍下垂；种子扁圆形或双凸状，表面有细网纹，直径约 3 mm。花期 5 ~ 6 月，果期 7 ~ 9 月。

| **生境分布** | 生于海拔 850 ~ 2 500 m 的山地阴坡林下潮湿处或沟边。分布于河北涉县、赤城、丰宁等。 |

| **资源情况** | 野生资源丰富。药材主要来源于野生。 |

| **采收加工** | 5 ~ 7 月采收全草，7 ~ 8 月挖根，晒干。 |

| **药材性状** | 本品全草长 10 ~ 30 cm。根茎细长，匍匐状，具多数肉质须根。叶通常 2，完整叶片椭圆形或椭圆状披针形，长 7 ~ 20 cm，宽 3 ~ 8 cm，全缘，先端急尖，基部楔形，叶脉平行弧形；叶柄长 8 ~ 20 cm，稍呈鞘状。总状花序，偏向一侧，花约 10，白色，下垂，有香气。 |

| **功能主治** | 甘、苦，温；有毒。温阳利水，活血祛风。用于充血性心力衰竭，风湿性心脏病，阵发性心动过速，浮肿。 |

| **用法用量** | 内服煎汤，3 ~ 6 g；或研末，每次 0.3 ~ 0.6 g。外用适量，煎汤洗；或烧灰研末调敷；或制成酊剂、注射剂。 |

百合科 Liliaceae 绵枣儿属 Barnardia

绵枣儿
Barnardia japonica (Thunberg) Schultes & J. H. Schultes

药材名

绵枣儿（药用部位：全草或鳞茎）。

形态特征

鳞茎卵形或近球形，高 2 ~ 5 cm，宽 1 ~ 3 cm，鳞茎皮黑褐色。基生叶通常 2 ~ 5，狭带状，长 15 ~ 40 cm，宽 2 ~ 9 mm，柔软。花葶通常比叶长；总状花序长 2 ~ 20 cm，具多数花；花紫红色、粉红色至白色，小，直径 4 ~ 5 mm，在花梗先端脱落；花梗长 5 ~ 12 mm，基部有 1 ~ 2 较小的、狭披针形苞片；花被片近椭圆形、倒卵形或狭椭圆形，长 2.5 ~ 4 mm，宽约 1.2 mm，基部稍合生成盘状，先端钝且增厚；雄蕊生于花被片基部，稍短于花被片；花丝近披针形，边缘和背面常多少具小乳突，基部稍合生，中部以上骤然变窄，变窄部分长约 1 mm；子房长 1.5 ~ 2 mm，基部有短柄，表面多少有小乳突，3 室，每室 1 胚珠，花柱长为子房的 1/2 ~ 2/3。果实近倒卵形，长 3 ~ 6 mm，宽 2 ~ 4 mm；种子 1 ~ 3，黑色，矩圆状狭倒卵形，长 2.5 ~ 5 mm。花果期 7 ~ 11 月。

| 生境分布 | 生于海拔 2 600 m 以下的山坡、草地、路旁或林缘。分布于河北昌黎、磁县、抚宁等。

| 资源情况 | 野生资源丰富。药材来源于野生。

| 采收加工 | 6 ~ 7 月采收，洗净，鲜用或晒干。

| 功能主治 | 活血止痛，解毒消肿，强心利尿。用于跌打损伤，筋骨疼痛，疮痈肿痛，乳痈，心脏病水肿。

| 用法用量 | 内服煎汤，3 ~ 9 g。外用适量，捣敷。

| 附　注 | 白绿绵枣儿（变种）*Scilla scilloides* var. *albo-viridis* (Hand-Mzt.) Wang et Y. C. Tang 与本种的主要区别在于前者子房每室具 2 胚珠，花丝背面和边缘通常近于无小乳突。

百合科 Liliaceae 山麦冬属 *Liriope*

山麦冬
Liriope spicata (Thunb.) Lour.

| 植物别名 | 麦门冬、土麦冬。

| 药材名 | 土麦冬（药用部位：块根）。

| 形态特征 | 植株有时丛生。根稍粗，直径 1 ~ 2 mm，有时分枝多，近末端处常膨大成矩圆形、椭圆形或纺锤形的肉质小块根；根茎短，木质，具地下走茎。叶长 25 ~ 60 cm，宽 4 ~ 6（~ 8）mm，先端急尖或钝，基部常包以褐色的叶鞘，上面深绿色，背面粉绿色，具 5 脉，中脉较明显，边缘具细锯齿。花葶通常长于或几等长于叶，少数稍短于叶，长 25 ~ 65 cm；总状花序长 6 ~ 15（~ 20）cm，具多数花；花通常（2 ~）3 ~ 5 簇生于苞片腋内；苞片小，披针形，最下面的长 4 ~ 5 mm，干膜质；花梗长约 4 mm，关节位于中部以上或近先端；花被片矩圆形、矩圆状披针形，长 4 ~ 5 mm，先端钝圆，淡紫色

或淡蓝色；花丝长约 2 mm，花药狭矩圆形，长约 2 mm；子房近球形，花柱长约 2 mm，稍弯，柱头不明显。种子近球形，直径约 5 mm。花期 5 ~ 7 月，果期 8 ~ 10 月。

| **生境分布** | 生于海拔 50 ~ 1 400 m 的山坡、山谷林下、路旁或湿地。分布于河北井陉等。

| **资源情况** | 野生资源丰富。药材来源于野生。

| **采收加工** | 夏季采挖，洗净，反复曝晒、堆置，至七八成干，除去须根，干燥。

| **药材性状** | 本品呈纺锤形，有的略弯曲，两端狭尖，中部略粗，长（1.5 ~ ）2 ~ 5 cm，直径 0.3 ~ 0.5 cm。表面淡黄色或黄棕色，具粗糙的纵皱纹。质柔韧，木心较粗，味较淡。

| **功能主治** | 甘、微苦，微寒。归心、肺、胃经。养阴润肺，清心除烦，益胃生津。用于肺燥干咳，咽干口燥，心烦失眠，消渴，热病伤津，便秘。

| **用法用量** | 内服煎汤，10 ~ 15 g。

| **附　　注** | 本种有些性状变异幅度比较大，如叶的长短、宽狭、总状花序的长短等；但花的特征比较稳定，可作为鉴别时的主要依据。

百合科 Liliaceae 天门冬属 Asparagus

龙须菜
Asparagus schoberioides Kunth

| 植物别名 | 雉隐天冬。

| 药 材 名 | 江蓠（药用部位：藻体。别名：海菜、海面线、粉菜）。

| 形态特征 | 直立草本，高可达 1 m。根细长，直径 2 ~ 3 mm。茎上部和分枝具纵棱，分枝有时有极狭的翅。叶状枝通常每 3 ~ 4 成簇，窄条形，镰状，基部近锐三棱形，上部扁平，长 1 ~ 4 cm，宽 0.7 ~ 1 mm；鳞片状叶近披针形，基部无刺。花每 2 ~ 4 腋生，黄绿色；花梗很短，长 0.5 ~ 1 mm；雄花花被长 2 ~ 2.5 mm，雄蕊的花丝不贴生于花被片上；雌花和雄花近等大。浆果直径约 6 mm，成熟时红色，通常有 1 ~ 2 种子。花期 5 ~ 6 月，果期 8 ~ 9 月。

| **生境分布** | 生于海拔 400 ~ 2 300 m 的草坡或林下。分布于河北青龙、武安、易县等。

| **资源情况** | 野生资源一般，栽培资源丰富。药材来源于栽培。

| **采收加工** | 全年均可采收，夏、秋季为多，洗净，鲜用或晒干。

| **药材性状** | 本品分枝多，单一细长，直径约 2 mm，有多数短的小育枝。固着盘较大，红色。

| **功能主治** | 甘、咸，寒。清热，化痰软坚，利水。用于内热，痰结瘿瘤，小便不利。

| **用法用量** | 内服煎汤，9 ~ 15 g。

百合科 Liliaceae 天门冬属 Asparagus

曲枝天门冬
Asparagus trichophyllus Bunge

| 形态特征 |　草本，近直立，高 60 ~ 100 cm。根较细，直径 2 ~ 3 mm。茎平滑，中部至上部强烈迴折状，有时上部疏生软骨质齿；分枝先下弯而后上升，靠近基部这一段形成强烈弧曲，有时近半圆形，上部迴折状，小枝多少具软骨质齿。叶状枝通常每 5 ~ 8 成簇，刚毛状，略有 4 ~ 5 棱，稍弧曲，长 7 ~ 18 mm，直径 0.2 ~ 0.4 mm，通常稍伏贴于小枝上，有时稍具软骨质齿；茎上的鳞片状叶基部有长 1 ~ 3 mm 的刺状距，极少成为硬刺，分枝上的距不明显。花每 2 腋生，绿黄色而稍带紫色；花梗长 12 ~ 16 mm，关节位于近中部；雄花花被长 6 ~ 8 mm，花丝中部以下贴生于花被片上；雌花较小，花被长 2.5 ~ 3.5 mm。浆果直径 6 ~ 7 mm，成熟时红色，有 3 ~ 5 种子。花期 5 月，果期 7 月。

| **生境分布** | 生于海拔 2 100 m 以下的山地、路旁、田边或荒地上。分布于河北武安、邢台、涿鹿等。 |

| **资源情况** | 野生资源丰富。药材来源于野生。 |

| **采收加工** | 春、秋季采收，除去泥土，晒干。 |

| **功能主治** | 祛风除湿。用于风湿性腰腿疼，局部性浮肿；外用于瘙痒性、渗出性皮肤病，各种疮疖红肿。 |

| **用法用量** | 内服煎汤，9 ~ 12 g。外用适量，捣敷。 |

| **附　注** | 本种分枝近基部一段形成强烈的弧曲，易与本属其他国产种类相区别。 |

百合科 Liliaceae 天门冬属 Asparagus

石刁柏
Asparagus officinalis L.

植物别名

露笋。

药材名

石刁柏（药用部位：茎。别名：芦笋）、小百部（药用部位：块根。别名：门冬薯、细叶百部）、石刁柏子（药用部位：种子）。

形态特征

直立草本，高可达 1 m。根直径 2 ~ 3 mm。茎平滑，上部在后期常俯垂，分枝较柔弱。叶状枝每 3 ~ 6 成簇，近扁的圆柱形，略有钝棱，纤细，常稍弧曲，长 5 ~ 30 mm，直径 0.3 ~ 0.5 mm；鳞片状叶基部有刺状短距或近无距。花每 1 ~ 4 腋生，绿黄色；花梗长 8 ~ 12（~ 14）mm，关节位于上部或近中部；雄花花被长 5 ~ 6 mm，花丝中部以下贴生于花被片上；雌花较小，花被长约 3 mm。浆果直径 7 ~ 8 mm，成熟时红色，有 2 ~ 3 种子。花期 5 ~ 6 月，果期 9 ~ 10 月。

生境分布

生于砂质河滩、河岸、草坡或林下。分布于河北省灵寿、平山、迁安等。

| **资源情况** | 野生资源稀少。药材主要来源于野生。

| **采收加工** | 石刁柏：4、5 月间采收嫩茎，随即采取保鲜措施，防止日晒、脱水。

小百部：秋季采挖，鲜用或切片，晒干。

石刁柏子：秋季种子成熟时采收，洗净，晒干。

| **药材性状** | 石刁柏：本品略呈长圆条形，长 10 ～ 20 cm，直径约 1 cm，常扭曲而干瘪。表面黄白色或略呈浅绿色，有不规则纵沟纹，节处具抱茎的退化成披针形至卵状披针形的膜质鳞片，节间长 1 ～ 4 cm。质脆，易折断。断面黄白色，维管束散生，导管孔明显。气微，味微甘。

小百部：本品数个或数十个成簇或单个散在。长圆柱形或长圆锥形，长 10 ～ 25 cm，直径约 8 mm，表面黄白色或土黄色，有不规则纵皱纹，上端略膨大，少数残留茎基。质柔韧，断面淡棕色，中柱类白色。气微，味微甘、苦。

石刁柏子：本品近球形、扁圆形或椭圆形。黑色，有光泽，直径约 4 mm，合点呈点状，种脐周围的种皮稍有皱纹。

| **功能主治** | 石刁柏：微甘，平。清热利湿，活血散结。用于肝炎，银屑病，高脂血症，淋巴肉瘤，膀胱癌，乳腺癌，皮肤癌。

小百部：微甘，平。清肺，止咳，杀虫。用于风寒咳嗽，百日咳，肺结核，老年咳喘，疳虫，疥癣。

石刁柏子：微甘，平。通利小便，溶石排石，通阻除黄，通利经水，填精壮阳。

| **用法用量** | 石刁柏：内服煎汤，15 ～ 30 g。

小百部：内服煎汤，6 ～ 9 g，或入丸、散剂。外用适量，煎汤熏洗；或捣汁涂。

石刁柏子：内服煎汤，3 ～ 5 g。外用适量，煎汤熏洗；或捣汁涂。

百合科 Liliaceae 天门冬属 *Asparagus*

天冬 *Asparagus cochinchinensis* (Lour.) Merr.

| 植物别名 | 万年青、天冬、密叶天门冬。

| 药 材 名 | 天冬（药用部位：块根）。

| 形态特征 | 攀缘植物。根在中部或近末端成纺锤状膨大，膨大部分长 3 ~ 5 cm，直径 1 ~ 2 cm。茎平滑，常弯曲或扭曲，长可达 1 ~ 2 m，分枝具棱或狭翅。叶状枝通常每 3 成簇，扁平或由于中脉龙骨状而略呈锐三棱形，稍镰状，长 0.5 ~ 8 cm，宽 1 ~ 2 mm；茎上的鳞片状叶基部延伸为长 2.5 ~ 3.5 mm 的硬刺，在分枝上的刺较短或不明显。花通常每 2 腋生，淡绿色；花梗长 2 ~ 6 mm，关节一般位于中部，有时位置有变化；雄花花被长 2.5 ~ 3 mm，花丝不贴生于花被片上；雌花大小和雄花相似。浆果直径 6 ~ 7 mm，成熟时红色，有 1 种子。花期 5 ~ 6 月，果期 8 ~ 10 月。

| **生境分布** | 生于海拔 1 750 m 以下的山坡、路旁、疏林下、山谷或荒地上。分布于河北内丘、迁安、蔚县等。

| **资源情况** | 野生资源一般，栽培资源丰富。药材主要来源于栽培。

| **采收加工** | 秋、冬季采挖，洗净，除去茎基和须根，置沸水中煮或蒸至透心，趁热除去外皮，洗净，干燥。

| **药材性状** | 本品呈长纺锤形，略弯曲，长 5 ~ 18 cm，直径 0.5 ~ 2 cm。表面黄白色至淡黄棕色，半透明，光滑或具深浅不等的纵皱纹，偶有残存的灰棕色外皮。质硬或柔润，有黏性，断面角质样，中柱黄白色。气微，味甜、微苦。

| **功能主治** | 甘、苦，寒。归肺、肾经。养阴润燥，清肺生津。用于肺燥干咳，顿咳痰黏，咽干口渴，肠燥便秘。

| **用法用量** | 内服煎汤，6 ~ 12 g。

百合科 Liliaceae 舞鹤草属 Maianthemum

鹿药

Maianthemum japonicum (A. Gray) LaFrankie

| 药 材 名 | 鹿药（药用部位：根及根茎。别名：偏头七、螃蟹七、白窝儿七）。

| 形态特征 | 植株高 30 ~ 60 cm。根茎横走，多少圆柱状，直径 6 ~ 10 mm，有时具膨大结节。茎中部以上或仅上部具粗伏毛，具 4 ~ 9 叶。叶纸质，卵状椭圆形、椭圆形或矩圆形，长 6 ~ 13（~ 15）cm，宽 3 ~ 7 cm，先端近短渐尖，两面疏生粗毛或近无毛，具短柄。圆锥花序长 3 ~ 6 cm，有毛，具 10 ~ 20 余花；花单生，白色；花梗长 2 ~ 6 mm；花被片分离或仅基部稍合生，矩圆形或矩圆状倒卵形，长约 3 mm；雄蕊长 2 ~ 2.5 mm，基部贴生于花被片上，花药小；花柱长 0.5 ~ 1 mm，与子房近等长，柱头几不裂。浆果近球形，直径 5 ~ 6 mm，成熟时红色，具 1 ~ 2 种子。花期 5 ~ 6 月，果期 8 ~ 9 月。

| **生境分布** | 生于海拔 900 ～ 1 950 m 的林下阴湿处或岩缝中。分布于河北赤城、阜平、灵寿等。

| **资源状况** | 野生资源一般，栽培资源丰富。药材主要来源于栽培。

| **采收加工** | 春、秋季采挖，洗净，鲜用或晒干。

| **药材性状** | 本品干燥根茎略呈结节状，稍扁，长 6 ～ 15 cm，直径 0.5 ～ 1 cm。表面棕色至棕褐色，具皱纹，先端有 1 至数个茎基或芽基，周围密生多数须根。质较硬，断面白色，粉性。气微，味甜。

| **功能主治** | 甘、苦，温。归肝、肾经。补肾壮阳，活血祛瘀，祛风止痛。用于肾虚，阳痿，月经不调，偏、正头痛，风湿痹痛，痈肿疮毒，跌打损伤。

| **用法用量** | 内服煎汤，6 ～ 15 g；或浸酒。外用适量，捣敷；或加热熨。

舞鹤草 *Maianthemum bifolium* (L.) F. W. Schmidt

| 药 材 名 | 二叶舞鹤草（药用部位：全草）。

| 形态特征 | 根茎细长，有时分叉，长可达 20 cm 或更长，直径 1 ~ 2 mm，节上有少数根，节间长 1 ~ 3 cm。茎高 8 ~ 20（~ 25）cm，无毛或散生柔毛。基生叶有长达 10 cm 的叶柄，到花期已凋萎；茎生叶通常 2，极少 3，互生于茎的上部，三角状卵形，长 3 ~ 8（~ 10）cm，宽 2 ~ 5（~ 9）cm，先端急尖至渐尖，基部心形，弯缺张开，下面脉上有柔毛或散生微柔毛，边缘有细小的锯齿状乳突或具柔毛；叶柄长 1 ~ 2 cm，常有柔毛。总状花序直立，长 3 ~ 5 cm，有 10 ~ 25 花；花序轴有柔毛或乳头状突起；花白色，直径 3 ~ 4 mm，单生或成对；花梗细，长约 5 mm，先端有关节；花被片矩圆形，长 2 ~ 2.5 mm，有 1 脉；花丝短于花被片，花药卵形，长约 0.5 mm，

黄白色；子房球形，花柱长约1 mm。浆果直径3～6 mm；种子卵圆形，直径2～3 mm，种皮黄色，有颗粒状皱纹。花期5～7月，果期8～9月。

| **生境分布** | 生于高山阴坡林下。分布于河北丰宁、怀安、滦平等。

| **资源情况** | 野生资源丰富。药材主要来源于野生。

| **采收加工** | 7～8月采收，洗净，晒干或鲜用。

| **功能主治** | 酸，微寒。凉血止血，清热解毒。用于吐血，尿血，月经过多，外伤出血，疮痈肿痛。

| **用法用量** | 内服煎汤，15～30 g。外用适量，研末撒；或捣敷。

百合科 Liliaceae 萱草属 *Hemerocallis*

北黄花菜
Hemerocallis lilioasphodelus L.

| 药 材 名 | 萱草根（药用部位：根。别名：漏芦果、漏芦根果、黄花菜根）、萱草嫩苗（药用部位：嫩苗）。

| 形态特征 | 根大小变化较大，但一般稍肉质，多少绳索状，直径 2 ～ 4 mm。叶长 20 ～ 70 cm，宽 3 ～ 12 mm。花葶长于或稍短于叶；花序分枝，常为假二歧状的总状花序或圆锥花序，具 4 至多花；苞片披针形，在花序基部的长可达 3 ～ 6 cm，上部的长 0.5 ～ 3 cm，宽 3 ～ 5（～ 7）mm；花梗明显，长短不一，一般长 1 ～ 2 cm；花被淡黄色，花被管一般长 1.5 ～ 2.5 cm，不超过 3 cm；花被裂片长 5 ～ 7 cm，内 3 片宽约 1.5 cm。蒴果椭圆形，长约 2 cm，宽约 1.5 cm 或更宽。花果期 6 ～ 9 月。

| **生境分布** | 生于海拔 500 ~ 2 300 m 的草甸、湿草地、荒山坡或灌丛下。分布于河北灵寿、青龙、兴隆等。 |

| **资源情况** | 野生资源一般，栽培资源丰富。药材主要来源于栽培。 |

| **采收加工** | 萱草根：夏、秋季采挖，除去残茎、须根，洗净泥土，晒干。
萱草嫩苗：春季采收，鲜用。 |

| **药材性状** | 萱草根：本品根茎较短，根较细而多，长 5 ~ 15 cm，直径 2 ~ 3 mm，末端尖细，表面灰棕色或灰黄棕色，具细密横纹，偶见末端膨大成纺锤状小块根。具韧性，难折断，断面灰白色。 |

| **功能主治** | 萱草根：甘，凉；有毒。归脾、肝、膀胱经。清热利湿，凉血止血，解毒消肿。用于黄疸，水肿，淋浊，带下，衄血，便血，崩漏，乳痈，乳汁不通。
萱草嫩苗：甘，凉。清热利湿。用于胸膈烦热，黄疸，小便短赤。 |

| **用法用量** | 萱草根：内服煎汤，6 ~ 9 g。外用适量，捣敷。
萱草嫩苗：内服煎汤，15 ~ 30 g。外用适量，捣敷。 |

百合科 Liliaceae 萱草属 Hemerocallis

大苞萱草
Hemerocallis middendorffii Trautvetter & C. A. Meyer

| 药 材 名 | 野金针菜根（药用部位：根及根茎。别名：藜芦）。

| 形态特征 | 根多少呈绳索状，直径 1.5 ~ 3 mm。叶长 50 ~ 80 cm，通常宽 1 ~ 2 cm，柔软，上部下弯。花葶与叶近等长，不分枝，在先端聚生 2 ~ 6 花；苞片宽卵形，宽 1 ~ 2.5 cm，先端长渐尖至近尾状，长 1.8 ~ 4 cm；花近簇生，具很短的花梗；花被金黄色或橘黄色；花被管长 1 ~ 1.7 cm，1/3 ~ 2/3 为苞片所包（最上部的花除外），花被裂片长 6 ~ 7.5 cm，内 3 片宽 1.5 ~ 2.5 cm。蒴果椭圆形，稍有 3 钝棱，长约 2 cm。花果期 6 ~ 10 月。

| 生境分布 | 生于海拔较低的林下、湿地、草甸或草地上。分布于河北滦平、平泉等。

| 资源情况 | 野生资源一般，栽培资源丰富。药材主要来源于栽培。

| 采收加工 | 秋季采挖，除去泥土及地上部分，晒干，或沸水略烫后晒干。

| 药材性状 | 本品根茎呈圆柱形，长 1 ~ 2 cm，直径约 1 cm，外表面灰棕色或棕褐色，先端常具纤维状或片状叶柄残基，四周簇生有数至十数条乃至更多的根。根圆柱状，多干瘪皱缩或卷曲，长 6 ~ 10 cm，直径 2 ~ 3 mm，外表面灰褐色或棕褐色，具不规则纵皱或横向皱襞。体轻，质实，断面棕色，具孔隙。气微，味微苦、涩。

| 功能主治 | 苦、辛，寒；有毒。祛风痰，杀虫。用于风痰壅盛，缠喉风，疥癣。

| 用法用量 | 内服煎汤，1.5 ~ 3 g。

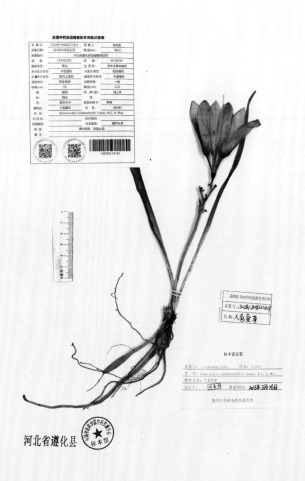

百合科 Liliaceae 萱草属 Hemerocallis

黄花菜
Hemerocallis citrina Baroni

| **植物别名** | 金针菜、柠檬萱草、金针花。

| **药 材 名** | 金针菜（药用部位：花蕾。别名：萱草花、川草花、宜男花）、萱草根（药用部位：根。别名：漏芦果、漏芦根果、黄花菜根）、萱草嫩苗（药用部位：嫩苗）。

| **形态特征** | 植株一般较高大。根近肉质，中下部常有纺锤状膨大。叶7~20，长50~130 cm，宽6~25 mm。花葶长短不一，一般稍长于叶，基部三棱形，上部多少圆柱形，有分枝；苞片披针形，下面的长可达3~10 cm，自下向上渐短，宽3~6 mm；花梗较短，通常长不到1 cm；花多朵，可超过100；花被淡黄色，有时在花蕾时先端带黑紫色；花被管长3~5 cm，花被裂片长7~12 cm，内3片宽

2～3 cm。蒴果钝三棱状椭圆形，长3～5 cm；种子约20，黑色，有棱，从开花至种子成熟需40～60天。花果期5～9月。

| **生境分布** | 生于海拔2 000 m以下的山坡、山谷、荒地或林缘。分布于河北昌黎、武安、张北等。

| **资源情况** | 野生资源一般，栽培资源丰富。药材主要来源于栽培。

| **采收加工** | 金针菜：5～8月花将开时采收，蒸后晒干。
萱草根：夏、秋季采挖，除去残茎、须根，洗净泥土，晒干。
萱草嫩苗：春季采收，鲜用。

| **药材性状** | 金针菜：本品花呈弯曲的条状，表面黄棕色或淡棕色，湿润展开后呈喇叭状，花被管较长，先端5瓣裂，雄蕊6，质韧。有的花基部具细而硬的花梗。气微香，味鲜、微甜。
萱草根：本品根茎类圆柱形，长1～4 cm，直径1～1.5 cm。根多数，长5～20（～30）cm，直径3～4 mm，有的根中下部稍膨大，呈棍棒状或略呈纺锤状。

| **功能主治** | 金针菜：甘，凉。清热利湿，宽胸解郁，凉血解毒。用于小便短赤，黄疸，胸闷心烦，少寐，痔疮便血，疮痈。
萱草根：甘，凉；有毒。归脾、肝、膀胱经。清热利湿，凉血止血，解毒消肿。用于黄疸，水肿，淋浊，带下，衄血，便血，崩漏，乳痈，乳汁不通。
萱草嫩苗：甘，凉。清热利湿。用于胸膈烦热，黄疸，小便短赤。

| **用法用量** | 金针菜：内服煎汤，15～30 g；或煮、炒菜。外用适量，鲜品捣敷；或研末调蜜涂敷。
萱草根：内服煎汤，6～9 g。外用适量，捣敷。
萱草嫩苗：内服煎汤，15～30 g。外用适量，捣敷。

百合科 Liliaceae 沿阶草属 Ophiopogon

麦冬

Ophiopogon japonicus (L. f.) Ker-Gawl.

植物别名

麦门冬、小麦冬、矮麦冬。

药材名

麦冬（药用部位：块根）。

形态特征

根较粗，中间或近末端常膨大成椭圆形或纺锤形的小块根；小块根长 1 ~ 1.5 cm，或更长些，宽 5 ~ 10 mm，淡褐黄色。地下走茎细长，直径 1 ~ 2 mm，节上具膜质的鞘；茎很短。叶基生成丛，禾叶状，长 10 ~ 50 cm，少数更长些，宽 1.5 ~ 3.5 mm，具 3 ~ 7 脉，边缘具细锯齿。花葶长 6 ~ 15（~ 27）cm，通常比叶短得多；总状花序长 2 ~ 5 cm，或有时更长些，具几至十几朵花；花单生或成对着生于苞片腋内；苞片披针形，先端渐尖，最下面的长可达 7 ~ 8 mm；花梗长 3 ~ 4 mm，关节位于中部以上或近中部；花被片常稍下垂而不展开，披针形，长约 5 mm，白色或淡紫色；花药三角状披针形，长 2.5 ~ 3 mm；花柱长约 4 mm，较粗，宽约 1 mm，基部宽阔，向上渐狭。种子球形，直径 7 ~ 8 mm。花期 5 ~ 8 月，果期 8 ~ 9 月。

生境分布	生于海拔 2 000 m 以下的山坡阴湿处、林下或溪旁。分布于河北内丘、邢台等。
资源情况	野生资源一般，栽培资源丰富。药材主要来源于栽培。
采收加工	夏季采挖，洗净，反复曝晒、堆置至七八成干，除去须根，干燥。
药材性状	本品呈纺锤形，两端略尖，长 1.5 ~ 3 cm，直径 0.3 ~ 0.6 cm。表面淡黄色或灰黄色，有细纵纹。质柔韧，断面黄白色，半透明，中柱细小。气微香，味甘、微苦。
功能主治	甘、微苦，微寒。归心、肺、胃经。养阴生津，润肺清心。用于肺燥干咳，阴虚劳嗽，喉痹咽痛，津伤口渴，内热消渴，心烦失眠，肠燥便秘。
用法用量	内服煎汤，6 ~ 12 g。
附 注	本种植物体态变化较大，例如叶丛的密疏、叶的宽狭长短等有时有明显的不同；但其花的构造变化不大，尤其花被片在花盛开时仅稍张开，花柱基部宽阔，一般稍粗而短，略呈圆锥形等性状很一致，可作为鉴别本种的主要特征。

百合科 Liliaceae 油点草属 *Tricyrtis*

黄花油点草 *Tricyrtis pilosa* Wallich

| 药 材 名 | 黑点草（药用部位：全草或根。立竹根、黄瓜菜、山黄瓜）。

| 形态特征 | 植株高可达 1 m。茎上部疏生或密生短的糙毛。叶卵状椭圆形、矩圆形至矩圆状披针形，长（6～）8～16（～19）cm，宽（4～）6～9（～10）cm，先端渐尖或急尖，两面疏生短糙伏毛，基部心形抱茎或圆形而近无柄，边缘具短糙毛。二歧聚伞花序顶生或生于上部叶腋，花序轴和花梗生有淡褐色短糙毛，并间生有细腺毛；花梗长 1.4～2.5（～3）cm；苞片很小；花疏散；花被片通常黄绿色，内面具多数紫红色斑点，卵状椭圆形至披针形，长 1.5～2 cm，花被片向上斜展或近水平伸展，但决不向下反折，外轮 3 片较内轮为宽，在基部向下延伸成囊状；雄蕊与花被片近等长，花丝中上部向外弯垂，具紫色斑点；柱头稍高出雄蕊或有时近等高，3 裂，裂片长

1 ~ 1.5 cm，每裂片上端又 2 深裂，小裂片长约 5 mm，密生腺毛。蒴果直立，长 2 ~ 3 cm。花果期 7 ~ 9 月。

| **生境分布** | 生于海拔 280 ~ 2 300 m 的山坡林下、路旁等。分布于河北灵寿、滦平、兴隆等。

| **资源情况** | 野生资源一般。药材主要来源于野生。

| **采收加工** | 夏、秋季采收，洗净，捆成把晒干或鲜用。

| **功能主治** | 甘、淡，平。清热除烦，活血消肿。用于胃热口渴，烦躁不安，劳伤，水肿。

| **用法用量** | 内服煎汤，9 ~ 15 g；或用酒磨汁。

| **附　　注** | 本种花的颜色常有变化，由绿白色、淡黄色至近黄色，花被片内面的斑点由紫黑色点状小块地分布到紫褐色星散地分布，但均被认为都是同一个种。

玉簪
Hosta plantaginea (Lam.) Aschers.

| 药 材 名 | 玉簪花（药用部位：花。别名：内消花、白鹤花、白鹤仙）、玉簪（药用部位：全草或叶）、玉簪根（药用部位：根茎）。

| 形态特征 | 根茎粗厚，直径 1.5 ~ 3 cm。叶卵状心形、卵形或卵圆形，长 14 ~ 24 cm，宽 8 ~ 16 cm，先端近渐尖，基部心形，具 6 ~ 10 对侧脉；叶柄长 20 ~ 40 cm。花葶高 40 ~ 80 cm，具几至十几朵花；花的外苞片卵形或披针形，长 2.5 ~ 7 cm，宽 1 ~ 1.5 cm；内苞片很小；花单生或 2 ~ 3 簇生，长 10 ~ 13 cm，白色，芳香；花梗长约 1 cm；雄蕊与花被近等长或略短，基部 15 ~ 20 mm 贴生于花被管上。蒴果圆柱状，有 3 棱，长约 6 cm，直径约 1 cm。花果期 8 ~ 10 月。

| **生境分布** | 生于海拔 2 200 m 以下的林下、草坡或岩石边。分布于河北丰宁、滦平、内丘、邢台等。

| **资源情况** | 野生资源一般，栽培资源丰富。药材来源于栽培。

| **采收加工** | 玉簪花：7 ~ 8 月份花似开非开时采摘，晒干。

玉簪：夏、秋季采收，洗净，鲜用或晾干。

玉簪根：秋季采挖，除去茎叶、须根，洗净，鲜用或切片，晾干。

| **药材性状** | 玉簪花：本品多皱缩成条状，稍破碎，完整者长 8 ~ 12.5 cm。花被漏斗状，黄白色或褐色，6 裂，裂片椭圆形，先端渐尖，长 3.5 ~ 4 cm，宽约 1.2 cm。筒部细长，长 4 ~ 8 cm，直径 0.5 ~ 1 cm，喉部扩大。花丝 6，与花被等长，下部与花筒贴生，有的残存"丁"字形花药。花柱细长，超出雄蕊。子房上位，长 1 ~ 1.5 cm。质轻软。气微，味微苦。以色黄白、身长、个完整者为佳。

玉簪：本品根茎粗厚，直径 1.5 ~ 3 cm。叶卵状心形、卵形或卵圆形。花单生或 2 ~ 3 簇生，外苞片卵形或披针形，内苞片很小。

玉簪根：本品根状茎粗厚，直径 1.5 ~ 3 cm。

| **功能主治** | 玉簪花：苦、甘，凉；有小毒。清热解毒，利水，通经。用于咽喉肿痛，疮痈肿痛，小便不利，闭经。

玉簪：苦、辛，寒；有毒。清热解毒，散结消肿。用于乳痈，痈肿疮疡，毒蛇咬伤。

玉簪根：苦、辛，寒；有毒。归胃、肺、肝经。清热解毒，下骨鲠。用于痈肿疮疡，乳痈，咽喉肿痛，骨鲠。

| **用法用量** | 玉簪花：内服煎汤，3 ~ 6 g。外用适量，捣敷。

玉簪：内服煎汤，鲜品 15 ~ 30 g；或捣汁和酒。外用适量，捣敷；或捣汁涂。

玉簪根：内服煎汤，9 ~ 15 g，鲜品加倍；或捣汁。外用适量，捣敷。

百合科 Liliaceae 玉簪属 Hosta

紫萼

Hosta ventricosa (Salisb.) Stearn

| 植物别名 | 紫萼玉簪。

| 药 材 名 | 紫玉簪（药用部位：花。别名：紫鹤、鸡骨丹、红玉簪）、紫玉簪叶（药用部位：叶）、紫玉簪根（药用部位：根。别名：红玉簪花头）。

| 形态特征 | 根茎直径 0.3 ~ 1 cm。叶卵状心形、卵形至卵圆形，长 8 ~ 19 cm，宽 4 ~ 17 cm，先端通常近短尾状或骤尖，基部心形或近截形，极少叶片基部下延而略呈楔形，具 7 ~ 11 对侧脉；叶柄长 6 ~ 30 cm。花葶高 60 ~ 100 cm，具 10 ~ 30 花；苞片矩圆状披针形，长 1 ~ 2 cm，白色，膜质；花单生，长 4 ~ 5.8 cm，盛开时从花被管向上骤然作近漏斗状扩大，紫红色；花梗长 7 ~ 10 mm；雄蕊伸出花被之外，完全离生。蒴果圆柱状，有 3 棱，长 2.5 ~ 4.5 cm，直径 6 ~ 7 mm。花期 6 ~ 7 月，果期 7 ~ 9 月。

| 生境分布 | 生于海拔 500 ~ 2 400 m 的林下、草坡或路旁。分布于河北丰宁等。

| 资源情况 | 栽培资源丰富。药材主要来源于栽培。

| 采收加工 | **紫玉簪**：夏、秋间采收，晾干。
紫玉簪叶：夏、秋季采收，洗净，鲜用。
紫玉簪根：全年均可采挖，洗净，鲜用或晒干。

| 药材性状 | **紫玉簪**：本品多皱缩成条状，完整者长 3.5 ~ 5 cm，呈漏斗状，表面紫褐色或棕褐色；花丝 6，花丝基部与花被管分离。质软，易破碎。
紫玉簪叶：本品叶卵形，先端有锐尖，基部楔形，侧脉明显，多 7 对，叶柄细长。
紫玉簪根：本品根状茎直径 0.3 ~ 1 cm。

| 功能主治 | **紫玉簪**：甘、微苦，凉。凉血止血，解毒。用于吐血，崩漏，湿热带下，咽喉肿痛。
紫玉簪叶：苦、微甘，凉。凉血止血，解毒。用于崩漏，湿热带下，疮肿，溃疡。
紫玉簪根：苦、微辛，凉。清热解毒，散瘀止痛，止血，下骨鲠。用于咽喉肿痛，痈肿疮疡，跌打损伤，胃痛，牙痛，吐血，崩漏，骨鲠。

| 用法用量 | **紫玉簪**：内服煎汤，9 ~ 15 g。
紫玉簪叶：内服煎汤，9 ~ 15 g，鲜品加倍。外用适量，捣敷；或用沸水泡软敷。
紫玉簪根：内服煎汤，9 ~ 15 g，鲜品加倍；或捣汁。外用适量，捣敷。

百合科 Liliaceae 重楼属 Paris

北重楼

Paris verticillata M.-Bieb.

药材名

上天梯（药用部位：根茎。别名：定风筋、铜筷子、灯台七）。

形态特征

植株高 25 ～ 60 cm。根茎细长，直径 3 ～ 5 mm。茎绿白色，有时带紫色。叶（5 ～）6 ～ 8 轮生，披针形、狭矩圆形、倒披针形或倒卵状披针形，长（4 ～）7 ～ 15 cm，宽 1.5 ～ 3.5 cm，先端渐尖，基部楔形，具短柄或近无柄。花梗长 4.5 ～ 12 cm；外轮花被片绿色，极少带紫色，叶状，通常 4（～ 5），纸质，平展呈倒卵状披针形、矩圆状披针形或倒披针形，长 2 ～ 3.5 cm，宽（0.6 ～）1 ～ 3 cm，先端渐尖，基部圆形或宽楔形；内轮花被片黄绿色，条形，长 1 ～ 2 cm；花药长约 1 cm，花丝基部稍扁平，长 5 ～ 7 mm，药隔凸出部分长 6 ～ 8（～ 10）mm；子房近球形，紫褐色，先端无盘状花柱基，花柱具 4 ～ 5 分枝，分枝细长，并向外反卷，比不分枝部分长 2 ～ 3 倍。蒴果浆果状，不开裂，直径约 1 cm，具几颗种子。花期 5 ～ 6 月，果期 7 ～ 9 月。

| **生境分布** | 生于海拔 1 100 ～ 2 300 m 的山坡林下、草丛、阴湿地或沟边。分布于河北平泉、青龙、围场等。 |

| **资源情况** | 野生资源丰富。药材来源于野生。 |

| **采收加工** | 夏末、秋初采挖，除去茎叶及须根，洗净，鲜用或晒干。 |

| **药材性状** | 本品呈圆柱形，稍扁，略弯曲，长 5 ～ 10 cm，直径约 3 mm，表面棕黄色，具纵皱纹，有节，节上残留膜状鳞叶、须根或根痕。质坚脆，易折断，断面较平坦，白色至淡黄色，显粉性。气无，味微甘而后麻。 |

| **功能主治** | 苦，寒；有小毒。祛风利湿，清热定惊，解毒消肿。用于风湿痹痛，热病抽搐，咽喉肿痛，痈肿，瘰疬，毒蛇咬伤。 |

| **用法用量** | 内服煎汤，3 ～ 6 g；或入丸、散剂。外用适量，捣敷；或以醋磨汁涂。 |

石蒜科 Amaryllidaceae 葱属 Allium

葱
Allium fistulosum L.

| 植物别名 |

北葱。

| 药 材 名 |

葱白（药用部位：鳞茎）、葱花（药用部位：花）、葱叶（药用部位：叶）、葱实（药用部位：种子）、葱须（药用部位：须根）。

| 形态特征 |

鳞茎单生，圆柱状，稀为基部膨大的卵状圆柱形，直径 1 ~ 2 cm，有时可达 4.5 cm；鳞茎外皮白色，稀淡红褐色，膜质至薄革质，不破裂。叶圆筒状，中空，向先端渐狭，约与花葶等长，直径超过 0.5 cm。花葶圆柱状，中空，高 30 ~ 50（~ 100）cm，中部以下膨大，向先端渐狭，约在 1/3 以下被叶鞘；总苞膜质，2 裂；伞形花序球状，多花，较疏散；小花梗纤细，与花被片等长，或比花被片长 2 ~ 3 倍，基部无小苞片；花白色；花被片长 6 ~ 8.5 mm，近卵形，先端渐尖，具反折的尖头，外轮的稍短；花丝为花被片长的 1.5 ~ 2 倍，锥形，在基部合生并与花被片贴生；子房倒卵状，腹缝线基部具不明显的蜜穴；花柱细长，伸出花被外。花果期 4 ~ 7 月。

| 生境分布 | 栽培种。分布于河北磁县、阜平、宽城等。

| 资源情况 | 栽培资源丰富。药材来源于栽培。

| 采收加工 | 葱白：夏、秋季采挖，除去须根、叶及外膜，鲜用。
葱花：7 ~ 9 月花开时采收，阴干。
葱叶：全年均可采收，鲜用或晒干。
葱实：夏、秋季采收果实，晒干，搓取种子，除去杂质。
葱须：全年均可采收，晒干。

| 药材性状 | 葱白：本品呈圆柱形，常数枝鳞叶簇生，先端稍大，长短不一，白色。表面光滑，具白色纵纹，上端为膜质叶鞘数层，基部有黄白色鳞茎盘；其下簇生多数白色的细须根。质嫩，不易折断，断面类白色，不平坦，可见数层同心环纹。气清香特异，味辛、辣。
葱花：本品圆柱状，中空，高 30 ~ 50（~ 100）cm，中部以下膨大，向先端渐狭，约在 1/3 以下被叶鞘；总苞膜质，2 裂。
葱叶：本品圆柱形，中空，先端尖，绿色，具纵纹；叶鞘浅绿色。
葱实：本品类三角状卵形，一面微凹入，一面隆起，隆起面有 1 ~ 2 棱线，长 3 ~ 4 mm，宽 2 ~ 3 mm。表面黑色，光滑，下端有 2 小突起，一为种脐，一为珠孔。内有白色种仁，富油性。气特臭，味如葱，以饱满、色黑、无杂质者为佳。
葱须：本品须根丛生，白色。

| 功能主治 | 葱白：辛，温。归肺、胃经。发表，通阳，解毒，杀虫。用于风寒感冒，阴寒腹痛，二便不通，痢疾，疮痈肿痛，虫积腹痛。
葱花：辛，温。归脾、胃经。散寒通阳。用于脘腹冷痛，胀满。
葱叶：辛，温。归肺经。发汗解表，解毒散肿。用于风寒感冒，风水浮肿，疮痈肿痛，跌打损伤。
葱实：辛，温。温肾，明目解毒。用于肾虚阳毒，遗精，目眩，视物昏暗，疮痈。
葱须：辛，平。归肺经。祛风散寒，解毒，散瘀。用于风寒头痛，喉疮，痔疮，冻伤。

| 用法用量 | 葱白：内服煎汤，9 ~ 15 g；或久煎，煮粥食，每次可用鲜品 15 ~ 30 g。外用适量，捣敷。
葱花：内服煎汤，6 ~ 12 g。
葱叶：内服煎汤，9 ~ 15 g；或煮粥。外用适量，捣敷；或煎汤洗。
葱实：内服煎汤，6 ~ 12 g。外用适量，捣敷；或煎汤洗。
葱须：内服煎汤，6 ~ 9 g；或研末。外用适量，研末吹；或煎汤熏洗。

石蒜科 Amaryllidaceae 葱属 Allium

茖葱
Allium victorialis L.

| 植物别名 | 山葱、鹿耳葱。

| 药 材 名 | 茖葱（药用部位：鳞茎。别名：格葱、山葱）。

| 形态特征 | 鳞茎单生或 2 ~ 3 聚生，近圆柱状；鳞茎外皮灰褐色至黑褐色，破裂成纤维状，呈明显的网状。叶 2 ~ 3，倒披针状椭圆形至椭圆形，长 8 ~ 20 cm，宽 3 ~ 9.5 cm，基部楔形，沿叶柄稍下延，先端渐尖或短尖，叶柄长为叶片的 1/5 ~ 1/2。花葶圆柱状，高 25 ~ 80 cm，1/4 ~ 1/2 被叶鞘；总苞 2 裂，宿存；伞形花序球状，具多而密集的花；小花梗近等长，比花被片长 2 ~ 4 倍，果期伸长，基部无小苞片；花白色或带绿色，极稀带红色；内轮花被片椭圆状卵形，长（4.5 ~）5 ~ 6 mm，宽 2 ~ 3 mm，先端钝圆，常具小齿，外轮花被片狭而短，

舟状，长 4 ～ 5 mm，宽 1.5 ～ 2 mm，先端钝圆；花丝为花被片长的 1/4 ～ 1 倍，基部合生并与花被片贴生，内轮的狭长三角形，基部宽 1 ～ 1.5 mm，外轮的锥形，基部比内轮的窄；子房具 3 圆棱，基部收狭成短柄，柄长约 1 mm，每室具 1 胚珠。花果期 6 ～ 8 月。

| **生境分布** | 生于海拔 1 000 ～ 2 500 m 的阴湿山坡、林下、草地或沟边。分布于河北宽城、蔚县、武安等。

| **资源情况** | 野生资源一般。药材来源于野生。

| **采收加工** | 夏、秋季采挖，洗净，鲜用。

| **功能主治** | 辛、苦，寒。散瘀，止血，解毒。用于跌打损伤，血瘀肿痛，衄血，疮痈肿痛。

| **用法用量** | 内服煎汤，15 ～ 30 g。外用适量，捣敷。

| **附　注** | 变种对叶韭 *Allium victorialis* var. *listera* (Stearn) f. M. Xu 与本种的区别在于前者叶片椭圆形至卵圆形，基部圆形至心形。

石蒜科 Amaryllidaceae 葱属 Allium

韭

Allium tuberosum Rottler ex Sprengle

| 植物别名 | 韭菜、久菜。

| 药材名 | 韭子（药用部位：种子。别名：韭菜子、韭菜仁）、韭菜（药用部位：叶。别名：长生韭、壮阳草、懒人菜）。

| 形态特征 | 具倾斜的横生根茎。鳞茎簇生，近圆柱状，鳞茎外皮暗黄色至黄褐色，破裂成纤维状，呈网状或近网状。叶线形，扁平，实心，短于花葶，宽 1.5 ~ 8 mm，叶缘光滑。花葶圆柱状，常具 2 纵棱，高 25 ~ 60 cm，下部被叶鞘；总苞单侧开裂，或 2 ~ 3 裂，宿存；伞形花序半球状或近球状，具多但较稀疏的花；小花梗近等长，比花被片长 2 ~ 4 倍，基部具小苞片，且数枚小花梗的基部又为 1 共同的苞片所包围；花白色，花被片中脉绿色或黄绿色，内轮长圆状倒

卵形，稀长圆状卵形，先端具短尖头或钝圆，长 4 ~ 7 mm，宽 2.1 ~ 3.5 mm，外轮常稍窄，长圆状卵形或长圆状披针形，先端具短尖头，长 4 ~ 7（~ 8）mm，宽 1.8 ~ 3 mm；花丝等长，长为花被片的 2/3 ~ 4/5，基部合生并与花被片贴生，窄三角形，合生部分高 0.5 ~ 1 mm，分离部分狭三角形，内轮的稍宽；子房倒圆锥状球形，具 3 圆棱，外壁具细的疣状突起。花果期 7 ~ 9 月。

| **生境分布** | 生于地势平坦，肥沃的土壤。分布于河北磁县、易县、永年等。

| **资源情况** | 野生资源一般，栽培资源丰富。药材来源于栽培。

| **采收加工** | **韭子**：秋季果实成熟时采收果序，晒干，搓出种子，除去杂质。
韭菜：第 1 刀韭菜叶收割比较早，4 叶心即可收割，经养根施肥后，当植株长到 5 片叶收割第 2 刀，根据需要也可连续收割 5 ~ 6 刀，鲜用。

| **药材性状** | **韭子**：本品呈半圆形或半卵圆形，略扁，长 2 ~ 4 mm，宽 1.5 ~ 3 mm。表面黑色，一面凸起，粗糙，有细密的网状皱纹；另一面微凹，皱纹不甚明显。先端钝，基部稍尖，有点状凸起的种脐。质硬，气特异，味微辛。
韭菜：叶线形，扁平，实心，短于花葶，宽 1.5 ~ 8 mm，叶缘光滑。

| **功能主治** | **韭子**：辛、甘，温。归肝、肾经。温补肝肾，壮阳固精。用于肝肾亏虚，腰膝酸痛，阳痿遗精，遗尿尿频，白浊带下。
韭菜：辛、甘，温。归肝、肾经。补肾，温中行气，散瘀，解毒。用于肾虚阳痿，里寒腹痛，噎膈反胃，胸痹疼痛，衄血，吐血，尿血，痢疾，痔疮，痈疮肿毒，漆疮，跌打损伤。

| **用法用量** | **韭子**：内服煎汤，2 ~ 3 g；或入丸、散、膏剂。外用适量，捣敷；或取汁滴注；或炒热熨；或煎汤熏洗。
韭菜：内服捣汁，60 ~ 120 g；或煮粥、炒熟、做羹。外用适量，捣敷；或煎汤熏洗；或热熨。

| **附　注** | 本种与野韭 *Allium ramosum* L. 的形态极为相似，二者的不同之处在于野韭的叶为三棱状条形，背面因纵棱隆起而呈龙骨状，中空，花被片常具红色中脉，此外叶缘和沿纵棱常具细糙齿。至于花被片的长短、花丝的长短及蒴果裂爿的形态，虽有人认为可作分种根据，但据观察它们的性状不太稳定且有交叉。

石蒜科 Amaryllidaceae 葱属 Allium

球序韭 *Allium thunbergii* G. Don

| 药 材 名 | 山韭（药用部位：全草。别名：藿菜）。

| 形态特征 | 鳞茎常单生，卵状至狭卵状，或卵状柱形，直径 0.7 ~ 2（~ 2.5）cm；鳞茎外皮污黑色或黑褐色，纸质，先端常破裂成纤维状，内皮有时带淡红色，膜质。叶三棱状条形，中空或基部中空，背面具 1 纵棱，呈龙骨状隆起，短于或略长于花葶，宽（1.5 ~）2 ~ 5 mm。花葶中生，圆柱状，中空，高 30 ~ 70 cm，1/4 ~ 1/2 被疏离的叶鞘；总苞单侧开裂或 2 裂，宿存；伞形花序球状，具多而极密集的花；小花梗近等长，比花被片长 2 ~ 4 倍，基部具小苞片；花红色至紫色；花被片椭圆形至卵状椭圆形，先端钝圆，长 4 ~ 6 mm，宽 2 ~ 3.5 mm，外轮舟状，较短；花丝等长，长约为花被片的 1.5 倍，锥形，无齿，仅基部合生并与花被片贴生；子房倒卵状球形，腹缝线基部具有帘

的凹陷蜜穴；花柱伸出花被外。花果期 8 月底至 10 月。

| **生境分布** | 生于海拔 1 300 m 以下的山坡、草地或林缘。分布于河北沽源、怀安、隆化等。

| **资源情况** | 野生资源一般，栽培资源丰富。药材主要来源于栽培。

| **采收加工** | 夏、秋季间采收，洗净，鲜用。

| **功能主治** | 咸，平。归脾、肾经。健脾开胃，补肾缩尿。用于脾胃气虚，饮食减少，肾虚不固，小便频数。

| **用法用量** | 内服煎汤，10 ～ 15 g；或煮做羹。

| **附　　注** | 本种与薤头 *Allium chinense* G. Don 的形态十分相似，但薤头的花葶侧生，叶为具 3 ～ 5 棱的圆柱状，中空，内轮花丝基部具 2 齿。通过这些特征，易与本种相区别。

石蒜科 Amaryllidaceae 葱属 Allium

山韭
Allium senescens L.

| **植物别名** | 岩葱。

| **药 材 名** | 山韭（药用部位：全草）。

| **形态特征** | 具粗壮的横生根茎。鳞茎单生或数枚聚生，近狭卵状圆柱形或近圆锥状，直径 0.5 ~ 2（~ 2.5）cm；鳞茎外皮灰黑色至黑色，膜质，不破裂，内皮白色，有时带红色。叶狭条形至宽条形，肥厚，基部近半圆柱状，上部扁平，有时略呈镰状弯曲，短于或稍长于花葶，宽 2 ~ 10 mm，先端钝圆，叶缘和纵脉有时具极细的糙齿。花葶圆柱状，常具 2 纵棱，有时纵棱变成窄翅而使花葶成为二棱柱状，高度变化很大，有的不到 10 cm，而有的则可高达 65 cm，直径 1 ~ 5 mm，下部被叶鞘；总苞 2 裂，宿存；伞形花序半球状至近球

状，具多而稍密集的花；小花梗近等长，比花被片长 2 ~ 4 倍，稀更短，基部具小苞片，稀无小苞片；花紫红色至淡紫色；花被片长 3.2 ~ 6 mm，宽 1.6 ~ 2.5 mm，内轮的矩圆状卵形至卵形，先端钝圆并常具不规则的小齿，外轮的卵形、舟状、略短；花丝等长，从比花被片略长至为其长的 1.5 倍，仅基部合生并与花被片贴生，内轮花丝扩大成披针状狭三角形，外轮花丝锥形；子房倒卵状球形至近球状，基部无凹陷的蜜穴；花柱伸出花被外。花果期 7 ~ 9 月。

| 生境分布 | 生于海拔 2 000 m 以下的草原、草甸或山坡上。分布于河北平山、迁安、迁西等。

| 资源情况 | 野生资源丰富，栽培资源一般。药材主要来源于栽培。

| 采收加工 | 夏、秋季间采收，洗净，鲜用。

| 功能主治 | 健脾开胃，补肾缩尿。用于脾胃气虚，饮食减少，肾虚不固，小便频数。

| 用法用量 | 内服煎汤，10 ~ 15 g；或煮做羹。

| 附　　注 | 本种与冀韭 *Allium chiwui* Wang et Tang 的形态极为相似，但冀韭的花为白色至黄色，花药黄色，小花梗基部无小苞片，可以以此相区别。

石蒜科 Amaryllidaceae 葱属 Allium

蒜 *Allium sativum* L.

| 植物别名 |

独蒜、蒜头、大蒜。

| 药 材 名 |

大蒜（药用部位：鳞茎）。

| 形态特征 |

鳞茎球状至扁球状，通常由多数肉质、瓣状的小鳞茎紧密地排列而成，外面被数层白色至带紫色的膜质鳞茎外皮。叶宽条形至条状披针形，扁平，先端长渐尖，比花葶短，宽可达 2.5 cm。花葶实心，圆柱状，高可达 60 cm，中部以下被叶鞘；总苞具长7 ~ 20 cm 的长喙，早落；伞形花序密具珠芽，间有数花；小花梗纤细；小苞片大，卵形，膜质，具短尖；花常为淡红色；花被片披针形至卵状披针形，长 3 ~ 4 mm，内轮的较短；花丝比花被片短，基部合生并与花被片贴生，内轮花丝基部扩大，扩大部分每侧各具 1 齿，齿端呈长丝状，长超过花被片，外轮花丝锥形；子房球状，花柱不伸出花被外。花期 7 月。

| 生境分布 |

栽培种。分布于河北武安、张北、涿鹿等。

| **资源情况** | 栽培资源丰富。药材来源于栽培。

| **采收加工** | 夏季叶枯时采挖，除去须根和泥沙，通风晾干至外皮干燥。

| **药材性状** | 本品呈类球形，直径 3 ～ 6 cm。表面被白色、淡紫色或紫红色的膜质鳞皮。先端略尖，中间有残留花葶，基部有多数须根痕。剥去外皮可见独头或 6 ～ 16 瓣状小鳞茎，着生于残留花茎基周围。鳞茎瓣略呈卵圆形，外皮膜质，先端略尖，一面弓状隆起，剥去皮膜呈白色，肉质。气特异，味辛辣，具刺激性。

| **功能主治** | 辛，温。归脾、胃、肺经。解毒消肿，杀虫，止痢。用于痈肿疮疡，疥癣，肺痨，顿咳，泄泻，痢疾。

| **用法用量** | 内服煎汤，5 ～ 10 g；或生、煮、煨食，生食宜较小量，煮食、煨食宜较大量。外用适量，捣敷。

石蒜科 Amaryllidaceae 葱属 Allium

天蓝韭
Allium cyaneum Regel

| 药 材 名 | 蓝花葱（药用部位：全草或鳞茎。别名：白狼葱、野葱、野韭菜）。

| 形态特征 | 鳞茎数枚聚生，圆柱状，细长，直径 2 ～ 4（～ 6）mm；鳞茎外皮暗褐色，老时破裂成纤维状，常呈不明显的网状。叶半圆柱状，上面具沟槽，比花葶短或超过花葶，宽 1.5 ～ 2.5（～ 4）mm。花葶圆柱状，高 10 ～ 30（～ 45）cm，常在下部被叶鞘；总苞单侧开裂或 2 裂，比花序短；伞形花序近扫帚状，有时半球状，少花或多花，常疏散；小花梗与花被片等长或长为其 2 倍，稀更长，基部无小苞片；花天蓝色；花被片卵形，或矩圆状卵形，长 4 ～ 6.5 mm，宽 2 ～ 3 mm，稀更长或更宽，内轮的稍长；花丝等长，从比花被片长 1/3 至比其长 1 倍，常为花被片长的 1.5 倍，仅基部合生并与花被片贴生，内轮的基部扩大，无齿或每侧各具 1 齿，外轮的锥形；子

房近球状，腹缝线基部具有帘的凹陷蜜穴；花柱伸出花被外。花果期 8 ～ 10 月。

| **生境分布** | 生于海拔 2 100 ～ 5 000 m 的山坡、草地、林下或林缘。分布于河北赤城、张北等。

| **资源情况** | 野生资源一般。药材来源于野生。

| **采收加工** | 夏季花将开时采收，抖净泥土，晾干。

| **功能主治** | 辛，温。散风寒，通阳气。用于风寒感冒，阴寒腹痛，四肢逆冷，小便不通。

| **用法用量** | 内服煎汤，6 ～ 15 g。外用适量，捣敷。

| **附　　注** | 本种分布广，从外形看变化较大，但其具有叶半圆柱状、花天蓝色、雄蕊伸出花被外等易于识别的特征，在野外很容易被认出。

石蒜科 Amaryllidaceae 葱属 Allium

薤白
Allium macrostemon Bunge

植物别名

小根蒜、密花小根蒜、团葱。

药 材 名

薤白（药用部位：鳞茎。别名：薤根、野蒜、小独蒜）。

形态特征

鳞茎近球状，直径 0.7 ~ 1.5（~ 2）cm，基部常具小鳞茎；鳞茎外皮带黑色，纸质或膜质，不破裂，但在标本上多因脱落而仅存白色的内皮。叶 3 ~ 5，半圆柱状，或因背部纵棱发达而为三棱状半圆柱形，中空，上面具沟槽，比花葶短。花葶圆柱状，高 30 ~ 70 cm，1/4 ~ 1/3 被叶鞘；总苞 2 裂，比花序短；伞形花序半球状至球状，具多而密集的花，间具珠芽或有时全为珠芽；小花梗近等长，比花被片长 3 ~ 5 倍，基部具小苞片；珠芽暗紫色，基部亦具小苞片；花淡紫色或淡红色；花被片矩圆状卵形至矩圆状披针形，长 4 ~ 5.5 mm，宽 1.2 ~ 2 mm，内轮的常较狭；花丝等长，比花被片稍长至比其长 1/3，在基部合生并与花被片贴生，分离部分的基部呈狭三角形扩大，向上收狭成锥形，内轮的基部宽约为外轮基部的 1.5

倍；子房近球状，腹缝线基部具有帘的凹陷蜜穴，花柱伸出花被外。花果期5 ~ 7 月。

| **生境分布** | 生于海拔 1 500 m 以下的山坡、丘陵、山谷或草地上。分布于河北迁安、涉县、武安等。

| **资源情况** | 野生资源一般，栽培资源丰富。药材主要来源于栽培。

| **采收加工** | 夏、秋季采挖，洗净，除去须根，蒸透或置沸水中烫透，晒干。

| **药材性状** | 本品呈不规则卵圆形，高 0.5 ~ 1.5 cm，直径 0.5 ~ 1.8 cm。表面黄白色或淡黄棕色，皱缩，半透明，有类白色膜质鳞片包被，底部有凸起的鳞茎盘。质硬，角质样。有蒜臭气，味微辣。

| **功能主治** | 辛、苦，温。归肺、心、胃、大肠经。通阳散结，行气导滞。用于胸痹心痛，脘腹痞满、胀痛，泻痢后重。

| **用法用量** | 内服煎汤，5 ~ 10 g，鲜品 30 ~ 60 g；或入丸、散剂；亦可煮粥食。外用适量，捣敷；或捣汁涂。

石蒜科 Amaryllidaceae 葱属 Allium

洋葱 *Allium cepa* L.

| 植物别名 |

圆葱。

| 药 材 名 |

洋葱（药用部位：鳞茎。别名：玉葱、洋葱头、浑提葱）、洋葱子（药用部位：种子。别名：吐胡米）。

| 形态特征 |

鳞茎粗大，近球状至扁球状；鳞茎外皮紫红色、褐红色、淡褐红色、黄色至淡黄色，纸质至薄革质，内皮肥厚，肉质，均不破裂。叶圆筒状，中空，中部以下最粗，向上渐狭，比花葶短，直径超过 0.5 cm。花葶粗壮，高可达 1 m，中空，圆筒状，在中部以下膨大，向上渐狭，下部被叶鞘；总苞 2 ~ 3 裂；伞形花序球状，具多而密集的花，小花梗长约 2.5 cm；花粉白色，花被片具绿色中脉，矩圆状卵形，长 4 ~ 5 mm，宽约 2 mm；花丝等长，稍长于花被片，约在基部 1/5 处合生，合生部分下部的 1/2 与花被片贴生，内轮花丝的基部极为扩大，扩大部分每侧各具 1 齿，外轮的锥形；子房近球状，腹缝线基部具有帘的凹陷蜜穴，花柱长约 4 mm。花果期 5 ~ 7 月。

| 生境分布 | 生于肥沃疏松、通气性好的土壤中。河北平泉等有栽培。

| 资源情况 | 栽培资源丰富。药材主要来源于栽培。

| 采收加工 | 洋葱：6 月采收。

洋葱子：夏、秋季采收成熟的果序，晒干后打下果实，收集种子，除去杂质。

| 功能主治 | 洋葱：微辛、甘，温。祛寒壮阳，软坚消肿，强心醒脑，燥湿开胃，除疫止泻，通尿通经。用于寒性阳痿，各类肿块，痔疮肿胀，心病昏迷，湿盛纳差，流行性腹泻，小便不利，经水不畅等。

洋葱子：辛，温。祛寒壮阳，强筋养肌，固发生发，燥湿祛斑，祛湿止痒。用于性欲减退，身寒阳痿，筋肌虚弱，脱发斑秃，白癜风，湿疹等。

| 用法用量 | 洋葱：内服捣汁，20 ~ 30 g；或入汤剂、糖浆剂、糊剂。外用适量，可入敷剂。

洋葱子：内服煎汤，3 ~ 5 g；或入散剂、仁膏、蜜膏、醋酸糖浆、消食膏。外用适量，可入敷剂、搽剂。

| 附　注 | 变种红葱 *Allium cepa* var. *proliferum* Regel 与本种的区别在于红葱的鳞茎呈卵状至卵状矩圆形；伞形花序具大量珠芽，间有数花，通常珠芽在花序上就发出幼叶；花被片白色，具淡红色中脉。通过上述特征，可与本种相区别。

石蒜科 Amaryllidaceae 葱属 Allium

野葱

Allium chrysanthum Regel

| 植物别名 |

黄花韭。

| 药 材 名 |

野葱（药用部位：鳞茎。别名：温苏力）。

| 形态特征 |

鳞茎圆柱状至狭卵状圆柱形，直径 0.5 ～ 1
（～ 1.5）cm，鳞茎外皮红褐色至褐色，薄
革质，常条裂。叶圆柱状，中空，比花葶短，
直径 1.5 ～ 4 mm。花葶圆柱状，中空，高
20 ～ 50 cm，中部直径 1.5 ～ 3.5 mm，下部
被叶鞘；总苞 2 裂，与伞形花序近等长；伞
形花序球状，具多而密集的花；小花梗近等
长，略短于花被片至为其长的 1.5 倍，基部
无小苞片；花黄色至淡黄色，花被片卵状矩
圆形，钝头，长 5 ～ 6.5 mm，宽 2 ～ 3 mm，
外轮的稍短；花丝比花被片长 1/4 ～ 1 倍，
锥形，无齿，等长，在基部合生并与花被片
贴生；子房倒卵球状，腹缝线基部具无凹陷的
蜜穴 1；花柱伸出花被外。花果期 7 ～ 9 月。

| 生境分布 |

生于海拔 2 000 ～ 4 500 m 的山坡或草地上。
分布于河北磁县、滦平、平泉等。

| 资源情况 | 野生资源一般。药材来源于野生。

| 采收加工 | 5 ~ 6 月采收，鲜用或晒干。

| 药材性状 | 本品圆柱状至狭卵状圆柱形，直径 0.5 ~ 1（~ 1.5）cm，常单生；外皮老时红褐色至褐色，纤维状或呈不明显网状；薄膜质，常条裂。外被宿存的纤维状叶鞘，有残存的须根。

| 功能主治 | 祛寒燥湿，散气止痛，利尿退肿，生发除腐，通经消炎。用于关节痛，瘫痪，坐骨神经痛，小便不利，月经不调，脾脏肿大，宫颈炎，斑秃，各种疮疡等。

| 用法用量 | 内服煎汤，4 ~ 6 g。外用适量，可入油剂、擦剂、敷剂、滴剂等。

| 附　注 | 本种与黄花葱 *Allium condensatum* Turcz. 的形态相似，二者的不同之处在于黄花葱的花葶实心，小花梗基部具小苞片，子房腹缝线基部具有短帘的凹陷蜜穴。

薯蓣科 Dioscoreaceae 薯蓣属 Dioscorea

穿龙薯蓣 *Dioscorea nipponica* Makino

| **植物别名** | 穿山龙、山常山。

| **药 材 名** | 穿山龙（药用部位：根茎。别名：穿地龙、穿龙骨、狗山药）。

| **形态特征** | 多年生缠绕草质藤本。根茎横走，木质，很硬，呈稍弯曲的圆柱形，多分枝，外皮黄褐色，易成片状剥离。茎左旋，圆柱形，近无毛。单叶互生，叶柄长 10 ~ 20 cm；叶片掌状心形，长 8 ~ 15 cm，宽 7 ~ 13 cm，先端渐尖，基部心形，边缘作不等大的三角状浅裂、中裂或深裂，先端叶片近全缘，上面黄绿色，有光泽，无毛或有稀疏的白色细柔毛，尤以脉上较密。花单性，雌雄异株；雄花序为穗状花序，腋生，基部常 2 ~ 4 花簇生，先端花通常单生，雄花无柄，花被碟形，6 裂，先端圆形，雄蕊 6，花药内向；雌花序穗状，花常

单生，花被 6 裂，裂片披针形，柱头 3 裂，裂片再 2 裂。蒴果具 3 翅，翅长 1.5 ～ 2 cm，宽 0.5 ～ 1 cm；种子每室 2，基生，四周种翅膜质，略呈长方形，长约为宽的 2 倍。花期 6 ～ 8 月，果期 8 ～ 10 月。

| **生境分布** | 生于海拔 100 ～ 1 700 m，集中在 300 ～ 900 m 的林缘或灌丛中。分布于河北赤城、磁县、丰宁等。

| **资源情况** | 野生资源一般，栽培资源丰富。药材主要来源于栽培。

| **采收加工** | 春、秋季采挖，洗净，除去须根和外皮，晒干。

| **药材性状** | 本品呈类圆柱形，稍弯曲，长 15 ～ 20 cm，直径 1 ～ 1.5 cm。表面黄白色或棕黄色，有不规则纵沟、刺状残根及偏于一侧的凸起茎痕。质坚硬，断面平坦，白色或黄白色，散有淡棕色维管束小点。气微，味苦、涩。

| **功效主治** | 甘、苦，温。归肝、肾、肺经。祛风除湿，舒筋通络，活血止痛，止咳平喘。用于风湿痹病，关节肿胀，疼痛麻木，跌扑损伤，闪腰岔气，咳嗽气喘。

| **用法用量** | 内服煎汤，9 ～ 15 g；或制成酒剂。

薯蓣科 Dioscoreaceae 薯蓣属 Dioscorea

薯蓣
Dioscorea polystachya Turczaninow

| 植物别名 | 山药、淮山、面山药。

| 药 材 名 | 山药（药用部位：根茎）。

| 形态特征 | 缠绕草质藤本。块茎长圆柱形，垂直生长，长可达 1 m 或更长，断面干时白色。茎通常带紫红色，右旋，无毛。单叶，在茎下部的互生，中部以上的对生，很少 3 叶轮生；叶片变异大，卵状三角形至宽卵形或戟形，长 3 ~ 9（~ 16）cm，宽 2 ~ 7（~ 14）cm，先端渐尖，基部深心形、宽心形或近截形，边缘常 3 浅裂至 3 深裂，中裂片卵状椭圆形至披针形，侧裂片耳状，圆形、近方形至长圆形；幼苗时一般叶片为宽卵形或卵圆形，基部深心形；叶腋内常有珠芽。雌雄异株；雄花序为穗状花序，长 2 ~ 8 cm，近直立，2 ~ 8 着生于

叶腋，偶尔呈圆锥状排列，花序轴明显呈"之"字状曲折；苞片和花被片有紫褐色斑点；雄花的外轮花被片为宽卵形，内轮卵形，较小，雄蕊 6；雌花序为穗状花序，1 ～ 3 着生于叶腋。蒴果不反折，三棱状扁圆形或三棱状圆形，长 1.2 ～ 2 cm，宽 1.5 ～ 3 cm，外面有白粉；种子着生于每室中轴中部，四周有膜质翅。花期 6 ～ 9 月，果期 7 ～ 11 月。

| 生境分布 | 生于山坡、山谷林下、溪边、路旁的灌丛中或杂草中，或为栽培。分布于河北邢台、赞皇、涿鹿等。

| 资源情况 | 野生资源丰富，栽培资源丰富。药材主要来源于栽培。

| 采收加工 | 冬季茎叶枯萎后采挖，切去根头，洗净，除去外皮和须根，干燥，习称"毛山药"；或除去外皮，趁鲜切厚片，干燥，称为"山药片"；也有选择肥大顺直的干燥山药，置清水中，浸至无干心，闷透，切齐两端，用木板搓成圆柱状，晒干，打光，习称"光山药"。

| 药材性状 | **毛山药**：本品略呈圆柱形，弯曲而稍扁，长 15 ～ 30 cm，直径 1.5 ～ 6 cm。表面黄白色或淡黄色，有纵沟、纵皱纹及须根痕，偶有浅棕色外皮残留。体重，质坚实，不易折断，断面白色，粉性。气微，味淡、微酸，嚼之发黏。

山药片：本品为不规则的厚片，皱缩不平，切面白色或黄白色，质坚脆，粉性。气微，味淡、微酸。

光山药：本品呈圆柱形，两端平齐，长 9 ～ 18 cm，直径 1.5 ～ 3 cm。表面光滑，白色或黄白色。

| 功能主治 | 甘，平。归脾、肺、肾经。补脾养胃，生津益肺，补肾涩精。用于脾虚食少，久泻不止，肺虚喘咳，肾虚遗精，带下，尿频，虚热消渴。

| 用法用量 | 内服煎汤，15 ～ 30 g。

鸢尾科 Iridaceae 射干属 Belamcanda

射干

Belamcanda chinensis (L.) Redouté

| **植物别名** | 交剪草、野萱花。

| **药 材 名** | 射干（药用部位：根茎。别名：乌扇、乌蒲、黄远）。

| **形态特征** | 多年生草本。根茎为不规则的块状，斜伸，黄色或黄褐色；须根多
数，带黄色。茎高 1 ~ 1.5 m，实心。叶互生，嵌迭状排列，剑形，
长 20 ~ 60 cm，宽 2 ~ 4 cm，基部鞘状抱茎，先端渐尖，无中脉。
花序顶生，叉状分枝，每分枝的先端聚生有数花；花梗细，长约
1.5 cm；花梗及花序的分枝处均包有膜质的苞片，苞片披针形或卵
圆形；花橙红色，散生紫褐色的斑点，直径 4 ~ 5 cm；花被裂片
6，2 轮排列，外轮花被裂片倒卵形或长椭圆形，长约 2.5 cm，宽约
1 cm，先端钝圆或微凹，基部楔形，内轮花被裂片较外轮花被裂片

略短而狭；雄蕊 3，长 1.8 ～ 2 cm，着生于外花被裂片的基部，花药条形，外向开裂，花丝近圆柱形，基部稍扁而宽；花柱上部稍扁，先端 3 裂，裂片边缘略向外卷，有细而短的毛，子房下位，倒卵形，3 室，中轴胎座，胚珠多数。蒴果倒卵形或长椭圆形，长 2.5 ～ 3 cm，直径 1.5 ～ 2.5 cm，先端无喙，常残存有凋萎的花被，成熟时室背开裂，果瓣外翻，中央有直立的果轴；种子圆球形，黑紫色，有光泽，直径约 5 mm，着生在果轴上。花期 6 ～ 8 月，果期 7 ～ 9 月。

| 生境分布 |　生于海拔 2 000 ～ 2 200 m 的林缘或山坡草地。分布于河北巨鹿、宽城、乐亭等。

| 资源情况 |　野生资源一般，栽培资源丰富。药材主要来源于栽培。

| 采收加工 |　春初刚发芽或秋末茎叶枯萎时采挖，除去须根和泥沙，干燥。

| 药材性状 |　本品呈不规则结节状，长 3 ～ 10 cm，直径 1 ～ 2 cm。表面黄褐色、棕褐色或黑褐色，皱缩，有较密的环纹。上面有数个圆盘状凹陷的茎痕，偶有茎基残存；下面有残留细根及根痕。质硬，断面黄色，颗粒性。气微，味苦。

| 功能主治 |　苦，寒。归肺经。清热解毒，消痰，利咽。用于热毒痰火郁结，咽喉肿痛，痰涎壅盛，咳嗽气喘。

| 用法用量 |　内服煎汤，3 ～ 10 g。

鸢尾科 Iridaceae 鸢尾属 Iris

马蔺
Iris lactea Pall.

| **植物别名** | 马莲、马帚、箭秆风。 |

| **药材名** | 马蔺花（药用部位：花。别名：马楝花、潦叶花、旱蒲花）、马蔺子（药用部位：种子。别名：马楝子、荔实）。 |

| **形态特征** | 多年生密丛草本。根茎粗壮，木质，斜伸，外包有大量致密的红紫色折断老叶残留叶鞘及毛发状纤维；须根粗而长，黄白色，少分枝。叶基生，坚韧，灰绿色，条形或狭剑形，长约 50 cm，宽 4 ~ 6 mm，先端渐尖，基部鞘状，带红紫色，无明显的中脉。花茎光滑，高 3 ~ 10 cm；苞片 3 ~ 5，草质，绿色，边缘白色，披针形，长 4.5 ~ 10 cm，宽 0.8 ~ 1.6 cm，先端渐尖或长渐尖，内包含有 2 ~ 4 花；花为浅蓝色、蓝色或蓝紫色，直径 5 ~ 6 cm；花梗长 4 ~ 7 cm；花被上有较深色的条纹，花被管甚短，长约 3 mm，外花被裂片倒披针 |

形，长 4.5 ~ 6.5 cm，宽 0.8 ~ 1.2 cm，先端钝或急尖，爪部楔形，内花被裂片狭倒披针形，长 4.2 ~ 4.5 cm，宽 5 ~ 7 mm，爪部狭楔形；雄蕊长 2.5 ~ 3.2 cm，花药黄色，花丝白色；子房纺锤形，长 3 ~ 4.5 cm。蒴果长椭圆状柱形，长 4 ~ 6 cm，直径 1 ~ 1.4 cm，有 6 明显的肋，先端有短喙；种子为不规则的多面体，棕褐色，略有光泽。花期 5 ~ 6 月，果期 6 ~ 9 月。

| 生境分布 | 生于荒地、路旁、山坡草地，尤以过度放牧的盐碱化草场上生长较多。分布于河北平泉、武安、邢台等。

| 资源情况 | 野生资源丰富。药材来源于野生。

| 采收加工 | 马蔺花：6 ~ 7 月花开时采摘，晒干。
马蔺子：果实成熟后采收，晒干后除去果皮，选取饱满的种子。

| 药材性状 | 马蔺花：本品花被裂片多已碎落，少有较完整者，常扭曲或旋曲，黄褐色，有时下部色更深，长 2.5 ~ 3.5 cm；花被裂片 6，外轮花被裂片较内轮者为长，条状披针形或倒披针形，内轮花被裂片较狭，两侧膜质，半透明；雄蕊花药细长，常贴附于内轮花被裂片上，花柱长约 1 cm，连同花药长 1.5 ~ 2 cm。气微，味淡。
马蔺子：本品呈不规则圆形，具条棱，长 2.5 ~ 4.5 mm，宽达 3.5 mm。棕褐色至棕黑色，基部有黄棕色种脐，先端有略凸起的合点。质坚硬，切断面胚乳肥厚，灰白色，角质状。胚白色，细小，弯曲状。气微，味淡。

| 功能主治 | 马蔺花：微苦、辛、微甘，寒。归胃、脾、肺、肝经。清热，解毒，止血，利尿。用于咽喉肿痛，吐血，衄血，小便不通，淋证，痈疽。
马蔺子：甘，平。归肝、脾、胃、肺经。清热，利湿，止血，解毒。用于黄疸，泻痢，吐血，衄血，血崩，带下，喉痹，痈肿。

| 用法用量 | 马蔺花：内服煎汤，3 ~ 6 g；或入丸、散剂；或绞汁。
马蔺子：内服研末，2 ~ 3 g；或入丸剂。外用适量，研末调敷或捣敷。

鸢尾科 Iridaceae 鸢尾属 *Iris*

细叶鸢尾 *Iris tenuifolia* Pall.

| 植物别名 | 老牛拽、细叶马蔺、丝叶马蔺。

| 药 材 名 | 老牛揣（药用部位：根及根茎。别名：安胎灵）、老牛揣子（药用部位：种子。别名：安胎灵）。

| 形态特征 | 多年生密丛草本，植株基部存留有红褐色或黄棕色折断的老叶叶鞘。根茎块状，短而硬，木质，黑褐色；根坚硬，细长，分枝少。叶质坚韧，丝状或狭条形，长 20 ～ 60 cm，宽 1.5 ～ 2 mm，扭曲，无明显的中脉。花茎长度随埋砂深度而变化，通常甚短，不伸出地面；苞片 4，披针形，长 5 ～ 10 cm，宽 8 ～ 10 mm，先端长渐尖或尾状尖，边缘膜质，中肋明显，内包含有 2 ～ 3 花；花蓝紫色，直径约 7 cm；花梗细，长 3 ～ 4 mm；花被管长 4.5 ～ 6 cm，外花被裂

片匙形，长 4.5 ~ 5 cm，宽约 1.5 cm，爪部较长，中央下陷呈沟状，中脉上无附属物，但常生有纤毛，内花被裂片倒披针形，长约 5 cm，宽约 5 mm，直立；雄蕊长约 3 cm，花丝与花药近等长；花柱分枝长约 4 cm，宽 4 ~ 5 mm，先端裂片狭三角形，子房细圆柱形，长 0.7 ~ 1.2 cm，直径约 2 mm。蒴果倒卵形，长 3.2 ~ 4.5 cm，直径 1.2 ~ 1.8 cm，先端有短喙，成熟时沿室背自上而下开裂。花期 4 ~ 5 月，果期 8 ~ 9 月。

| 生境分布 | 生于固定沙丘或砂质地上。分布于河北武安、张北、涿鹿等。

| 资源情况 | 野生资源丰富。药材来源于野生。

| 采收加工 | **老牛揣**：夏、秋季采收，洗净，切段，晒干。
老牛揣子：8 ~ 9 月果实成熟时采收，将种子剥出，除去果壳及杂质，晒干。

| 功能主治 | **老牛揣**：甘、微苦，凉。养血安胎，止血。用于胎动不安，胎漏。
老牛揣子：甘、淡，凉。清热解毒，利尿止血。用于咽喉肿痛，湿热黄疸，小便不利，吐血，衄血，崩漏。

| 用法用量 | **老牛揣**：内服煎汤，6 ~ 15 g。
老牛揣子：内服煎汤，3 ~ 10 g；或入丸、散剂。

鸢尾科 Iridaceae 鸢尾属 Iris

鸢尾
Iris tectorum Maxim.

| 植物别名 | 屋顶鸢尾、蓝蝴蝶、扁竹花。

| 药 材 名 | 川射干（药用部位：根茎）。

| 形态特征 | 多年生草本，植株基部围有老叶残留的膜质叶鞘及纤维。根茎粗壮，
二歧分枝，直径 1 ~ 2.5 cm，斜伸；须根较细而短。叶基生，黄绿
色，稍弯曲，中部略宽，宽剑形，长 15 ~ 50 cm，宽 1.5 ~ 3.5 cm，
先端渐尖或短渐尖，基部鞘状，有数条不明显的纵脉。花茎光滑，
高 20 ~ 40 cm，顶部常有 1 ~ 2 短侧枝，中、下部有 1 ~ 2 茎生
叶；苞片 2 ~ 3，绿色，草质，边缘膜质，色淡，披针形或长卵圆
形，长 5 ~ 7.5 cm，宽 2 ~ 2.5 cm，先端渐尖或长渐尖，内包含
有 1 ~ 2 花；花蓝紫色，直径约 10 cm；花梗甚短；花被管细长，

长约 3 cm，上端膨大成喇叭形，外花被裂片圆形或宽卵形，长 5 ~ 6 cm，宽约 4 cm，先端微凹，爪部狭楔形，中脉上有不规则的鸡冠状附属物，呈不整齐的缝状裂，内花被裂片椭圆形，长 4.5 ~ 5 cm，宽约 3 cm，花盛开时向外平展，爪部突然变细；雄蕊长约 2.5 cm，花药鲜黄色，花丝细长，白色；花柱分枝扁平，淡蓝色，长约 3.5 cm，先端裂片近四方形，有疏齿，子房纺锤状圆柱形，长 1.8 ~ 2 cm。蒴果长椭圆形或倒卵形，长 4.5 ~ 6 cm，直径 2 ~ 2.5 cm，有 6 明显的肋，成熟时自上而下 3 瓣裂；种子黑褐色，梨形，无附属物。花期 4 ~ 5 月，果期 6 ~ 8 月。

| 生境分布 | 生于向阳坡地、林缘及水边湿地。分布于河北行唐、怀安、隆化等。

| 资源情况 | 野生资源一般，栽培资源丰富。药材主要来源于栽培。

| 采收加工 | 全年均可采挖，除去须根及泥沙，干燥。

| 药材性状 | 本品呈不规则条状或圆锥形，略扁，有分枝，长 3 ~ 10 cm，直径 1 ~ 2.5 cm。表面灰黄褐色或棕色，有环纹和纵沟。常有残存的须根及凹陷或圆点状凸起的须根痕。质松脆，易折断，断面黄白色或黄棕色。气微，味甘、苦。

| 功能主治 | 苦，寒。归肺经。清热解毒，祛痰，利咽。用于热毒痰火郁结，咽喉肿痛，痰涎壅盛，咳嗽气喘。

| 用法用量 | 内服煎汤，6 ~ 10 g。

灯心草科 Juncaceae 灯心草属 Juncus

灯心草 *Juncus effusus* L.

| **植物别名** | 水灯草。

| **药 材 名** | 灯心草（药用部位：茎髓。别名：虎须草、灯草、水灯心）。

| **形态特征** | 多年生草本，高 27 ~ 91 cm，有时更高，根茎粗壮横走，具黄褐色
稍粗的须根。茎丛生，直立，圆柱形，淡绿色，具纵条纹，直径（1 ~）
1.5 ~ 3（~ 4）mm，茎内充满白色的髓心。叶全部为低出叶，呈
鞘状或鳞片状，包围在茎的基部，长 1 ~ 22 cm，基部红褐色至黑
褐色；叶片退化为刺芒状。聚伞花序假侧生，含多花，排列紧密或
疏散；总苞片圆柱形，生于先端，似茎的延伸，直立，长 5 ~ 28 cm，
先端尖锐；小苞片 2，宽卵形，膜质，先端尖；花淡绿色；花被片
线状披针形，长 2 ~ 12.7 mm，宽约 0.8 mm，先端锐尖，背脊增厚

凸出，黄绿色，边缘膜质，外轮者稍长于内轮；雄蕊 3（偶有 6），长约为花被片的 2/3，花药长圆形，黄色，长约 0.7 mm，稍短于花丝；雌蕊具 3 室子房，花柱极短，柱头 3 分叉，长约 1 mm。蒴果长圆形或卵形，长约 2.8 mm，先端钝或微凹，黄褐色；种子卵状长圆形，长 0.5 ~ 0.6 mm，黄褐色。花期 4 ~ 7 月，果期 6 ~ 9 月。

| **生境分布** | 生于海拔 1 650 ~ 3 400 m 的河边、池旁、水沟、稻田旁、草地或沼泽湿处。分布于河北昌黎、抚宁、沽源等。

| **资源情况** | 野生资源丰富。药材主要来源于野生。

| **采收加工** | 夏末至秋季割取茎，晒干，取出茎髓，理直，扎成小把。

| **药材性状** | 本品呈细圆柱形，长达 90 cm，直径 0.1 ~ 0.3 cm。表面白色或淡黄白色，有细纵纹。体轻，质软，略有弹性，易拉断，断面白色。气微，味淡。

| **功能主治** | 甘、淡，微寒。归心、肺、小肠经。清心火，利小便。用于心烦失眠，尿少涩痛，口舌生疮。

| **用法用量** | 内服煎汤，1 ~ 3 g。

小灯心草 Juncus bufonius L.

| 药 材 名 |

野灯草（药用部位：全草）。

| 形态特征 |

一年生草本，高 4 ~ 20（~ 30）cm，有多数细弱、浅褐色须根。茎丛生，细弱，直立或斜升，有时稍下弯，基部常红褐色。叶基生和茎生；茎生叶常 1，叶片线形，扁平，长 1 ~ 13 cm，宽约 1 mm，先端尖；叶鞘具膜质边缘，无叶耳。花序呈二歧聚伞状，或排列成圆锥状，生于茎顶，占整个植株的 1/4 ~ 4/5，花序分枝细弱而微弯；叶状总苞片长 1 ~ 9 cm，常短于花序；花排列疏松，很少密集，具花梗和小苞片；小苞片 2 ~ 3，三角状卵形，膜质，长 1.3 ~ 2.5 mm，宽 1.2 ~ 2.2 mm；花被片披针形，外轮者长 3.2 ~ 6 mm，宽 1 ~ 1.8 mm，背部中间绿色，边缘宽膜质，白色，先端锐尖，内轮者稍短，几全为膜质，先端稍尖；雄蕊 6，长为花被的 1/3 ~ 1/2，花药长圆形，淡黄色，花丝丝状；雌蕊具短花柱，柱头 3，外向弯曲，长 0.5 ~ 0.8 mm。蒴果三棱状椭圆形，黄褐色，长 3 ~ 4（~ 5）mm，先端稍钝，3 室；种子椭圆形，两端细尖，黄褐色，有纵纹，长 0.4 ~ 0.6 mm。花常闭花受精。花期 5 ~

7月，果期6～9月。

| **生境分布** | 生于海拔 160～3 200 m 的湿草地、湖岸、河边、沼泽地。分布于河北昌黎、行唐、青龙等。

| **资源情况** | 野生资源一般。药材主要来源于野生。

| **采收加工** | 夏季采收，洗净，晒干。

| **功能主治** | 苦，凉。清热，通淋，利尿，止血。用于热淋，小便涩痛，水肿，尿血。

| **用法用量** | 内服煎汤，3～6 g。

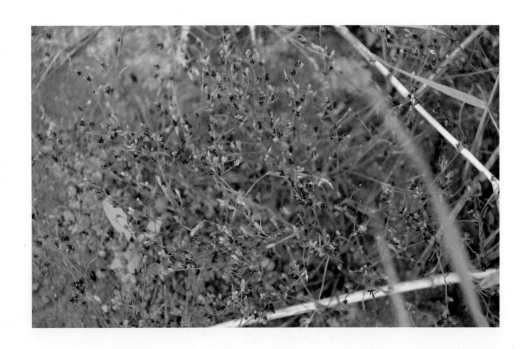

鸭跖草科 Commelinaceae 鸭跖草属 Commelina

饭包草 *Commelina benghalensis* L.

| 植物别名 | 圆叶鸭跖草、狼叶鸭跖草、竹叶菜。

| 药 材 名 | 马耳草（药用部位：全草。别名：竹菜、竹节花、粉节草）。

| 形态特征 | 多年生披散草本。茎大部分匍匐，节上生根，上部及分枝上部上升，长可达 70 cm，被疏柔毛。叶有明显的叶柄；叶片卵形，长 3 ~ 7 cm，宽 1.5 ~ 3.5 cm，先端钝或急尖，近无毛；叶鞘口沿有疏而长的睫毛。总苞片漏斗状，与叶对生，常数个集于枝顶，下部边缘合生，长 8 ~ 12 mm，被疏毛，先端短急尖或钝，柄极短；花序下面一枝具细长梗，具 1 ~ 3 不孕的花，伸出佛焰苞，上面一枝有花数朵，结实，不伸出佛焰苞；萼片膜质，披针形，长约 2 mm，无毛；花瓣蓝色，圆形，长 3 ~ 5 mm，内面 2 具长爪。蒴果椭圆状，

长 4 ~ 6 mm，3 室，腹面 2 室每室具 2 种子，开裂，后面 1 室仅有 1 种子或无种子，不裂；种子长近 2 mm，多皱并有不规则网纹，黑色。花期夏、秋季。

| **生境分布** | 生于海拔 2 300 m 以下的湿地。分布于河北行唐等。

| **资源情况** | 野生资源一般。药材主要来源于野生。

| **采收加工** | 夏、秋季采收，洗净，鲜用或晒干。

| **功能主治** | 苦，寒。清热解毒，利水消肿。用于热病发热，烦渴，咽喉肿痛，热痢，热淋，痔疮，疔疮痈肿，蛇虫咬伤。

| **用法用量** | 内服煎汤，15 ~ 30 g，鲜品 30 ~ 60 g。外用适量，鲜品捣敷；或煎汤洗。

鸭跖草科 Commelinaceae 鸭跖草属 Commelina

鸭跖草

Commelina communis L.

| 植物别名 | 淡竹叶、竹叶菜、鸭趾草。

| 药材名 | 鸭跖草（药用部位：地上部分。别称：鸡舌草、鼻斫草、碧竹子）。

| 形态特征 | 一年生披散草本。茎匍匐生根，多分枝，长可达 1 m，下部无毛，上部被短毛。叶披针形至卵状披针形，长 3 ~ 9 cm，宽 1.5 ~ 2 cm。总苞片佛焰苞状，有长 1.5 ~ 4 cm 的柄，与叶对生，折叠状，展开后为心形，先端短急尖，基部心形，长 1.2 ~ 2.5 cm，边缘常有硬毛。聚伞花序，下面一枝仅有花 1，具长 8 mm 的梗，不孕，上面一枝具花 3 ~ 4，具短梗，几不伸出佛焰苞；花梗花期长仅 3 mm，果期弯曲，长不过 6 mm；萼片膜质，长约 5 mm，内面 2 常靠近或合生；花瓣深蓝色，内面 2 具爪，长近 1 cm。蒴果椭圆形，长 5 ~ 7 mm，

2室，2片裂，有种子4；种子长2～3 mm，棕黄色，一端平截，腹面平，有不规则窝孔。

| **生境分布** | 生于湿地。分布于河北昌黎、井陉、灵寿等。

| **资源情况** | 野生资源一般。药材主要来源于野生。

| **采收加工** | 夏、秋季采收，晒干。

| **药材性状** | 本品长可达60 cm，黄绿色或黄白色，较光滑。茎有纵棱，直径约0.2 cm，多有分枝或须根，节稍膨大，节间长3～9 cm；质柔软，断面中心有髓。叶互生，多皱缩、破碎，完整叶片展平后呈卵状披针形或披针形，长3～9 cm，宽1～2 cm；先端尖，全缘，基部下延成膜质叶鞘，抱茎，叶脉平行。花多脱落，总苞佛焰苞状，心形，两边不相连；花瓣皱缩，蓝色。气微，味淡。

| **功能主治** | 甘、淡，寒。归肺、胃、小肠经。清热泻火，解毒，利水消肿。用于感冒发热，热病烦渴，咽喉肿痛，水肿尿少，热淋涩痛，痈肿疔毒。

| **用法用量** | 内服煎汤，15～30 g。外用适量，捣敷。

| **附　注** | 本种与淡竹叶均能清热利尿，功效相似，但本种的作用较强。

鸭跖草科 Commelinaceae 竹叶子属 *Streptolirion*

竹叶子

Streptolirion volubile Edgew.

| **药 材 名** | 竹叶子（药用部位：全草。别名：水百步还魂、大叶竹菜、酸猪草）。

| **形态特征** | 多年生攀缘草本。极少茎近直立，茎长 0.5 ~ 6 m，常无毛。叶柄长 3 ~ 10 cm，叶片心状圆形，有时心状卵形，长 5 ~ 15 cm，宽 3 ~ 15 cm，先端常尾尖，基部深心形，上面多少被柔毛。蝎尾状聚伞花序有花 1 至数朵，集成圆锥状；圆锥花序下面的总苞片叶状，长 2 ~ 6 cm，上部的小而卵状披针形；花无梗；萼片长 3 ~ 5 mm，先端急尖；花瓣白色、淡紫色而后变白色，线形，略比萼长。蒴果长 4 ~ 7 mm，先端有长达 3 mm 的芒状突尖；种子褐灰色，长约 2.5 mm。花期 7 ~ 8 月，果期 9 ~ 10 月。

| **生境分布** | 生于海拔 2 000 m 以下的山地。分布于河北赤城、磁县、阜平等。

| **资源情况** | 野生资源丰富。药材来源于野生。

| **采收加工** | 夏、秋季采收，洗净，鲜用或晒干。

| **功能主治** | 甘，平。清热，利水，解毒，化瘀。用于感冒发热，肺痨咳嗽，口渴心烦，水肿，热淋，带下，咽喉疼痛，痈疮肿毒，跌打劳伤，风湿骨痛。

| **用法用量** | 内服煎汤，15 ~ 30 g，鲜品 30 ~ 60 g。外用适量，捣敷。

谷精草科 Eriocaulaceae 谷精草属 Eriocaulon

谷精草

Eriocaulon buergerianum Koern.

| 植物别名 | 珍珠草、连萼谷精草。

| 药 材 名 | 谷精草（药用部位：头状花序）。

| 形态特征 | 草本。叶线形，丛生，半透明，具横格，长 4 ~ 10（~ 20）cm，中部宽 2 ~ 5 mm，脉 7 ~ 12（~ 18）。花葶多数，长达 25（~ 30）cm，直径约 0.5 mm，扭转，具 4 ~ 5 棱；鞘状苞片长 3 ~ 5 cm，口部斜裂；花序成熟时近球形，禾秆色，长 3 ~ 5 mm，宽 4 ~ 5 mm；总苞片倒卵形至近圆形，禾秆色，下半部较硬，上半部纸质，不反折，长 2 ~ 2.5 mm，宽 1.5 ~ 1.8 mm，无毛或边缘有少数毛，下部的毛较长；总花托常有密柔毛；苞片倒卵形至长倒卵形，长 1.7 ~ 2.5 mm，宽 0.9 ~ 1.6 mm，背面上部及先端有白色短毛；雄花花萼佛焰苞状，

外侧裂开，3 浅裂，长 1.8 ~ 2.5 mm，背面及先端多少有毛，花冠裂片 3，近锥形，几等大，近顶处各有 1 黑色腺体，端部常有白色短毛，雄蕊 6，花药黑色；雌花花萼合生，外侧开裂，先端 3 浅裂，长 1.8 ~ 2.5 mm，背面及先端有短毛，外侧裂口边缘有毛，下长上短，花瓣 3，离生，扁棒形，肉质，先端各具 1 黑色腺体及若干白色短毛，果实成熟时毛易落，内面常有长柔毛，子房 3 室，花柱分枝 3，短于花柱。种子矩圆状，长 0.75 ~ 1 mm，表面具横格及 "T" 字形突起。花果期 7 ~ 12 月。

| **生境分布** | 生于稻田、水边。分布于河北平泉等。

| **资源情况** | 野生资源丰富，栽培资源丰富。药材来源于栽培。

| **采收加工** | 秋季采收，将花序连同花茎拔出，晒干。

| **药材性状** | 本品呈半球形，直径 4 ~ 5 mm，底部有苞片层层紧密排列。苞片淡黄绿色，有光泽，上部边缘密生白色短毛；花序顶部灰白色。揉碎花序，可见多数黑色花药和细小黄绿色未成熟的果实。花茎纤细，长短不一，直径不及 1 mm，淡黄绿色，有数条扭曲的棱线。质柔软。气微，味淡。

| **功能主治** | 辛、甘，平。归肝、肺经。疏散风热，明目退翳。用于风热目赤，肿痛畏光，眼生翳膜，风热头痛。

| **用法用量** | 内服煎汤，5 ~ 10 g。

| **附　注** | 本种与南投谷精草 *Eriocaulon nantoense* Hayata 的形态相似，但后者的总花托有密毛，可以以此相区别。另外，南投谷精草又以雌萼有龙骨状突起、花药较大而区别于尼泊尔谷精草 *Eriocaulon nepalense* Prescott ex Bongard 和老谷精草 *Eriocaulon senile* Honda。

禾本科 Gramineae 白茅属 Imperata

白茅

Imperata cylindrica (L.) Beauv.

| **植物别名** | 毛启莲、红色男爵白茅。

| **药 材 名** | 白茅根（药用部位：根茎。别名：白茅草）。

| **形态特征** | 多年生。具粗壮的长根茎。秆直立，高 30 ~ 80 cm，具 1 ~ 3 节，
节无毛。叶鞘聚集于秆基，甚长于其节间，质较厚，老后破碎呈纤
维状；叶舌膜质，长约 2 mm，紧贴其背部或鞘口具柔毛，分蘖叶
片长约 20 cm，宽约 8 mm，扁平，质较薄；秆生叶片长 1 ~ 3 cm，
窄线形，通常内卷，先端渐尖呈刺状，下部渐窄，或具柄，质硬，
被有白粉，基部上面具柔毛。圆锥花序稠密，长约 20 cm，宽达
3 cm，小穗长 4.5 ~ 5（~ 6）mm，基盘具长 12 ~ 16 mm 的丝状
柔毛；2 颖草质及边缘膜质，近相等，具 5 ~ 9 脉，先端渐尖或稍

钝，常具纤毛，脉间疏生长丝状毛，第一外稃卵状披针形，长为颖片长的 2/3，透明膜质，无脉，先端尖或齿裂，第二外稃与其内稃近相等，长约为颖之半，卵圆形，先端具齿裂及纤毛；雄蕊 2，花药长 3 ~ 4 mm；花柱细长，基部多少联合，柱头 2，紫黑色，羽状，长约 4 mm，自小穗先端伸出。颖果椭圆形，长约 1 mm，胚长为颖果之半。花果期 4 ~ 6 月。

| 生境分布 | 生于低山带平原河岸草地、砂质草甸、荒漠与海滨。分布于河北抚宁、灵寿、滦平等。

| 资源情况 | 野生资源丰富。药材主要来源于野生。

| 采收加工 | 春、秋季采挖，洗净，晒干，除去须根和膜质叶鞘，捆成小把。

| 药材性状 | 本品呈长圆柱形，长 30 ~ 60 cm，直径 0.2 ~ 0.4 cm。表面黄白色或淡黄色，微有光泽，具纵皱纹，节明显，稍凸起，节间长短不等，通常长 1.5 ~ 3 cm。体轻，质略脆，断面皮部白色，多有裂隙，放射状排列，中柱淡黄色，易与皮部剥离。气微，味微甜。

| 功能主治 | 甘，寒。归肺、胃、膀胱经。凉血止血，清热利尿。用于血热吐血，衄血，尿血，热病烦渴，湿热黄疸，水肿尿少，热淋涩痛。

| 用法用量 | 内服煎汤，9 ~ 30 g。

禾本科 Gramineae 稗属 Echinochloa

稗

Echinochloa crus-galli (L.) P. Beauv.

| 植物别名 |

旱稗。

| 药材名 |

稗米（药用部位：种子。别名：稗子）、稗根苗（药用部位：根、苗叶。别名：水高粱、扁扁草）。

| 形态特征 |

一年生草本。秆高 50 ~ 150 cm，光滑无毛，基部倾斜或膝曲。叶鞘疏松裹秆，平滑无毛，下部者长于节间，上部者短于节间；叶舌缺；叶片扁平，线形，长 10 ~ 40 cm，宽 5 ~ 20 mm，无毛，边缘粗糙。圆锥花序直立，近尖塔形，长 6 ~ 20 cm，主轴具棱，粗糙或具疣基长刺毛；分枝斜上举或贴向主轴，有时再分小枝；穗轴粗糙或生疣基长刺毛；小穗卵形，长 3 ~ 4 mm，脉上密被疣基刺毛，具短柄或近无柄，密集在穗轴的一侧；第一颖三角形，长为小穗的 1/3 ~ 1/2，具 3 ~ 5 脉，脉上具疣基毛，基部包卷小穗，先端尖；第二颖与小穗等长，先端渐尖或具小尖头，具 5 脉，脉上具疣基毛；第一小花通常中性，其外稃草质，上部具 7 脉，脉上具疣基刺毛，先端延伸成 1 粗壮的芒，芒长

0.5 ~ 1.5（~ 3）cm，内稃薄膜质，狭窄，具 2 脊；第二外稃椭圆形，平滑，光亮，成熟后变硬，先端具小尖头，尖头上有 1 圈细毛，边缘内卷，包着同质的内稃，但内稃先端露出。

| 生境分布 | 生于沼泽地、沟边及水稻田中。分布于河北昌黎、赤城、阜平、行唐等。

| 资源情况 | 野生资源丰富。药材主要来源于野生。

| 采收加工 | **稗米：**夏、秋季果实成熟时采收，舂去壳，晒干。
稗根苗：夏季采收，鲜用或晒干。

| 功能主治 | **稗米：**辛、甘、苦，微寒；无毒。益气宜脾。作饭食。
稗根苗：甘、苦，微寒。生肌止血。用于金疮，外伤出血。

| 用法用量 | 外用适量，捣敷；或研末敷。

| 附　注 | 小旱稗 *Echinochloa crusgalli* var. *austrojaponensis* Ohwi 与本种的区别在于前者植株高 20 ~ 40 cm；叶片宽 2 ~ 5 mm；圆锥花序较狭窄而细弱；小穗长 3 ~ 7.5 mm，常带紫色，脉上无疣基毛，但疏被硬刺毛，无芒或具短芒。

禾本科 Gramineae 冰草属 Agropyron

冰草

Agropyron cristatum (L.) Gaertn.

| 形态特征 |　多年生草本。秆成疏丛，上部紧接花序部分被短柔毛或无毛，高 20 ~ 60（~ 75）cm，有时分蘖横走或下伸成长达 10 cm 的根茎。叶片长 5 ~ 15（~ 20）cm，宽 2 ~ 5 mm，质较硬而粗糙，常内卷，上面叶脉强烈隆起成纵沟，脉上密被微小短硬毛。穗状花序较粗壮，矩圆形或两端微窄，长 2 ~ 6 cm，宽 8 ~ 15 mm；小穗紧密平行排列成 2 行，整齐呈篦齿状，含（3 ~）5 ~ 7 小花，长 6 ~ 9（~ 12）mm；颖舟形，脊上连同背部脉间被长柔毛，第一颖长 2 ~ 3 mm，第二颖长 3 ~ 4 mm，具略短于颖体的芒；外稃被有稠密的长柔毛或显著地被稀疏柔毛，先端具长 2 ~ 4 mm 的短芒；内稃脊上具短小刺毛。

| 生境分布 |　生于干燥草地、山坡、丘陵及沙地。分布于河北沽源、围场、涿鹿等。

| **资源情况** | 野生资源丰富。药材来源于野生。

| **采收加工** | 7 ~ 10 月采收，切段，晒干。

| **功能主治** | 清热，利湿，止血。用于感冒，淋证，赤白带下，哮喘咯痰带血，鼻衄。

| **用法用量** | 内服煎汤，30 ~ 60 g；或代茶饮。

禾本科 Gramineae 臭草属 Melica

臭草
Melica scabrosa Trin.

| **植物别名** | 毛臭草、肥马草、枪草。

| **药 材 名** | 猫毛草（药用部位：全草。别名：金丝草、肥马草、枪草）。

| **形态特征** | 多年生草本。须根细弱，较稠密。秆丛生，直立或基部膝曲，高
20 ～ 90 cm，直径 1 ～ 3 mm，基部密生分蘖。叶鞘闭合近鞘口，常
撕裂，光滑或微粗糙，下部者长于节间，上部者短于节间；叶舌透
明膜质，长 1 ～ 3 mm，先端撕裂而两侧下延；叶片质较薄，扁平，
干时常卷折，长 6 ～ 15 cm，宽 2 ～ 7 mm，两面粗糙或上面疏被柔毛。
圆锥花序狭窄，长 8 ～ 22 cm，宽 1 ～ 2 cm；分枝直立或斜向上升，
主枝长达 5 cm；小穗柄短，纤细，上部弯曲，被微毛；小穗淡绿色
或乳白色，长 5 ～ 8 mm，含孕性小花 2 ～ 4（～ 6），先端由数个

不育外稃集成小球形；小穗轴节间长约 1 mm，光滑；颖膜质，狭披针形，2 颖几等长，长 4 ～ 8 mm，具 3 ～ 5 脉，背面中脉常生微小纤毛；外稃草质，先端尖或钝且为膜质，具 7 隆起的脉，背面颖粒状粗糙，第一外稃长 5 ～ 8 mm；内稃短于外稃或相等，倒卵形，先端钝，具 2 脊，脊上被微小纤毛；雄蕊 3，花药长约 1.3 mm。颖果褐色，纺锤形，有光泽，长约 1.5 mm。花果期 5 ～ 8 月。

| **生境分布** | 生于海拔 200 ～ 3 300 m 的山坡草地、荒芜田野、渠边路旁。分布于河北行唐、井陉、易县等。

| **资源情况** | 野生资源丰富。药材来源于野生。

| **采收加工** | 夏季采收，洗净，晒干。

| **功能主治** | 甘，凉。利尿通淋，清热退黄。用于尿路感染，肾炎性水肿，感冒发热，黄疸性肝炎，糖尿病。

| **用法用量** | 内服煎汤，30 ～ 60 g。

禾本科 Gramineae 大麦属 Hordeum

大麦 *Hordeum vulgare* L.

| 药 材 名 | 麦芽（药用部位：成熟果实经发芽干燥的炮制加工品。别名：大麦芽、大麦毛）。

| 形态特征 | 一年生草本。秆粗壮，光滑无毛，直立，高 50 ~ 100 cm。叶鞘松弛抱茎，多无毛或基部具柔毛；两侧有 2 披针形叶耳；叶舌膜质，长 1 ~ 2 mm；叶片长 9 ~ 20 cm，宽 6 ~ 20 mm，扁平。穗状花序长 3 ~ 8 cm（芒除外），直径约 1.5 cm，小穗稠密，每节着生 3 发育的小穗；小穗均无柄，长 1 ~ 1.5 cm（芒除外）；颖线状披针形，外被短柔毛，先端常延伸为长 8 ~ 14 mm 的芒；外稃具 5 脉，先端延伸成芒，芒长 8 ~ 15 cm，边棱具细刺；内稃与外稃几等长。颖果成熟时黏着于稃内，不脱出。

| 生境分布 | 栽培种。分布于河北平泉、张北等。

| 资源情况 | 栽培资源丰富。药材主要来源于栽培。

| 采收加工 | 将麦粒用水浸泡后，保持适宜温、湿度，待幼芽长至约 5 mm 时，晒干或低温干燥。

| 药材性状 | 本品呈梭形，长 8 ～ 12 mm，直径 3 ～ 4 mm。表面淡黄色，背面为外稃包围，具 5 脉；腹面为内稃包围。除去内外稃后，腹面有 1 纵沟；基部胚根处生出幼芽和须根，幼芽长披针状条形，长约 5 mm；须根数条，纤细而弯曲。质硬，断面白色，粉性。气微，味微甘。

| 功能主治 | 甘，平。归脾、胃经。行气消食，健脾开胃，回乳消胀。用于食积不消，脘腹胀痛，脾虚食少，乳汁郁积，乳房胀痛，妇女断乳，肝郁胁痛，肝胃气痛。

| 用法用量 | 内服煎汤，10 ～ 15 g；回乳炒用 60 g。

禾本科 Gramineae 稻属 Oryza

稻
Oryza sativa L.

| 植物别名 |

水稻、稻子、稻谷。

| 药 材 名 |

稻芽（药用部位：成熟果实经发芽干燥的炮制加工品）。

| 形态特征 |

一年生水生草本。秆直立，高 0.5 ~ 1.5 m，随品种而异。叶鞘松弛，无毛；叶舌披针形，长 10 ~ 25 cm，两侧基部下延长成叶鞘边缘，具 2 镰形抱茎的叶耳；叶片线状披针形，长约 40 cm，宽约 1 cm，无毛，粗糙。圆锥花序大型舒展，长约 30 cm，分枝多，棱粗糙，成熟期向下弯垂；小穗含 1 成熟花，两侧甚压扁，长圆状卵形至椭圆形，长约 10 mm，宽 2 ~ 4 mm；颖极小，仅在小穗柄先端留下半月形的痕迹，退化外稃 2，锥刺状，长 2 ~ 4 mm；两侧孕性花外稃质厚，具 5 脉，中脉成脊，表面有方格状小乳状突起，厚纸质，遍布细毛端毛较密，有芒或无芒；内稃与外稃同质，具 3 脉，先端尖而无喙；雄蕊 6，花药长 2 ~ 3 mm。颖果长约 5 mm，宽约 2 mm，厚 1 ~ 1.5 mm；胚较小，约为颖果长的 1/4。

| 生境分布 | 栽培种。分布于河北涉县等。

| 资源情况 | 栽培资源丰富。药材主要来源于栽培。

| 采收加工 | 将稻谷用水浸泡后，保持适宜的温、湿度，待须根长至约 1 cm 时，干燥。

| 药材性状 | 本品呈扁长椭圆形，两端略尖，长 7 ~ 9 mm，直径约 3 mm。外稃黄色，有白色细茸毛，具 5 脉。一端有 2 对称的白色条形浆片，长 2 ~ 3 mm，于 1 浆片内侧伸出弯曲的须根 1 ~ 3，长 0.5 ~ 1.2 cm。质硬，断面白色，粉性。气微，味淡。

| 功能主治 | 甘，温。归脾、胃经。消食和中，健脾开胃。用于食积不消，腹胀口臭，脾胃虚弱，不饥食少。

| 用法用量 | 内服煎汤，9 ~ 15 g。

禾本科 Gramineae 芒属 Miscanthus

荻

Miscanthus sacchariflorus (Maximowicz) Hackel

| 药 材 名 | 巴茅根（药用部位：根茎。别名：大茅根）。

| 形态特征 | 多年生草本。具发达被鳞片的长匍匐根茎，节处生有粗根与幼芽。秆直立，高 1 ~ 1.5 m，直径约 5 mm，具 10 多节，节生柔毛。叶鞘无毛，长于或上部者稍短于其节间；叶舌短，长 0.5 ~ 1 mm，具纤毛；叶片扁平，宽线形，长 20 ~ 50 cm，宽 5 ~ 18 mm，除上面基部密生柔毛外两面无毛，边缘锯齿状粗糙，基部常收缩成柄，先端长渐尖，中脉白色，粗壮。圆锥花序疏展成伞房状，长 10 ~ 20 cm，宽约 10 cm；主轴无毛，具 10 ~ 20 较细弱的分枝，腋间生柔毛，直立而后开展；总状花序轴节间长 4 ~ 8 mm，或具短柔毛；小穗柄先端稍膨大，基部腋间常生有柔毛，短柄长 1 ~ 2 mm，长柄长 3 ~ 5 mm；小穗线状披针形，长 5 ~ 5.5 mm，成熟后带褐色，基盘

具长为小穗2倍的丝状柔毛；第一颖2脊间具1脉或无脉，先端膜质渐尖，边缘和背部具长柔毛；第二颖与第一颖近等长，先端渐尖，与边缘皆为膜质，并具纤毛，有3脉，背部无毛或有少数长柔毛；第一外稃稍短于颖，先端尖，具纤毛；第二外稃狭窄披针形，短于颖片的1/4，先端尖，具小纤毛，无脉或具1脉，稀有1芒状尖头；第二内稃长约为外稃之半，具纤毛；雄蕊3，花药长约2.5 mm；柱头紫黑色，自小穗中部以下的两侧伸出。颖果长圆形，长1.5 mm。花果期8 ~ 10月。

| **生境分布** | 生于山坡草地和平原岗地、河岸湿地。分布于河北行唐、隆化等。

| **资源情况** | 野生资源丰富。药材来源于野生。

| **采收加工** | 全年均可采收，洗净，切段，晒干。

| **药材性状** | 本品呈扁圆柱形，常弯曲，直径2.5 ~ 5 mm。表面黄白色，略具光泽及纵纹。节部常有极短的毛茸或鳞片，节距0.5 ~ 1.9 cm。质硬脆，断面皮部裂隙小，中心1小孔，孔周围粉红色。气微，味淡。

| **功能主治** | 甘，凉。清热活血。用于干血痨，潮热，产妇失血口渴，牙痛。

| **用法用量** | 内服煎汤，60 ~ 90 g。

禾本科 Gramineae 锋芒草属 Tragus

虱子草

Tragus berteronianus Schultes

| 药 材 名 | 虱子草（药用部位：全草或根）。

| 形态特征 | 一年生草本。须根细弱。秆倾斜，基部常伏卧地面，直立部分高 15 ~ 30 cm。叶鞘短于节间或近等长，松弛裹茎；叶舌膜质，先端 具长约 0.5 mm 的柔毛；叶片披针形，长 3 ~ 7 cm，宽 3 ~ 4 mm， 边缘软骨质，疏生细刺毛。花序紧密，几呈穗状，长 4 ~ 11 cm， 宽约 5 mm；小穗长 2 ~ 3 mm，通常 2 簇生，均能发育，稀仅 1 发 育；第一颖退化，第二颖革质，具 5 肋，肋上具钩刺，刺几生于先 端，刺外无明显伸出的小尖头；外稃膜质，卵状披针形，疏生柔毛， 内稃稍狭而短；雄蕊 3，花药椭圆形，细小；花柱 2 裂，柱头帚状。 颖果椭圆形，稍扁，与稃体分离。

| 生境分布 | 生于海拔 1 200 m 以下的荒野、路旁、草地中。分布于河北磁县、行唐、赞皇等。 |

| 资源情况 | 野生资源稀少。药材来源于野生。 |

| 采收加工 | 4 ~ 6 月采收，扎把，晒干。 |

| 功能主治 | 全草，解表，止呕定喘。用于感冒，咳嗽，水积病，蛇咬伤等。根，用于腰痛。 |

| 用法用量 | 内服煎汤，10 ~ 25 g。 |

禾本科 Gramineae 高粱属 Sorghum

高粱 *Sorghum bicolor* (L.) Moench

| **植物别名** | 蜀黍、荻粱、乌禾。

| **药 材 名** | 高粱（药用部位：种仁。别名：木稷、蜀黍、蜀秫）、高粱根（药用部位：根。别名：蜀黍根、瓜龙）、高粱米糠（药用部位：种皮）。

| **形态特征** | 一年生草本。秆较粗壮，直立，高 3 ~ 5 m，横径 2 ~ 5 cm，基部节上具支撑根。叶鞘无毛或稍有白粉；叶舌硬膜质，先端圆，边缘有纤毛；叶片线形至线状披针形，长 40 ~ 70 cm，宽 3 ~ 8 cm，先端渐尖，基部圆形或微呈耳形，表面暗绿色，背面淡绿色或有白粉，两面无毛，边缘软骨质，具微细小刺毛，中脉较宽，白色。圆锥花序疏松，主轴裸露，长 15 ~ 45 cm，宽 4 ~ 10 cm，总梗直立或微弯曲；主轴具纵棱，疏生细柔毛，分枝 3 ~ 7，轮生，粗糙或有细毛，基部较密；每一总状花序具 3 ~ 6 节，节间粗糙或稍扁；无柄

小穗倒卵形或倒卵状椭圆形，长 4.5 ~ 6 mm，宽 3.5 ~ 4.5 mm，基盘钝，有髯毛；2 颖均革质，上部及边缘通常具毛，初时黄绿色，成熟后为淡红色至暗棕色；第一颖背部圆凸，上部 1/3 质较薄，边缘内折而具狭翼，向下变硬而有光泽，具 12 ~ 16 脉，仅达中部，有横脉，先端尖或具 3 小齿；第二颖 7 ~ 9 脉，背部圆凸，近先端具不明显的脊，略呈舟形，边缘有细毛；外稃透明膜质，第一外稃披针形，边缘有长纤毛；第二外稃披针形至长椭圆形，具 2 ~ 4 脉，先端稍 2 裂，自裂齿间伸出 1 膝曲的芒，芒长约 14 mm；雄蕊 3，花药长约 3 mm；子房倒卵形，花柱分离，柱头帚状。颖果两面平凸，长 3.5 ~ 4 mm，淡红色至红棕色，成熟时宽 2.5 ~ 3 mm，先端微外露。有柄小穗的柄长约 2.5 mm，小穗线形至披针形，长 3 ~ 5 mm，雄性或中性，宿存，褐色至暗红棕色；第一颖 9 ~ 12 脉，第二颖 7 ~ 10 脉。花果期 6 ~ 9 月。

| 生境分布 | 栽培种。分布于河北平泉、迁西、易县等。

| 资源情况 | 栽培资源丰富。药材主要来源于栽培。

| 采收加工 | **高粱**：秋季种子成熟后采收，晒干。
高粱根：秋季采挖，洗净，晒干。
高粱米糠：收集加工高粱时舂下的种皮，晒干。

| 功能主治 | **高粱**：甘、涩，温。归脾、胃、肺经。健脾止泻，化痰安神。用于脾虚泄泻，霍乱，消化不良，痰湿咳嗽，失眠多梦。
高粱根：甘，平。平喘，利水，止血，通络。用于咳嗽喘满，小便不利，产后出血，血崩，足膝疼痛。
高粱米糠：和胃消食。用于小儿消化不良。

| 用法用量 | **高粱**：内服煎汤，30 ~ 60 g；或研末。
高粱根：内服煎汤，15 ~ 30 g；或烧存性研末。
高粱米糠：内服炒香，每次 1.5 ~ 3 g，每日 3 ~ 4 次。

| 附　　注 | 本种喜温、喜光，原产于热带，是喜温作物。

禾本科 Gramineae 狗尾草属 *Setaria*

狗尾草

Setaria viridis (L.) Beauv.

| **植物别名** | 谷莠子。

| **药 材 名** | 狗尾草（药用部位：全草。别名：莠、莠草子、莠草）、狗尾草子（药用部位：种子）。

| **形态特征** | 一年生草本。根为须状，高大植株具支持根。秆直立或基部膝曲，高 10 ~ 100 cm，基部直径达 3 ~ 7 mm。叶鞘松弛，无毛或疏具柔毛或疣毛，边缘具较长的密绵毛状纤毛；叶舌极短，边缘有长 1 ~ 2 mm 的纤毛；叶片扁平，长三角状狭披针形或线状披针形，先端长渐尖或渐尖，基部钝圆形，几呈截状或渐窄，长 4 ~ 30 cm，宽 2 ~ 18 mm，通常无毛或疏被疣毛，边缘粗糙。圆锥花序紧密呈圆柱状或基部稍疏离，直立或稍弯垂，主轴被较长柔毛，长 2 ~

15 cm，宽 4 ~ 13 mm（除刚毛外），刚毛长 4 ~ 12 mm，粗糙或微粗糙，直或稍扭曲，通常绿色或褐黄色至紫红色或紫色；小穗 2 ~ 5 簇生于主轴上或更多的小穗着生在短小枝上，椭圆形，先端钝，长 2 ~ 2.5 mm，铅绿色；第一颖卵形、宽卵形，长约为小穗的 1/3，先端钝或稍尖，具 3 脉；第二颖几与小穗等长，椭圆形，具 5 ~ 7 脉；第一外稃与小穗等长，具 5 ~ 7 脉，先端钝，其内稃短小狭窄；第二外稃椭圆形，先端钝，具细点状皱纹，边缘内卷，狭窄；鳞被楔形，先端微凹；花柱基分离；叶上下表皮脉间均为微波纹或无波纹、壁较薄的长细胞。颖果灰白色。花果期 5 ~ 10 月。

| 生境分布 | 生于海拔 4 000 m 以下的荒野、道旁，为旱地作物常见的一种杂草。分布于河北武安、邢台、兴隆等。

| 资源情况 | 野生资源丰富。药材主要来源于野生。

| 采收加工 | **狗尾草**：夏、秋季采收，晒干或鲜用。
狗尾草子：秋季采收成熟果穗，搓下种子，除去杂质，晒干。

| 药材性状 | **狗尾草**：本品全体呈灰黄白色，表面有毛状物，长 30 ~ 90 cm。秆纤细。叶线状，互生。秆先端有柱状圆锥花序，长 2 ~ 15 cm，小穗 2 ~ 5 成簇，生于缩短的分枝上，基部具刚毛，有的已脱落，颖、外稃略与小穗等长。颖果长圆形，成熟后背部稍隆起，边缘卷抱内稃。质纤弱，易折断。气微，味淡。
狗尾草子：本品颖果灰白色。

| 功能主治 | **狗尾草**：甘、淡，凉。清肝明目，解热祛湿。用于目赤肿痛，黄疸，痈肿疮癣，小儿疳积等。
狗尾草子：解毒，止泻，截疟。用于缠腰火丹，泄泻，疟疾。

| 用法用量 | **狗尾草**：内服煎汤，6 ~ 12 g，鲜品可用至 30 ~ 60 g。外用适量，煎汤洗；或捣敷。
狗尾草子：内服煎汤，9 ~ 15 g；或研末冲。外用适量，炒焦，研末捣敷。

禾本科 Gramineae　狗尾草属 Setaria

金色狗尾草

Setaria pumila (Poiret) Roemer & Schultes

| **植物别名** | 恍莠莠、硬稃狗尾草。

| **药材名** | 金色狗尾草（药用部位：全草。别名：金狗尾、狗尾巴）。

| **形态特征** | 一年生草本，单生或丛生。秆直立或基部倾斜膝曲，近地面节可生根，高 20 ~ 90 cm，光滑无毛，仅花序下面稍粗糙。叶鞘下部扁压具脊，上部圆形，光滑无毛，边缘薄膜质，光滑无纤毛；叶舌具 1 圈长约 1 mm 的纤毛，叶片线状披针形或狭披针形，长 5 ~ 40 cm，宽 2 ~ 10 mm，先端长渐尖，基部钝圆，上面粗糙，下面光滑，近基部疏生长柔毛。圆锥花序紧密呈圆柱状或狭圆锥状，长 3 ~ 17 cm，宽 4 ~ 8 mm（刚毛除外），直立，主轴具短细柔毛，刚毛金黄色或稍带褐色，粗糙，长 4 ~ 8 mm，先端尖；通常在 1 簇中仅具 1 发育

的小穗；第一颖宽卵形或卵形，长为小穗的 1/3 ~ 1/2，先端尖，具 3 脉；第二颖宽卵形，长为小穗的 1/2 ~ 2/3，先端稍钝，具 5 ~ 7 脉；第一小花雄性或中性，第一外稃与小穗等长或微短，具 5 脉，其内稃膜质，与第二小花等长且等宽，具 2 脉，通常含 3 雄蕊或无；第二小花两性，外稃革质，与第一外稃等长，先端尖，成熟时背部极隆起，具明显的横皱纹；鳞被楔形；花柱基部联合；叶上表皮脉间均为无波纹或具微波纹、有角棱、壁薄的长细胞，下表皮脉间均为有波纹的、壁较厚的长细胞，并有短细胞。花果期 6 ~ 10 月。

| 生境分布 | 生于林边、山坡、路边和荒芜的园地及荒野。分布于河北怀安、滦平、平泉等。

| 资源情况 | 野生资源丰富。药材主要来源于野生。

| 采收加工 | 夏、秋季采挖，晒干。

| 功能主治 | 甘、淡，平。清热，明目，止泻。用于目赤肿痛，睑腺炎，赤白痢疾。

| 用法用量 | 内服煎汤，9 ~ 15 g。

禾本科 Gramineae 狗尾草属 Setaria

粟

Setaria italica var. *germanica* (Mill.) Schred.

植物别名

谷子、小米。

药材名

谷芽（药用部位：成熟果实经发芽干燥的炮制加工品。别名：蘗米、谷蘗、稻蘗）。

形态特征

一年生草本。须根粗大。秆粗壮，直立，高 0.1 ~ 1 m 或更高。叶鞘松裹茎秆，密具疣毛或无毛，毛以近边缘及与叶片交接处的背面为密，边缘密具纤毛；叶舌为 1 圈纤毛；叶片长披针形或线状披针形，长 10 ~ 45 cm，宽 5 ~ 33 mm，先端尖，基部钝圆，上面粗糙，下面稍光滑。圆锥花序呈圆柱状或近纺锤状，通常下垂，基部多少有间断，长 10 ~ 40 cm，宽 1 ~ 5 cm，常因品种的不同而多变异，主轴密生柔毛，刚毛显著长于或稍长于小穗，黄色、褐色或紫色；小穗椭圆形或近圆球形，长 2 ~ 3 mm，黄色、橘红色或紫色；第一颖长为小穗的 1/3 ~ 1/2，具 3 脉；第二颖稍短于或长为小穗的 3/4，先端钝，具 5 ~ 9 脉；第一外稃与小穗等长，具 5 ~ 7 脉，内稃薄纸质，披针形，长为其 2/3；第二外稃与第一外稃等长，卵圆形或圆球形，质坚硬，平滑或具细点状皱纹，成熟后自第一外稃基部和颖分离脱落；鳞被先端不平，呈微波状；花柱基部分离；叶表皮细胞同狗尾草类型。

| 生境分布 | 栽培种。分布于河北隆化、涉县、永年等。

| 资源情况 | 栽培资源丰富。药材主要来源于栽培。

| 采收加工 | 将粟谷用水浸泡后，保持适宜的温、湿度，待须根长至约 6 mm 时，晒干或低温干燥。

| 药材性状 | 本品呈类圆球形，直径约 2 mm，先端钝圆，基部略尖。外壳为革质的稃片，淡黄色，具点状皱纹，下端有初生的细须根，长 3 ~ 6 mm，剥去稃片内含淡黄色或黄白色颖果（小米）1。气微，味微甘。

| 功能主治 | 甘，温。归脾、胃经。消食和中，健脾开胃。用于食积不消，腹胀口臭，脾胃虚弱，不饥食少。

| 用法用量 | 内服煎汤，9 ~ 15 g。

| 附　　注 | 本种适宜生长于干旱而缺乏灌溉的地区。

禾本科 Gramineae 狗牙根属 *Cynodon*

狗牙根 *Cynodon dactylon* (L.) Pers.

| 植物别名 | 爬根草、咸沙草。

| 药 材 名 | 狗牙根（药用部位：全草。别名：铁线草、绊根草、堑头草）。

| 形态特征 | 低矮草本，具根茎。秆细而坚韧，下部匍匐地面蔓延甚长，节上常
生不定根，直立部分高 10 ~ 30 cm，直径 1 ~ 1.5 mm，秆壁厚，光
滑无毛，有时略两侧压扁。叶鞘微具脊，无毛或有疏柔毛，鞘口常
具柔毛；叶舌仅为 1 轮纤毛；叶片线形，长 1 ~ 12 cm，宽 1 ~ 3 cm，
通常两面无毛。穗状花序（2 ~ ）3 ~ 5（ ~ 6），长 2 ~ 5（ ~ 6）cm；
小穗灰绿色或带紫色，长 2 ~ 2.5 mm，仅含 1 小花；颖长 1.5 ~
2 mm，第二颖稍长，均具 1 脉，背部成脊而边缘膜质；外稃舟形，
具 3 脉，背部明显成脊，脊上被柔毛；内稃与外稃近等长，具 2 脉；
鳞被上缘近截平；花药淡紫色；子房无毛，柱头紫红色。颖果长圆

柱形。花果期 5 ～ 10 月。

| **生境分布** | 生于村庄附近、道旁河岸、荒地山坡。分布于河北内丘、沙河等。

| **资源情况** | 野生资源丰富。药材主要来源于野生。

| **采收加工** | 春、秋季采割，洗净，晒干或鲜用。

| **药材性状** | 本品根茎细长，呈竹鞭状；匍匐茎部分长可达 1 m，直立茎部分长 10 ～ 30 cm。叶线形，长 1 ～ 6 cm，宽 1 ～ 3 cm，叶鞘具脊，鞘口通常具柔毛。气微，味微苦。

| **功能主治** | 苦、微甘，凉。归肝经。祛风活络，凉血止血，解毒。用于风湿痹痛，半身不遂，痿痹拘挛，臁疮，外伤出血。

| **用法用量** | 内服煎汤，30 ～ 60 g；或浸酒。外用适量，捣敷。

| **附　　注** | 双花狗牙根（变种）与本种的主要区别在于双花狗牙根小穗通常含 2 小花，长约 2.5 mm；小穗轴在 2 小花之间有时长达 1 mm。

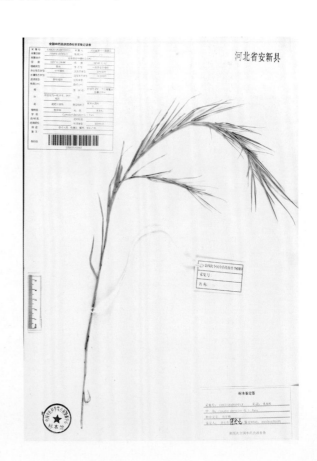

禾本科 Gramineae 虎尾草属 Chloris

虎尾草

Chloris virgata Sw.

| 植物别名 | 棒锤草、刷子头、盘草。

| 形态特征 | 一年生草本。秆直立或基部膝曲，高 12 ~ 75 cm，直径 1 ~ 4 mm，光滑无毛。叶鞘背部具脊，包卷松弛，无毛；叶舌长约 1 mm，无毛或具纤毛；叶片线形，长 3 ~ 25 cm，宽 3 ~ 6 mm，两面无毛或边缘及上面粗糙。穗状花序 5 ~ 10，长 1.5 ~ 5 cm，指状着生于秆顶，常直立而并拢成毛刷状，有时包藏于顶叶之膨胀叶鞘中，成熟时常带紫色；小穗无柄，长约 3 mm；颖膜质，1 脉；第一颖长约 1.8 mm，第二颖等长或略短于小穗，中脉延伸成长 0.5 ~ 1 mm 的小尖头；第一小花两性，外稃纸质，两侧压扁，呈倒卵状披针形，长 2.8 ~ 3 mm，3 脉，沿脉及边缘被疏柔毛或无毛，两侧边缘上部 1/3 处有长 2 ~ 3 mm 的白色柔毛，先端尖或有时具 2 微齿，芒自背

部先端稍下方伸出，长 5 ~ 15 mm；内稃膜质，略短于外稃，具 2 脊，脊上被微毛；基盘具长约 0.5 mm 的毛；第二小花不孕，长楔形，仅存外稃，长约 1.5 mm，先端截平或略凹，芒长 4 ~ 8 mm，自背部边缘稍下方伸出。颖果纺锤形，淡黄色，光滑无毛而半透明，胚长约为颖果的 2/3。花果期 6 ~ 10 月。

| **生境分布** | 生于海拔 3 700 m 以下的路旁荒野、河岸沙地、土墙及房顶上。分布于河北磁县、迁安、沙河等。

| **资源情况** | 野生资源一般，栽培资源丰富。药材主要来源于栽培。

| **采收加工** | 6 ~ 10 月采收，鲜用或晒干。

| **功能主治** | 祛风除湿，解毒杀虫。用于感冒头痛，风湿痹痛，泻痢腹痛，脚气，痈疮肿毒。

| **用法用量** | 内服煎汤，3 ~ 9 g。外用适量，捣绒敷。

禾本科 Gramineae 画眉草属 Eragrostis

大画眉草 *Eragrostis cilianensis* (All.) Link. ex Vignolo-Lutati

| 药 材 名 | 大画眉草（药用部位：全草。别名：星星草）、大画眉草花（药用部位：花序。别名：星星草花）。

| 形态特征 | 一年生草本。秆粗壮，高 30 ～ 90 cm，直径 3 ～ 5 mm，直立丛生，基部常膝曲，具 3 ～ 5 节，节下有 1 圈明显的腺体。叶鞘疏松裹茎，脉上有腺体，鞘口具长柔毛；叶舌为 1 圈成束的短毛，长约 0.5 mm；叶片线形扁平，伸展，长 6 ～ 20 cm，宽 2 ～ 6 mm，无毛，叶脉上与叶缘均有腺体。圆锥花序长圆形或尖塔形，长 5 ～ 20 cm，分枝粗壮，单生，上举，腋间具柔毛，小枝和刁穗柄上均有腺体；小穗长圆形或卵状长圆形，墨绿色带淡绿色或黄褐色，扁压并弯曲，长 5 ～ 20 mm，宽 2 ～ 3 mm，有 10 ～ 40 小花，小穗除单生外，常密集簇生；颖近等长，长约 2 mm，颖具 1 脉或第二颖具 3 脉，脊上均

有腺体；外稃呈广卵形，先端钝，第一外稃长约 2.5 mm，宽约 1 mm，侧脉明显，主脉有腺体，暗绿色而有光泽；内稃宿存，稍短于外稃，脊上具短纤毛。雄蕊 3，花药长 0.5 mm。颖果近圆形，直径约 0.7 mm。花果期 7 ～ 10 月。

| **生境分布** | 生于荒芜草地上。分布于河北行唐、涞源、永年等。

| **资源情况** | 野生资源丰富。药材来源于野生。

| **采收加工** | **大画眉草：** 夏、秋季采收，晒干或鲜用。
　　　　　　大画眉草花： 秋季采收，晒干。

| **功能主治** | **大画眉草：** 甘、淡，凉。利尿通淋，疏风清热。用于热淋，石淋，目赤痒痛。
　　　　　　大画眉草花： 甘，平。舒筋散瘀。用于跌打内伤，筋骨疼痛。

| **用法用量** | **大画眉草：** 内服煎汤，15 ～ 30 g，鲜品 60 ～ 120 g。外用适量，煎汤洗。
　　　　　　大画眉草花： 内服煎汤，6 ～ 9 g。外用适量，捣敷。

画眉草
Eragrostis pilosa (L.) Beauv.

| 植物别名 | 星星草、蚊子草。

| 药 材 名 | 画眉草（药用部位：全草。别名：榧子草、星星草、蚊子草）。

| 形态特征 | 一年生。秆丛生，直立或基部膝曲，高 15 ~ 60 cm，直径 1.5 ~ 2.5 mm，通常具 4 节，光滑。叶鞘松裹茎，长于或短于节间，扁压，鞘缘近膜质，鞘口有长柔毛；叶舌为 1 圈纤毛，长约 0.5 mm；叶片线形扁平或卷缩，长 6 ~ 20 cm，宽 2 ~ 3 mm，无毛。圆锥花序开展或紧缩，长 10 ~ 25 cm，宽 2 ~ 10 cm，分枝单生、簇生或轮生，多直立向上，腋间有长柔毛；小穗具柄，长 3 ~ 10 mm，宽 1 ~ 1.5 mm，含 4 ~ 14 小花；颖为膜质，披针形，先端渐尖；第一颖长约 1 mm，无脉，第二颖长约 1.5 mm，具 1 脉；第一外稃长约 1.8 mm，广卵形，先端尖，具 3 脉；内稃长约 1.5 mm，稍作弓形弯曲，

脊上有纤毛，迟落或宿存；雄蕊3，花药长约0.3 mm。颖果长圆形，长约0.8 mm。花果期8～11月。

| **生境分布** | 生于荒芜田野草地上。分布于河北怀安、易县、张北等。

| **资源情况** | 野生资源丰富。药材主要来源于野生。

| **采收加工** | 夏、秋季采收，洗净，晒干。

| **功能主治** | 甘、淡，凉。利尿通淋，清热活血。用于热淋，石淋，目赤痒痛，跌打损伤。

| **用法用量** | 内服煎汤，9～15 g。外用适量，烧存性研末调搽；或煎汤洗。

| **附　　注** | 无毛画眉草（变种）*Eragrostis pilosa* var. *imberbis* Franch. 与本种的主要区别在于前者植株较短小，通常鞘口无毛，圆锥花序分枝的枝腋间无毛。

禾本科 Gramineae 画眉草属 *Eragrostis*

小画眉草 *Eragrostis minor* Host

| **药 材 名** | 小画眉草（药用部位：全草。别名：蚊蚊草、星星草）。

| **形态特征** | 一年生草本。秆纤细，丛生，膝曲上升，高 15 ~ 50 mm，直径 1 ~ 2 mm，具 3 ~ 4 节，节下具 1 圈腺体。叶鞘较节间短，松裹茎，叶鞘脉上有腺体，鞘口有长毛，叶舌为 1 圈长柔毛，长 0.5 ~ 1 mm，叶片线形，平展或卷缩，长 3 ~ 15 cm，宽 2 ~ 4 mm，下面光滑，上面粗糙并疏生柔毛，主脉及边缘有腺体。圆锥花序开展而疏松，长 6 ~ 15 cm，宽 4 ~ 6 cm，每节 1 分枝，分枝平展或上举，腋间无毛，花序轴、小枝及柄上都有腺体；小穗长圆形，长 3 ~ 8 mm，宽 1.5 ~ 2 mm，含 3 ~ 16 小花，绿色或深绿色；小穗柄长 3 ~ 6 mm；颖锐尖，具 1 脉，脉上有腺点，第一颖长 1.6 mm，第二颖长约 1.8 mm；第一外稃长约 2 mm，广卵形，先端圆钝，具 3 脉，

侧脉明显并靠近边缘，主脉上有腺体，内稃长约 1.6 mm，弯曲，脊上有纤毛，宿存；雄蕊 3，花药长约 0.3 mm。颖果红褐色，近球形，直径约 0.5 mm。花果期 6 ~ 9 月。

| **生境分布** | 生于荒芜田野、草地和路旁。分布于河北行唐、沙河、邢台等。

| **资源情况** | 野生资源丰富。药材来源于野生。

| **采收加工** | 6 ~ 7 月采收，鲜用或晒干。

| **功能主治** | 淡，凉。疏风清热，凉血，利尿。用于目赤云翳，崩漏，热淋，小便不利。

| **用法用量** | 内服煎汤，15 ~ 30 g，鲜品 60 ~ 120 g；或研末。外用适量，煎汤洗。

| **附　　注** | 画眉草 *Eragrostis pilosa* (L.) Beauv. 亦作小画眉草入药。二者的主要区别在于画眉草植株较高，叶片边缘、叶鞘、小穗柄上均无腺点。

禾本科 Gramineae 菅属 Themeda

黄背草
Themeda japonica (Willd.) Tanaka

| 药 材 名 | 黄背草（药用部位：全草。别名：黄背茅、进肌草、金丝茅）、黄背草根（药用部位：根）、黄背草果（药用部位：果实）、黄背草苗（药用部位：幼苗）。

| 形态特征 | 多年生簇生草本。秆高 0.5 ~ 1.5 m，圆形，压扁或具棱，下部直径可达 5 mm，光滑无毛，具光泽，黄白色或褐色，实心，髓白色，有时节处被白粉。叶鞘紧裹秆，背部具脊，通常生疣基硬毛；叶舌坚纸质，长 1 ~ 2 mm，先端钝圆，有睫毛；叶片线形，长 10 ~ 50 cm，宽 4 ~ 8 mm，基部通常近圆形，顶部渐尖，中脉显著，两面无毛或疏被柔毛，背面常粉白色，边缘略卷曲，粗糙。大型伪圆锥花序多回复出，由具佛焰苞的总状花序组成，长为全株的 1/3 ~ 1/2；佛焰苞长 2 ~ 3 cm；总状花序长 15 ~ 17 mm，具长 2 ~ 5 mm 的花序梗，

由 7 小穗组成；下部总苞状小穗轮生于一平面，无柄，雄性，长圆状披针形，长 7 ~ 10 mm；第一颖背面上部常生瘤基毛，具多数脉。无柄小穗 1，两性，纺锤状圆柱形，长 8 ~ 10 mm，基盘被褐色髯毛，锐利；第一颖草质，背部圆形，先端钝，被短刚毛，第二颖与第一颖同质，等长，两边为第一颖所包卷；第一外稃短于颖；第二外稃退化为芒的基部，芒长 3 ~ 6 cm，1 ~ 2 回膝曲。颖果长圆形，胚线形，长为颖果的 1/2。有柄小穗形似总苞状小穗，但较短，雄性或中性。花果期 6 ~ 12 月。

| **生境分布** | 生于海拔 80 ~ 2 700 m 的干燥山坡、草地、路旁、林缘等。分布于河北昌黎、阜平、平泉等。

| **资源情况** | 野生资源一般，栽培资源丰富。药材主要来源于栽培。

| **采收加工** | 黄背草：夏、秋季采收，晒干。
黄背草根：夏、秋季采收，洗净，晒干。
黄背草果：秋末果实成熟时采收，晒干。
黄背草苗：春、夏季采收，晒干。

| **功能主治** | 黄背草：甘，温。活血通经，祛风除湿。用于闭经，风湿痹痛。
黄背草根：甘，平。祛风湿。用于风湿痹痛。
黄背草果：甘，平。固表敛汗。用于盗汗。
黄背草苗：甘，平。平肝。用于高血压。

| **用法用量** | 黄背草：内服煎汤，30 ~ 60 g。
黄背草根：内服煎汤，30 ~ 60 g。
黄背草果：内服煎汤，9 ~ 15 g。
黄背草苗：内服煎汤，15 ~ 30 g。

禾本科 Gramineae 赖草属 Leymus

赖草

Leymus secalinus (Georgi) Tzvel.

| 植物别名 | 老披碱、滨草、厚穗冰草。

| 药 材 名 | 冰草（药用部位：全草或根茎）、冰草白穗（药用部位：带菌果穗）。

| 形态特征 | 多年生草本。具下伸和横走的根茎。秆单生或丛生，直立，高 40 ~ 100 cm，具 3 ~ 5 节，光滑无毛或在花序下密被柔毛。叶鞘光 滑无毛，或在幼嫩时边缘具纤毛；叶舌膜质，截平，长 1 ~ 1.5 mm； 叶片长 8 ~ 30 cm，宽 4 ~ 7 mm，扁平或内卷，上面及边缘粗 糙或具短柔毛，下面平滑或微粗糙。穗状花序直立，长 10 ~ 15 （~ 24）cm，宽 10 ~ 17 mm，灰绿色；穗轴被短柔毛，节与边缘 被长柔毛，节间长 3 ~ 7 mm，基部者长达 20 mm；小穗通常 2 ~ 3、 稀 1 或 4 生于每节，长 10 ~ 20 mm，含 4 ~ 7（~ 10）小花；小穗

轴节间长 1 ~ 1.5 mm，贴生短毛；颖短于小穗，线状披针形，先端狭窄如芒，不覆盖第一外稃的基部，具不明显的 3 脉，上半部粗糙，边缘具纤毛，第一颖短于第二颖，长 8 ~ 15 mm；外稃披针形，边缘膜质，先端渐尖或具长 1 ~ 3 mm 的芒，背具 5 脉，被短柔毛或上半部无毛，基盘具长约 1 mm 的柔毛，第一外稃长 8 ~ 10（ ~ 14）mm；内稃与外稃等长，先端常微 2 裂，脊的上半部具纤毛；花药长 3.5 ~ 4 mm。花果期 6 ~ 10 月。

| 生境分布 | 生于沙地、平原绿洲及山地草原带。分布于河北平泉、涿鹿等。

| 资源情况 | 野生资源丰富。药材来源于野生。

| 采收加工 | **冰草**：夏、秋季采收，切段，晒干。
冰草白穗：秋季采收。

| 功能主治 | **冰草**：苦，微寒。清热利湿，平喘，止血。用于淋证，赤白带下，哮喘，鼻衄，痰中带血。
冰草白穗：清热利湿。用于淋证，赤白带下。

| 用法用量 | **冰草**：内服煎汤，30 ~ 60 g；或代茶饮。
冰草白穗：内服煎汤，15 ~ 30 g。

禾本科 Gramineae 狼尾草属 Pennisetum

白草

Pennisetum flaccidum Grisebach

| 植物别名 |

兰坪狼尾草。

| 药 材 名 |

白草（药用部位：根茎。别名：倒生草、白花草）。

| 形态特征 |

多年生草本。具横走根茎。秆直立，单生或丛生，高 20 ～ 90 cm。叶鞘疏松抱茎，近无毛，基部者密集近跨生，上部短于节间；叶舌短，具长 1 ～ 2 mm 的纤毛；叶片狭线形，长 10 ～ 25 cm，宽 5 ～ 8（～ 12）mm，两面无毛。圆锥花序紧密，直立或稍弯曲，长 5 ～ 15 cm，宽约 10 mm；主轴具棱角，无毛或罕疏生短毛，残留在主轴上的总梗长 0.5 ～ 1 mm；刚毛柔软，细弱，微粗糙，长 8 ～ 15 mm，灰绿色或紫色；小穗通常单生，卵状披针形，长 3 ～ 8 mm；第一颖微小，先端钝圆、锐尖或齿裂，脉不明显；第二颖长为小穗的 1/3 ～ 3/4，先端芒尖，具 1 ～ 3 脉；第一小花雄性，罕见中性，第一外稃与小穗等长，厚膜质，先端芒尖，具 3 ～ 5（～ 7）脉，第一内稃透明，膜质或退化；第二小花两性，第二外稃具 5 脉，先端芒尖，与其内

稃同为纸质；鳞被 2，楔形，先端微凹；雄蕊 3，花药先端无毫毛；花柱近基部联合。颖果长圆形，长约 2.5 mm。叶表皮细胞结构为上下表皮近相同，均为无波纹、微波纹、壁薄的长细胞。花果期 7 ~ 10 月。

| 生境分布 | 生于海拔 800 ~ 4 600 m 的山坡和较干燥之处。分布于河北滦平、永年、张北等。

| 资源情况 | 野生资源丰富。药材主要来源于野生。

| 采收加工 | 秋季采挖，洗净，以纸遮蔽，晾干。

| 药材性状 | 本品呈圆柱形，有的分枝，长短不一。长 30 ~ 60 cm，直径 0.2 ~ 0.4 cm。表面黄白色或淡黄色，微具光泽，具纵皱纹，节明显，稍凸起，偶有须根残留，节间长短不等，长 1.5 ~ 3 cm。质坚硬，断面中央有白色髓心，皮部与中柱不易剥离。无臭，味淡。

| 功能主治 | 甘，寒。清热利尿，凉血止血。用于热淋，尿血，肺热咳嗽，鼻衄，胃热烦渴。

| 用法用量 | 内服煎汤，15 ~ 24 g。

| 附　注 | 兰坪狼尾草（变种）与本种的主要区别在于前者植株纤细；叶片狭小，长 3 ~ 15 cm，宽 2 ~ 5 mm；圆锥花序狭窄，宽约 5 mm，小穗排列稀疏，刚毛稀少。

禾本科 Gramineae 狼尾草属 Pennisetum

狼尾草 *Pennisetum alopecuroides* (L.) Spreng.

| 植物别名 | 狗尾巴草、芮草、老鼠狼。

| 药 材 名 | 狼尾草（药用部位：全草。别名：狗尾草、狼茅）、狼尾草根（药用部位：根及根茎）。

| 形态特征 | 多年生草本。须根较粗壮。秆直立，丛生，高30～120 cm，在花序下密生柔毛。叶鞘光滑，两侧压扁，主脉呈脊，在基部者跨生状，秆上部者长于节间；叶舌具长约2.5 mm的纤毛；叶片线形，长10～80 cm，宽3～8 mm，先端长渐尖，基部生疣毛。圆锥花序直立，长5～25 cm，宽1.5～3.5 cm；主轴密生柔毛；总梗长2～3（～5）mm；刚毛粗糙，淡绿色或紫色，长1.5～3 cm；小穗通常单生，偶有双生，线状披针形，长5～8 mm；第一颖微小或缺，长

1 ~ 3 mm，膜质，先端钝，脉不明显或具 1 脉；第二颖卵状披针形，先端短尖，具 3 ~ 5 脉，长为小穗 1/3 ~ 2/3；第一小花中性，第一外稃与小穗等长，具 7 ~ 11 脉；第二外稃与小穗等长，披针形，具 5 ~ 7 脉，边缘包着同质的内稃；鳞被 2，楔形；雄蕊 3，花药先端无毫毛；花柱基部联合。颖果长圆形，长约 3.5 mm。叶片表皮细胞结构为上下表皮不同，上表皮脉间细胞 2 ~ 4 行为长筒状、有波纹、壁薄的长细胞，下表皮脉间 5 ~ 9 行为长筒形、壁厚、有波纹长细胞与短细胞交叉排列。花果期夏、秋季。

| 生境分布 | 生于海拔 50 ~ 3 200 m 的田岸、荒地、道旁及小山坡上。分布于河北迁安、邱县、武安等。

| 资源情况 | 野生资源丰富。药材主要来源于野生。

| 采收加工 | 狼尾草：夏、秋季采收，洗净，晒干。
狼尾草根：全年均可采收，晒干或鲜用。

| 功能主治 | 狼尾草：甘，平，无毒。清肺止咳，凉血明目。用于肺热咳嗽，目赤肿痛。
狼尾草根：甘，平。清肺止咳，解毒。用于肺热咳嗽，疮毒。

| 用法用量 | 狼尾草：内服煎汤，9 ~ 15 g。
狼尾草根：内服煎汤，30 ~ 60 g。

禾本科 Gramineae 芦苇属 Phragmites

芦苇 *Phragmites australis* (Cav.) Trin. ex Steud.

| 植物别名 | 苇、芦、葭。

| 药 材 名 | 芦根（药用部位：根茎。别名：芦茅根、苇根、芦菰根）。

| 形态特征 | 多年生草本。根茎十分发达。秆直立，高 1 ~ 3（~ 8）m，直径 1 ~ 4 cm，具 20 多节，基部和上部的节间较短，最长节间位于下部第 4 ~ 6 节，长 20 ~ 25（~ 40）cm，节下被蜡粉。叶鞘下部者短于节间，上部者长于节间；叶舌边缘密生 1 圈长约 1 mm 的短纤毛，两侧缘毛长 3 ~ 5 mm，易脱落；叶片披针状线形，长约 30 cm，宽约 2 cm，无毛，先端长渐尖成丝形。圆锥花序大型，长 20 ~ 40 cm，宽约 10 cm，分枝多数，长 5 ~ 20 cm，着生稠密下垂的小穗；小穗柄长 2 ~ 4 mm，无毛；小穗长约 12 mm，含 4 花；

颖具 3 脉，第一颖长约 4 mm；第二颖长约 7 mm；第一不孕外稃雄性，长约 12 mm，第二外稃长约 11 mm，具 3 脉，先端长渐尖，基盘延长，两侧密生与外稃等长的丝状柔毛，与无毛的小穗轴相连接处具明显关节，成熟后易自关节上脱落；内稃长约 3 mm，2 脊粗糙；雄蕊 3，花药长 1.5 ~ 2 mm，黄色。颖果长约 1.5 mm。

| **生境分布** | 生于江河湖泽、池塘沟渠沿岸和低湿地。分布于河北行唐、怀安、宽城等。

| **资源情况** | 野生资源丰富。药材主要来源于野生。

| **采收加工** | 全年均可采挖，除去芽、须根及膜状叶，鲜用或晒干。

| **药材性状** | 本品鲜品呈长圆柱形，有的略扁，长短不一，直径 1 ~ 2 cm；表面黄白色，有光泽，外皮疏松可剥离，节呈环状，有残根和芽痕；体轻，质韧，不易折断；切断面黄白色，中空，壁厚 1 ~ 2 mm，有小孔排列成环；气微，味甘。干品呈扁圆柱形，节处较硬，节间有纵皱纹。

| **功能主治** | 甘，寒。归肺、胃经。清热泻火，生津止渴，除烦，止呕，利尿。用于热病烦渴，肺热咳嗽，肺痈吐脓，胃热呕哕，热淋涩痛。

| **用法用量** | 内服煎汤，15 ~ 30 g，鲜品加倍；或捣汁。

禾本科 Gramineae 马唐属 Digitaria

马唐

Digitaria sanguinalis (L.) Scop.

植物别名

蹲倒驴。

药材名

马唐（药用部位：全草。别名：羊粟、马饭、羊麻）。

形态特征

一年生草本。秆直立或下部倾斜，膝曲上升，高 40 ~ 100 cm，直径 2 ~ 3 mm，无毛或节生柔毛。叶鞘短于节间，无毛或散生疣基柔毛；叶舌长 1 ~ 3 mm；叶片线状披针形，长 8 ~ 17 cm，宽 5 ~ 15 mm，基部圆形，边缘较厚，微粗糙，具柔毛或无毛。总状花序长 5 ~ 18 cm，4 ~ 12 呈指状着生于长 1 ~ 2 cm 的主轴上；穗轴直伸或开展，两侧具宽翼，边缘粗糙；小穗椭圆状披针形，长 3 ~ 3.5 mm；第一颖小，短三角形，无脉；第二颖具 3 脉，披针形，长约为小穗的 1/2，脉间及边缘大多具柔毛；第一外稃等长于小穗，具 7 脉，中脉平滑，两侧的脉间距离较宽，无毛，边脉上具小刺状粗糙，脉间及边缘生柔毛；第二外稃近革质，灰绿色，先端渐尖，与第一外稃等长；花药长约 1 mm。花果期 6 ~ 9 月。

| **生境分布** | 生于路旁、田野。分布于河北青龙、沙河、邢台等。 |

| **资源情况** | 野生资源一般。药材主要来源于野生。 |

| **采收加工** | 夏、秋季采割，晒干。 |

| **药材性状** | 本品长 40 ～ 100 cm。秆分枝，下部节上生根。完整叶片条状披针形，长 8 ～ 17 cm，宽 5 ～ 15 mm，先端渐尖或短尖。基部钝圆，两面无毛或疏生柔毛，叶鞘疏松抱茎，无毛或疏生柔毛。 |

| **功能主治** | 甘，寒。明目润肺。用于目暗不明，肺热咳嗽。 |

| **用法用量** | 内服煎汤，9 ～ 15 g。 |

| **附 注** | 我国西北、西南高海拔地区的马唐标本，在第一外稃边脉上部呈小刺状粗糙，但粗糙程度远远不及欧洲产的典型马唐，似可作为该种的一地理亚种，但考虑马唐为一多型种，故仍将其置于同一种中。我国大量标本的变化趋向表明，热带、亚热带广泛分布的升马唐 *Digitaria ciliaris* (Retz.) Koel. 与温带产的马唐 *Digitaria sanguinalis* (L.) Scop. 之间存在着一系列过渡情况。 |

禾本科 Gramineae 穇属 Eleusine

牛筋草

Eleusine indica (L.) Gaertn.

| 植物别名 |

蟋蟀草。

| 药 材 名 |

牛筋草（药用部位：全草。别名：千金草、千千踏、忝仔草）。

| 形态特征 |

一年生草本。根系极发达。秆丛生，直立或基部膝曲，高 10 ~ 90 cm。叶鞘两侧压扁而具脊，松弛，无毛或疏生疣毛；叶舌长约 1 mm；叶片平展，线形，长 10 ~ 15 cm，宽 0.3 ~ 0.5 cm，无毛或上面被疣基柔毛。穗状花序 2 ~ 5 呈指状排列于秆顶，很少单生，长 3 ~ 10 cm，宽 3 ~ 5 mm；小穗长 4 ~ 7 mm，宽 2 ~ 3 mm，含 3 ~ 6 小花；颖披针形，具脊，脊粗糙；第一颖长 1.5 ~ 2 mm；第二颖长 2 ~ 3 mm；第一外稃长 3 ~ 4 mm，卵形，膜质，具脊，脊上有狭翼；内稃短于外稃，具 2 脊，脊上具狭翼；鳞被 2，折叠，具 5 脉。囊果卵形，长约 1.5 mm，基部下凹，具明显的波状皱纹。花果期 6 ~ 10 月。

| **生境分布** | 生于荒芜之地及路旁。分布于河北昌黎、磁县、巨鹿等。

| **资源情况** | 野生资源丰富。药材主要来源于野生。

| **采收加工** | 8 ~ 9 月采挖，可除去茎叶，洗净，鲜用或晒干。

| **药材性状** | 本品长 15 ~ 90 cm。须根细而密，灰黄色。秆丛生，直立或基部膝曲。叶片条形，扁平或卷折，暗绿色，长达 15 cm，宽 0.3 ~ 0.5 cm，疏生疣状柔毛。中脉显著凸起，叶舌鞘压扁，边缘近膜质，先端具丝状毛，叶舌长约 0.1 cm。穗状花序，淡绿色，长 3 ~ 10 cm，宽 0.3 ~ 1.5 cm，2 ~ 5 呈指状排列于秆顶；小穗有花 3 ~ 6。囊果长圆形或近三角形。种子黑褐色，卵形，有波状皱纹。气微，味淡。

| **功能主治** | 甘、淡，平。归肝、肺、胃经。清热利湿，消肿止痛。用于伤暑发热，小儿急惊，湿热黄疸，痢疾，小便不利；外用于跌打损伤。

| **用法用量** | 内服煎汤，10 ~ 15 g。外用适量，捣敷。

禾本科 Gramineae 黍属 Panicum

稷

Panicum miliaceum L.

| 植物别名 | 黍、穄。

| 药 材 名 | 黍米（药用部位：种子。别名：稷米、粢米、穄米）、黍根（药用部位：根）、黍茎（药用部位：茎秆。别名：黍穰）。

| 形态特征 | 一年生栽培草本。秆粗壮，直立，高 40 ～ 120 cm，单生或少数丛生，有时有分枝，节密被髭毛，节下被疣基毛。叶鞘松弛，被疣基毛；叶舌膜质，长约 1 mm，先端具长约 2 mm 的睫毛；叶片线形或线状披针形，长 10 ～ 30 cm，宽 5 ～ 20 mm，两面被疣基的长柔毛或无毛，先端渐尖，基部近圆形，边缘常粗糙。圆锥花序开展或较紧密，成熟时下垂，长 10 ～ 30 cm，分枝粗或纤细，具棱槽，边缘具糙刺毛，下部裸露，上部密生小枝与小穗；小穗卵状椭圆形，长 4 ～ 5 mm；颖纸质，无毛，第一颖正三角形，长为小穗的 1/2 ～ 2/3，先端尖

或锥尖，通常具 5 ~ 7 脉；第二颖与小穗等长，通常具 11 脉，其脉先端渐汇合成喙状；第一外稃形似第二颖，具 11 ~ 13 脉；内稃透明、膜质，短小，长 1.5 ~ 2 mm，先端微凹或深 2 裂；第二小花长约 3 mm，成熟后因品种不同，而呈黄色、乳白色、褐色、红色和黑色等；第二外稃背部圆形，平滑，具 7 脉；内稃具 2 脉；鳞被较发育，长 0.4 ~ 0.5 mm，宽约 0.7 mm，多脉，并由一级脉分出次级脉。胚乳长为谷粒的 1/2，种脐点状，黑色。花果期 7 ~ 10 月。

| 生境分布 | 常栽培于山区。分布于河北丰宁、涞源等。

| 资源情况 | 栽培资源丰富。药材主要来源于栽培。

| 采收加工 | 黍米：夏、秋季种子成熟时采收，除去果皮，晒干。

黍根：秋季采挖，洗净，晒干。

黍茎：秋季采收，晒干。

| 药材性状 | 黍米：本品呈类圆球形，直径约 2 mm。黄白色；背面较平，种脐点状微凹；腹面圆凹，具较浅的腹沟，纵贯腹面的 1/3；残存的外皮棕褐色，有光泽。质硬。气无，味甘，嚼之微黏。

黍根：本品向下垂直，略弯曲，表面黄白色或淡棕黄色，凹陷处常有纵纹和纵沟，易折断，断面不平坦。气微，味辛。

黍茎：本品粗壮，直立，高 40 ~ 120 cm，有分枝。气微，味辛。

| 功能主治 | 黍米：甘，微温。归大肠、肺、胃、脾经。益气补中。用于泻痢，烦渴，吐逆，胃痛，小儿鹅口疮，烫伤。

黍根：辛，热；有小毒。利尿消肿，止血。用于小便不利，脚气，水肿，妊娠尿血。

黍茎：辛，热；有小毒。利尿消肿，止血，解毒。用于小便不利，水肿，妊娠尿血，脚气，苦瓠中毒。

| 用法用量 | 黍米：内服煎汤，30 ~ 90 g；或煮粥、淘取泔汁。外用适量，研末调敷。

黍根：内服煎汤，30 ~ 60 g。

黍茎：内服煎汤，9 ~ 15 g；或烧存性研末，每次 1 g，每日 3 次。外用适量，煎汤熏洗。

禾本科 Gramineae 菵草属 Beckmannia

菵草
Beckmannia syzigachne (Steud.) Fern.

| 植物别名 | 罔草。

| 药材名 | 菵米（药用部位：种子）。

| 形态特征 | 一年生草本。秆直立，高 15 ~ 90 cm，具 2 ~ 4 节。叶鞘无毛，多长于节间；叶舌透明、膜质，长 3 ~ 8 mm；叶片扁平，长 5 ~ 20 cm，宽 3 ~ 10 mm，粗糙或下面平滑。圆锥花序长 10 ~ 30 cm，分枝稀疏，直立或斜升；小穗扁平，圆形，灰绿色，常含 1 小花，长约 3 mm；颖草质，边缘质薄，白色，背部灰绿色，具淡色的横纹；外稃披针形，具 5 脉，常具伸出颖外之短尖头；花药黄色，长约 1 mm。颖果黄褐色，长圆形，长约 1.5 mm，先端具丛生短毛。花果期 4 ~ 10 月。

| 生境分布 | 生于海拔 3 700 m 以下的湿地、水沟边及浅的流水中。分布于河北昌黎、沽源、青龙等。 |

| 资源情况 | 野生资源丰富，栽培资源丰富。药材主要来源于栽培。 |

| 采收加工 | 秋季采收，晒干。 |

| 功能主治 | 甘，寒。益气健胃。用于感冒发热，食滞胃肠，身体乏力。 |

| 用法用量 | 内服煮食，适量。 |

| 附　注 | 毛颖茵草（变种）*Beckmannia syzigachne* var. *hirsutiflora* Roshev. 与本种的区别在于前者颖上具硬毛。 |

普通小麦 *Triticum aestivum* L.

| **植物别名** | 小麦、冬小麦。

| **药 材 名** | 小麦（药用部位：果实。别名：来、麳）、浮小麦（药用部位：干瘪轻浮的颖果。别名：浮麦）。

| **形态特征** | 秆直立，丛生，具6～7节，高60～100 cm，直径5～7 mm。叶鞘松弛抱茎，下部者长于节间，上部者短于节间；叶舌膜质，长约1 mm；叶片长披针形。穗状花序直立，长5～10 cm（不含芒），宽1～1.5 cm；小穗含3～9小花，上部者不发育；颖卵圆形，长6～8 mm，主脉于背面上部具脊，于先端延伸为长约1 mm的齿，侧脉的背脊及顶齿均不明显；外稃长圆状披针形，长8～10 mm，先端具芒或无芒；内稃与外稃几等长。小麦品种很多，形态有所不同。

| **生境分布** | 栽培种。分布于河北丰宁、迁安、涉县等。

| **资源情况** | 栽培资源丰富。药材主要来源于栽培。

| **采收加工** | **小麦**：夏季果实成熟时，割下全株，打下种子，除净杂质。

浮小麦：夏至前后，采收成熟果实后，取干瘪轻浮与未脱净皮的麦粒，筛去灰屑，用水漂洗，晒干。

| **药材性状** | **小麦**：本品呈长椭圆形，长 5 ～ 7 mm，直径 3 ～ 3.5 mm。表面浅黄棕色或黄色，腹面中央有 1 纵沟，背面基部有一不明显的胚；先端有黄白色柔毛。质硬，断面白色，粉性。气微，味微甘。

浮小麦：本品呈长圆形，长约 6 mm，直径 1.5 ～ 2.5 mm，表面黄白色或浅黄棕色，略皱缩，腹面中央有 1 纵行深沟，先端钝形，具黄白色柔毛，另一端略尖。质较硬，断面白色，粉性。气弱，味淡。

| **功能主治** | **小麦**：甘，凉。归心、脾、肾经。养心，益肾，除热，止渴，敛汗。用于脏躁，烦热，消渴，泻痢，痈肿，外伤出血，烫伤。

浮小麦：甘、咸，凉。归心经。止汗，退虚热。用于自汗，盗汗，骨蒸劳热。

| **用法用量** | **小麦**：内服煎汤，50 ～ 100 g；或煮粥；或研末炒黄，温水调服。外用适量，炒黑研末调敷；或研末干撒；或研末炒黄调敷。

浮小麦：内服煎汤，15 ～ 30 g；或研末。止汗宜微炒用。

禾本科 Gramineae 燕麦属 Avena

燕麦 *Avena sativa* L.

| **植物别名** | 铃当麦、香麦。

| **形态特征** | 秆高 0.7 ~ 1.5 m。叶鞘无毛，叶舌膜质，叶片长 7 ~ 20 cm，宽 0.5 ~ 1 cm。圆锥花序顶生，开展，长达 25 cm，宽 10 ~ 15 cm。小穗具 1 ~ 2 小花，长 1.5 ~ 2.2 cm；小穗轴近无毛或疏生毛，不易断落，第一节间长不及 5 mm；颖质薄，卵状披针形，长 2 ~ 2.3 cm；外稃坚硬，无毛，具 5 ~ 7 脉，第一外稃长约 1.3 cm，无芒或背部有一较直的芒，第二外稃通常无芒；内稃与外稃近等长。颖果长圆柱形，长约 1 cm，黄褐色。

| **生境分布** | 栽培种。分布于河北灵寿、迁安等。

| **资源情况** | 栽培资源丰富。药材主要来源于栽培。

| 采收加工 | 在未结果实前采割全草，晒干。

| 功能主治 | 收敛止血，固表止汗。用于吐血，便血，血崩，自汗，盗汗，带下。

| 用法用量 | 内服煎汤，15 ~ 30 g。

| 附　注 | 本种与野燕麦 *Avena fatua* L. 的不同之处在于本种小穗含 1 ~ 2 小花；小穗轴近无毛或疏生短毛，不易断落；第一外稃背部无毛，基盘仅被少数短毛或近无毛，无芒，或仅背部有一较直的芒；第二外稃无毛，通常无芒。

禾本科 Gramineae 薏苡属 Coix

薏苡
Coix lacryma-jobi L.

| 植物别名 |

菩提子、五谷子、草珠子。

| 药 材 名 |

薏苡仁（药用部位：种仁。别名：解蠡、起英、赣米）。

| 形态特征 |

一年生粗壮草本。须根黄白色，海绵质，直径约 3 mm。秆直立丛生，高 1 ~ 2 m，具10 余节，节多分枝。叶鞘短于节间，无毛；叶舌干膜质，长约 1 mm；叶片扁平宽大，开展，长 10 ~ 40 cm，宽 1.5 ~ 3 cm，基部圆形或近心形，中脉粗厚，在下面隆起，边缘粗糙，通常无毛。总状花序腋生成束，长4 ~ 10 cm，直立或下垂，具长梗。雌小穗位于花序下部，外面包以骨质念珠状总苞；总苞卵圆形，长 7 ~ 10 mm，直径 6 ~ 8 mm，珐琅质，坚硬，有光泽；第一颖卵圆形，先端渐尖，呈喙状，具 10 余脉，包围着第二颖及第一外稃；第二外稃短于颖，具 3 脉，第二内稃较小；雄蕊常退化；雌蕊具细长柱头，从总苞先端伸出；颖果小，含淀粉少，常不饱满。雄小穗 2 ~ 3 对，着生于总状花序上部，有柄雄小穗长 1 ~ 2 cm；无柄雄小穗长 6 ～ 7 mm；第一颖草质，边缘内折成脊，具有不等宽之翼，先端钝，具多数脉，第二颖舟形；外稃与内稃膜质；第一小花及第二小花常具 3 雄蕊，花药橘黄色，长 4 ～ 5 mm；有柄雄小穗与无柄者相似，或较小而呈不同程度的退化状态。花果期 6 ～ 12 月。

| **生境分布** | 生于海拔 200 ～ 2 000 m 的湿润屋旁、池塘、河沟、山谷、溪涧或易受涝的农田等，亦有栽培。分布于河北巨鹿、涉县等。

| **资源情况** | 野生资源丰富，栽培资源丰富。药材主要来源于栽培。

| **采收加工** | 秋季果实成熟时采割植株，晒干，打下果实，再晒干，除去外壳、黄褐色种皮和杂质，收集种仁。

| **药材性状** | 本品呈宽卵形或长椭圆形，长 4 ～ 8 mm，宽 3 ～ 6 mm。表面乳白色，光滑，偶有残存的黄褐色种皮；一端钝圆，另一端较宽而微凹，有 1 淡棕色点状种脐；背面圆凸，腹面有一较宽而深的纵沟。质坚实，断面白色，粉性。气微，味微甜。

| **功能主治** | 甘、淡，凉。归脾、胃、肺经。利水渗湿，健脾止泻，除痹，排脓，解毒散结。用于水肿，脚气，小便不利，脾虚泄泻，湿痹拘挛，肺痈，肠痈，赘疣，恶性肿瘤。

| **用法用量** | 内服煎汤，9 ～ 30 g。

禾本科 Gramineae 玉蜀黍属 *Zea*

玉蜀黍 *Zea mays* L.

| **植物别名** | 包谷、珍珠米。

| **药 材 名** | 玉米须（药用部位：花柱和柱头。别名：玉麦须、玉蜀黍蕊、棒子毛）。

| **形态特征** | 一年生高大草本。秆直立，通常不分枝，高 1 ~ 4 m，基部各节具气生支柱根。叶鞘具横脉；叶舌膜质，长约 2 mm；叶片扁平宽大，线状披针形，基部圆形，呈耳状，无毛或具疣柔毛，中脉粗壮，边缘微粗糙。顶生雄性圆锥花序大型，主轴与总状花序轴及其腋间均被细柔毛；雄小穗孪生，长达 1 cm，小穗柄一长一短，短小穗柄长 1 ~ 2 mm，长小穗柄长 2 ~ 4 mm，被细柔毛；2 颖近等长，膜质，约具 10 脉，被纤毛；外稃及内稃透明、膜质，稍短于颖；花药

橙黄色，长约 5 mm。雌花序被多数宽大的鞘状苞片所包藏；雌小穗孪生，成
16 ～ 30 纵行排列于粗壮花序轴上；2 颖等长，宽大，无脉，具纤毛；外稃及内
稃透明、膜质；雌蕊具极长而细弱的线形花柱。颖果球形或扁球形，成熟后露
出颖片和稃片外，其大小随生长条件而不同产生差异，一般长 5 ～ 10 mm，宽
略超过长，胚长为颖果的 1/2 ～ 2/3。花果期秋季。

| **生境分布** | 生于田野、路边。分布于河北涞源、迁安、永年等，河北多地有栽培。

| **资源情况** | 野生资源一般，栽培资源丰富。药材主要来源于栽培。

| **采收加工** | 果实成熟时收集，除去杂质，晒干。

| **药材性状** | 本品呈绒状或须状，常集结成团。花柱长达 30 cm，淡黄色至棕红色，有光泽，
柱头短，2 裂。质柔软，气微，味微甜。

| **功能主治** | 甘，平。利水消肿，降血压。用于肾性水肿，小便不利，湿热黄疸，高血压。

| **用法用量** | 内服煎汤，15 ～ 30 g。

半夏
Pinellia ternata (Thunb.) Breit.

| 植物别名 | 地珠半夏、守田、和姑。

| 药 材 名 | 半夏（药用部位：块茎。别名：水玉、地文、和姑）。

| 形态特征 | 块茎圆球形，直径 1 ~ 2 cm，具须根。叶 2 ~ 5，有时 1，叶柄长
15 ~ 20 cm，基部具鞘，鞘内、鞘部以上或叶片基部（叶柄顶头）
有直径 3 ~ 5 mm 的珠芽，珠芽在母株上萌发或落地后萌发；幼苗
叶片卵状心形至戟形，为全缘单叶，长 2 ~ 3 cm，宽 2 ~ 2.5 cm；
老株叶片 3 全裂，裂片绿色，背面色淡，长圆状椭圆形或披针形，
两端锐尖，中裂片长 3 ~ 10 cm，宽 1 ~ 3 cm，侧裂片稍短；全缘
或具不明显的浅波状圆齿；侧脉 8 ~ 10 对，细弱，细脉网状，密集，
集合脉 2 圈。花序柄长 25 ~ 30（~ 35）cm，长于叶柄；佛焰苞绿

色或绿白色，管部狭圆柱形，长 1.5 ~ 2 cm，檐部长圆形，绿色，有时边缘青紫色，长 4 ~ 5 cm，宽约 1.5 cm，钝或锐尖；肉穗花序，雌花序长 2 cm，雄花序长 5 ~ 7 mm，其中间隔约 3 mm，附属器由绿色变青紫色，长 6 ~ 10 cm，直立，有时呈"S"形弯曲。浆果卵圆形，黄绿色，先端渐狭为明显的花柱。花期 5 ~ 7 月，果实 8 月成熟。

| **生境分布** | 生于海拔 2 500 m 以下的草坡、荒地、玉米地、田边或疏林下。分布于河北磁县、定州、行唐等，河北安国有栽培。

| **资源情况** | 野生资源较少，栽培资源丰富。药材主要来源于栽培。

| **采收加工** | 夏、秋季采挖，洗净，除去外皮和须根，晒干。

| **药材性状** | 本品呈类球形，有的稍偏斜，直径 1 ~ 1.5 cm。表面白色或浅黄色，先端有凹陷的茎痕，周围密布麻点状根痕；下面钝圆，较光滑。质坚实，断面洁白，富粉性。气微，味辛辣、麻舌而刺喉。

| **功能主治** | 辛，温；有毒。归脾、胃、肺经。燥湿化痰，降逆止呕，消痞散结。用于湿痰寒痰，咳喘痰多，痰饮眩悸，风痰眩晕，痰厥头痛，呕吐反胃，胸脘痞闷，梅核气；外用于痈肿痰核。

| **用法用量** | 内服一般炮制后使用，3 ~ 9 g。外用适量，磨汁涂；或研末以酒调敷。

天南星科 Araceae 半夏属 Pinellia

虎掌
Pinellia pedatisecta Schott

| 植物别名 |

掌叶半夏、半夏、绿芋子。

| 药 材 名 |

虎掌南星（药用部位：块茎）。

| 形态特征 |

一年生草本。根密集，肉质，长5～6 cm；块茎四周常生若干小球茎。叶1～3或更多，叶柄淡绿色，长20～70 cm，下部具鞘；叶片鸟足状分裂，裂片6～11，披针形，渐尖，基部渐狭，楔形，中裂片长15～18 cm，宽约3 cm，两侧裂片依次渐短小，最外者有时长仅4～5 cm；侧脉6～7对，距边缘3～4 mm处弧曲，联结为集合脉，网脉不明显。花序柄长20～50 cm，直立；佛焰苞淡绿色，管部长圆形，长2～4 cm，直径约1 cm，向下渐收缩，檐部长披针形，锐尖，长8～15 cm，基部展平宽约1.5 cm；肉穗花序，雌花序长1.5～3 cm，雄花序长5～7 mm，附属器黄绿色，细线形，长约10 cm，直立或略呈"S"形弯曲。浆果卵圆形，绿色至黄白色，小，藏于宿存的佛焰苞管部内。花期6～7月，果实9～11月成熟。

生境分布	生于海拔 1 000 m 以下的林下、山谷或河谷阴湿处。分布于河北井陉、邢台、赞皇等。
资源情况	野生资源一般，栽培资源丰富。药材主要来源于栽培。
采收加工	7 ～ 9 月采挖，洗净，除去须根，置筐内浸于水中，搓去外皮，晒干或烘干。
药材性状	本品呈不规则扁球形。主块茎周边通常附着数个半球形、大小不等的侧块茎或侧芽，形如"虎掌"，主块茎高 1 ～ 3 cm，直径 3 ～ 5 cm，底部隆起。表面黄白色或淡棕色，顶部中央为除去茎的残痕，周围密布点状须根痕。质坚实而重，断面不平坦，白色，粉性。气微，味辣，有麻舌感。
功能主治	苦，热；有大毒，浆有剧毒。燥湿化痰，祛风止痉，散结消肿。用于顽痰咳嗽，风痰眩晕，中风痰壅，口眼歪斜，半身不遂，癫痫，惊风，破伤风；外用于痈肿，蛇虫咬伤。
用法用量	内服煎汤，3 ～ 9 g，一般炮制后使用；或入丸、散剂。外用适量，研末以醋或酒调敷。
附 注	关于虎掌的形态描述始于陶弘景，他在《本草经集注》中写道："形似半夏，但皆大，四边有子如虎掌。"宋代苏颂《本草图经》对虎掌的描述甚详，通过其描述，再加上插图，可以鉴定为本种无疑，该书记载"虎掌，生汉中山谷及冤句。今河北州郡亦有之。初生根如豆大，渐长大，似半夏而扁，累年者其根圆及寸，大者如鸡卵。周匝生圆芽二三枚或五六枚。三月四月生苗，高尺余，独茎上有叶如爪，五六出分布，尖而圆。一窠生七八茎，时出一茎作穗，直上如鼠尾（指肉穗花序）。中生一叶如匙（指佛焰苞），裹茎作房，傍开一口，上下尖。中有花，微青褐色。结实如麻子大，熟即白色，自落布地，一子生一窠。九月苗残"。此外，《名医别录》《本草图经》还分别叙述了天南星 *Arisaema heterophyllum* Blume 的功效和形态，从中可以辨识与虎掌的不同。但自李时珍误将天南星和虎掌混为一谈（见"天南星"条下）以来，虎掌就大都与天南星混用，少数也有与半夏混用的，却没有被当作"虎掌"使用的。

东北天南星 *Arisaema amurense* Maxim.

| 植物别名 | 东北南星、天南星、虎掌。

| 药 材 名 | 天南星（药用部位：块茎）。

| 形态特征 | 多年生草本。鳞叶 2，线状披针形，锐尖，膜质，内面的长 9 ~ 15 cm；叶 1，叶柄长 17 ~ 30 cm，下部 1/3 具鞘，紫色；叶片鸟足状分裂，裂片 5，倒卵形、倒卵状披针形或椭圆形，先端短渐尖或锐尖，基部楔形，中裂片具长 0.2 ~ 2 cm 的柄，长 7 ~ 11 cm，宽 4 ~ 7 cm，侧裂片具长 0.5 ~ 1 cm 共同的柄，与中裂片近等大；侧脉脉距 0.8 ~ 1.2 cm，集合脉距边缘 3 ~ 6 mm，全缘。花序柄短于叶柄，长 9 ~ 15 cm；佛焰苞长约 10 cm，管部漏斗状，白绿色，长约 5 cm，上部直径约 2 cm，喉部边缘斜截形，狭，外卷，檐部直立，卵状披针形，渐尖，长 5 ~ 6 cm，宽 3 ~ 4 cm，绿色或紫色，具白

色条纹；肉穗花序单性；雄花序长约 2 cm，上部渐狭，花疏；雌花序短圆锥形，长 1 cm，基部直径 5 mm；各附属器具短柄，棒状，长 2.5 ～ 3.5 cm，基部截形，直径 4 ～ 5 mm，向上略细，先端钝圆，直径约 2 mm；雄花具柄，花药 2 ～ 3，药室近圆球形，顶孔圆形；雌花子房倒卵形，柱头大，盘状，具短柄；肉穗花序轴常于果期增大，基部直径可达 2.8 cm，果实落后紫红色；浆果红色，直径 5 ～ 9 mm；种子 4，红色，卵形。花期 5 月，果实 9 月成熟。

| 生境分布 | 生于海拔 50 ～ 1 200 m 的林下和沟旁。分布于河北邢台、兴隆、赞皇等。

| 资源情况 | 栽培资源丰富。药材主要来源于栽培。

| 采收加工 | 秋、冬季茎叶枯萎时采挖，除去须根及外皮，干燥。

| 药材性状 | 本品呈扁球形，高 1 ～ 2 cm，直径 1.5 ～ 6.5 cm。表面类白色或淡棕色，较光滑，先端有凹陷的茎痕，周围有麻点状根痕，有的块茎周边有小扁球状侧芽。质坚硬，不易破碎，断面不平坦，白色，粉性。气微辛，味麻辣。

| 功能主治 | 苦、辛，温；有毒。归肺、肝、脾经。散结消肿。用于痈肿，蛇虫咬伤。

| 用法用量 | 外用适量，研末以醋或酒调敷。

一把伞南星
Arisaema erubescens (Wall.) Schott

| **植物别名** | 虎掌南星、天南星。

| **药 材 名** | 天南星（药用部位：块茎。别名：虎掌南星、麻蛇饭）。

| **形态特征** | 多年生草本。块茎表皮黄色，有时淡红紫色。鳞叶绿白色、粉红色，有紫褐色斑纹。叶1，极稀2，叶柄长40～80 cm，中部以下具鞘，鞘部粉绿色，上部绿色，有时具褐色斑块；叶片放射状分裂，裂片无定数；幼株少则3～4，多年生植株有多至20的，常1上举，余呈放射状平展，披针形、长圆形至椭圆形，无柄，长（6～）8～24 cm，宽6～35 mm，长渐尖，具线形长尾（长可达7 cm）或否。花序柄比叶柄短，直立，果时下弯或否；佛焰苞绿色，背面有清晰的白色条纹，或淡紫色至深紫色而无条纹，管部圆筒形，长4～8 mm，直径9～20 mm，喉部边缘截形或稍外卷，檐部通常色较深，三角状

卵形至长圆状卵形，有时为倒卵形，长 4 ~ 7 cm，宽 2.2 ~ 6 cm，先端渐狭，
略下弯，有长 5 ~ 15 cm 的线形尾尖或否；肉穗花序单性，雄花序长 2 ~ 2.5 cm，
花密，雌花序长约 2 cm，直径 6 ~ 7 mm，各附属器棒状、圆柱形，中部稍膨
大或否，直立，长 2 ~ 4.5 cm，中部直径 2.5 ~ 5 mm，先端钝，光滑，基部渐狭，
雄花序的附属器下部光滑或有少数中性花，雌花序的附属器具多数中性花；雄
花具短柄，淡绿色、紫色至暗褐色，雄蕊 2 ~ 4，药室近球形，顶孔开裂成圆形；
雌花子房卵圆形，柱头无柄。果序柄下弯或直立，浆果红色；种子 1 ~ 2，球形，
淡褐色。花期 5 ~ 7 月，果实 9 月成熟。

| 生境分布 | 生于海拔 3 200 m 以下的林下、灌丛、草坡、荒地。分布于河北阜平、井陉、灵寿等。

| 资源情况 | 野生资源丰富，栽培资源丰富。药材主要来源于栽培。

| 采收加工 | 秋、冬季茎叶枯萎时采挖，除去须根及外皮，干燥。

| 药材性状 | 本品呈扁球形，高 1 ~ 2 cm，直径 1.5 ~ 6.5 cm。表面类白色或淡棕色，较光滑，先端有凹陷的茎痕，周围有麻点状根痕，有的块茎周边有小扁球状侧芽。质坚硬，不易破碎，断面不平坦，白色，粉性。气微辛，味麻辣。

| 功能主治 | 苦、辛，温；有毒。归肺、肝、脾经。散结消肿。用于痈肿，蛇虫咬伤。

| 用法用量 | 外用适量，研末以醋或酒调敷。

浮萍 *Lemna minor* L.

| **植物别名** | 水萍、水萍草、浮萍草。

| **药 材 名** | 浮萍（药用部位：全草。别名：水萍、水花）。

| **形态特征** | 漂浮植物。叶状体对称，表面绿色，背面浅黄色或绿白色，或常为紫色，近圆形、倒卵形或倒卵状椭圆形，全缘，上面稍凸起或沿中线隆起，脉3，不明显，背面垂生丝状根1，根白色，长3～4 cm，根冠钝头，根鞘无翅。叶状体背面一侧具囊，新叶状体于囊内形成后浮出，以极短的细柄与母体相连，随后脱落。雌花具弯生胚珠1。果实无翅，近陀螺状；种子具凸出的胚乳并具12～15纵肋。

| **生境分布** | 生于稻田、池塘、浅水湖泊或静水沟渠中。分布于河北昌黎、乐亭、平泉等。

| 资源情况 | 野生资源丰富。药材主要来源于野生。

| 采收加工 | 6 ~ 9 月采收，捞出后除去杂质，洗净，晒干。

| 药材性状 | 本品为扁平叶状体，呈卵形或卵圆形，直径 2 ~ 5 mm。上表面淡绿色至灰绿色，偏侧有 1 小凹陷，边缘整齐或微卷曲，下表面紫绿色至紫棕色，着生数条须根。体轻，手捻易碎。气微，味淡。

| 功能主治 | 辛，寒。归肺经。用于麻疹不透，风疹瘙痒，水肿尿少。

| 用法用量 | 内服煎汤，3 ~ 9 g，鲜品 15 ~ 30 g；或捣汁；或入丸、散剂。外用适量，煎汤熏洗；或研末撒；或研末调敷。

黑三棱科 Sparganiaceae 黑三棱属 Sparganium

黑三棱
Sparganium stoloniferum (Graebn.) Buch.-Ham. ex Juz.

| 植物别名 | 三棱、泡三棱。

| 药 材 名 | 三棱（药用部位：块茎。别名：泡三棱）。

| 形态特征 | 多年生水生或沼生草本。块茎膨大，比茎粗 2 ~ 3 倍或更粗；根茎粗壮。茎直立，粗壮，高 0.7 ~ 1.2 m 或更高，挺水。叶片长（20 ~）40 ~ 90 cm，宽 0.7 ~ 16 cm，具中脉，上部扁平，下部背面呈龙骨状凸起，或呈三棱形，基部鞘状。圆锥花序开展，长 20 ~ 60 cm，具 3 ~ 7 侧枝，每个侧枝上着生 7 ~ 11 雄性头状花序和 1 ~ 2 雌性头状花序，主轴先端通常具雄性头状花序 3 ~ 5 或更多，无雌性头状花序；花期雄性头状花序呈球形，直径约 10 mm；雄花花被片匙形，膜质，先端浅裂，早落，花丝长约 3 mm，丝状，弯曲，褐色，

花药近倒圆锥形，长 1 ～ 1.2 mm，宽约 0.5 mm；雌花花被片长 5 ～ 7 mm，宽 1 ～ 1.5 mm，着生于子房基部，宿存，柱头分叉或否，长 3 ～ 4 mm，向上渐尖，花柱长约 1.5 mm，子房无柄。果实长 6 ～ 9 mm，倒圆锥形，上部通常膨大成冠状，具棱，褐色。花果期 5 ～ 10 月。

| **生境分布** | 生于海拔 1 500 m 以下的湖泊、河沟、沼泽、水塘边浅水处。分布于河北平泉、涉县等。

| **资源情况** | 野生资源丰富。药材主要来源于野生。

| **采收加工** | 冬季至翌年春季采挖，洗净，削去外皮，晒干。

| **药材性状** | 本品呈圆锥形，略扁，长 2 ～ 6 cm，直径 2 ～ 4 cm。表面黄白色或灰黄色，有刀削痕，须根痕小点状，略呈横向环状排列。体重，质坚实。气微，味淡，嚼之微有麻辣感。

| **功能主治** | 辛、苦，平。归肝、脾经。破血行气，消积止痛。用于癥瘕痞块，痛经，瘀血经闭，胸痹心痛，食积胀痛。

| **用法用量** | 内服煎汤，5 ～ 10 g。

东方香蒲 *Typha orientalis* Presl.

| **植物别名** | 毛蜡烛、香蒲。

| **药 材 名** | 蒲黄（药用部位：花粉）。

| **形态特征** | 多年生水生或沼生草本。根茎乳白色。地上茎粗壮，向上渐细，高
1.3 ～ 2 m。叶片条形，长 40 ～ 70 cm，宽 0.4 ～ 0.9 cm，光滑无毛，
上部扁平，下部腹面微凹，背面逐渐隆起成凸形，横切面呈半圆形，
细胞间隙大，海绵状；叶鞘抱茎。雌雄花序紧密连接；雄花序长
2.7 ～ 9.2 cm，花序轴具白色弯曲柔毛，自基部向上具 1 ～ 3 叶状苞片，
花后脱落；雌花序长 4.5 ～ 15.2 cm，基部具 1 叶状苞片，花后脱落；
雄花雄蕊常 3，有时 2，或 4 雄蕊合生，花药长约 3 mm，2 室，条形，
花粉粒单体，花丝很短，基部合生成短柄；雌花无小苞片，孕性雌

花柱头匙形，外弯，长 0.5 ~ 0.8 mm，花柱长 1.2 ~ 2 mm，子房纺锤形至披针形，子房柄细弱，长约 2.5 mm，不孕雌花子房长约 1.2 mm，近圆锥形，先端呈圆形，不发育柱头宿存；白色丝状毛通常单生，有时几枚基部合生，稍长于花柱，短于柱头。小坚果椭圆形至长椭圆形；果皮具长形褐色斑点；种子褐色，微弯。花果期 5 ~ 8 月。

| **生境分布** | 生于池沼、湖泊、河边、稻田及水湿地。分布于河北涉县等。

| **资源情况** | 野生资源一般。药材主要来源于野生。

| **采收加工** | 夏季采收蒲棒上部的黄色雄花序，晒干后碾轧，筛取花粉。

| **药材性状** | 本品为黄色粉末。体轻，放在水中则漂浮于水面。手捻有滑腻感，易附着于手指上。气微，味淡。

| **功能主治** | 甘，平。归肝、心包经。止血，化瘀，通淋。用于吐血，衄血，咯血，崩漏，外伤出血，经闭痛经，胸腹刺痛，跌扑肿痛，血淋涩痛。

| **用法用量** | 内服煎汤，5 ~ 10 g，包煎；或入丸、散剂。外用适量，研末撒或调敷。散瘀止痛多生用；止血多炒用；治疗血瘀出血，生熟各半。

| **附　注** | 本种喜温暖湿润气候及潮湿环境，以选择向阳、肥沃的池塘边或浅水处栽培为宜。

香蒲科 Typhaceae 香蒲属 Typha

水烛
Typha angustifolia L.

| **植物别名** | 香蒲、水蜡烛、蒲草。

| **药 材 名** | 蒲黄（药用部位：花粉）。

| **形态特征** | 多年生水生或沼生草本。根茎乳黄色、灰黄色，先端白色。地上茎直立，粗壮，高 1.5 ~ 2.5（~ 3）m。叶片长 54 ~ 120 cm，宽 0.4 ~ 0.9 cm，上部扁平，中部以下腹面微凹，背面向下逐渐隆起成凸形，下部横切面呈半圆形，细胞间隙大，呈海绵状；叶鞘抱茎。雌雄花序相距 2.5 ~ 6.9 cm；雄花序轴具褐色扁柔毛，单出，或分叉；叶状苞片 1 ~ 3，花后脱落；雌花序长 15 ~ 30 cm，基部具 1 叶状苞片，通常比叶片宽，花后脱落；雄花雄蕊 3，合生，有时 2 或 4，花药长约 2 mm，长矩圆形，花粉粒单体，近球形、卵形或三角

形，纹饰网状，花丝短，细弱，下部合生成柄，长（1.5～）2～3 mm，向下渐宽；雌花具小苞片，孕性雌花柱头呈窄条形或披针形，长 1.3～1.8 mm，花柱长 1～1.5 mm，子房纺锤形，长约 1 mm，具褐色斑点，子房柄纤细，长约 5 mm，不孕雌花子房倒圆锥形，长 1～1.2 mm，具褐色斑点，先端黄褐色，不育柱头短尖；白色丝状毛着生于子房柄基部，并向上延伸，与小苞片近等长，均短于柱头。小坚果长椭圆形，长约 1.5 mm，具褐色斑点，纵裂；种子深褐色，长 1～1.2 mm。花果期 6～9 月。

| **生境分布** | 生于湖泊、河流、池塘浅水处，水深稀达 1 m 或更深，沼泽、沟渠中亦常见。分布于河北抚宁、怀安、平山等。

| **资源情况** | 野生资源丰富。药材主要来源于野生。

| **采收加工** | 夏季采收蒲棒上部的黄色雄花序，晒干后碾轧，筛取花粉。

| **药材性状** | 本品为黄色粉末。体轻，放在水中则漂浮于水面。手捻有滑腻感，易附着于手指上。气微，味淡。

| **功能主治** | 甘，平。归肝、心包经。止血，化瘀，通淋。用于吐血，衄血，咯血，崩漏，外伤出血，经闭痛经，胸腹刺痛，跌扑肿痛，血淋涩痛。

| **用法用量** | 内服煎汤，5～10 g，包煎；或入丸、散剂。外用适量，研末撒；或调敷。散瘀止痛多生用；止血多炒用；治疗血瘀出血，生熟各半。

| **附　注** | （1）蒲黄始载于《神农本草经》，被列为上品。宋代苏颂在《本草图经》中指出："香蒲蒲黄苗也，今处处有之，而泰州者为良，春初生嫩叶，未出水时红白色，茸茸然。至夏抽梗于丛叶中，花抱梗端，如武士棒杵，故俚俗之谓蒲槌，亦谓蒲厘。花黄，即花中蕊屑也，细若金粉，当其欲开时，有便取之。"宋代《本草衍义》曰："蒲黄处处有，即蒲槌中黄粉也。"根据上述记载，并参考《证类本草》及《本草纲目》所附植物图可以推断，古今所用的蒲黄相同。

（2）《中国药典》规定蒲黄来源于香蒲科植物水烛香蒲 *Typha angustifolia* L.、东方香蒲 *Typha orientalis* Presl. 或同属植物的干燥花粉。

香蒲科 Typhaceae 香蒲属 Typha

无苞香蒲
Typha laxmannii Lepech.

| 药 材 名 |

蒲黄（药用部位：花粉）。

| 形 态 特 征 |

多年生沼生或水生草本。根茎乳黄色或浅褐色，先端白色。地上茎直立，较细弱，高1 ~ 1.3 m。叶片窄条形，长50 ~ 90 cm，宽2 ~ 4 mm，光滑无毛，下部背面隆起，横切面半圆形，细胞间隙较大，近叶鞘处明显呈海绵质；叶鞘抱茎较紧。雌雄花序远离；雄性穗状花序长6 ~ 14 cm，明显长于雌花序，花序轴具白色、灰白色、黄褐色柔毛，基部和中部具1 ~ 2纸质叶状苞片，花后脱落；雌花序长4 ~ 6 cm，基部具1叶状苞片，通常比叶片宽，花后脱落；雄花雄蕊2 ~ 3，合生，花药长约1.5 mm，花丝很短；雌花无小苞片，孕性雌花柱头匙形，长0.6 ~ 0.9 mm，褐色边缘不整齐，花柱长0.5 ~ 1 mm，子房针形，长1 ~ 1.2 mm，子房柄纤细，长2.5 ~ 3 mm，不孕雌花子房倒圆锥形，先端平，不发育柱头很小，宿存；白色丝状毛与花柱近等长。果实椭圆形；种子褐色，长约1 mm，具小突起。花果期6 ~ 9 月。

| **生境分布** | 生于湖泊、池塘、河流的浅水处，亦见于沼泽、湿地及排水沟内。分布于河北昌黎、抚宁等。

| **资源情况** | 野生资源丰富。药材主要来源于野生。

| **采收加工** | 夏季采收蒲棒上部的黄色雄花序，晒干后碾轧，筛取花粉。

| **药材性状** | 本品为黄色粉末。体轻，放在水中则漂浮于水面。手捻有滑腻感，易附着于手指上。气微，味淡。

| **功能主治** | 甘，平。归肝、心包经。止血，化瘀，通淋。用于吐血，衄血，咯血，崩漏，外伤出血，经闭痛经，胸腹刺痛，跌扑肿痛，血淋涩痛。

| **用法用量** | 内服煎汤，5 ~ 10 g，包煎；或入丸、散剂。外用适量，研末撒；或调敷。散瘀止痛多生用；止血多炒用；治疗血瘀出血，生熟各半。

香蒲科 Typhaceae 香蒲属 Typha

小香蒲 *Typha minima* Funk.

| 药 材 名 | 蒲黄（药用部位：花粉）。

| 形态特征 | 多年生沼生或水生草本。根茎姜黄色或黄褐色，先端乳白色。地上茎直立，细弱，矮小，高 16 ~ 65 cm。叶通常基生，鞘状，无叶片，如叶片存在，长 15 ~ 40 cm，宽 1 ~ 2 mm，短于花葶，叶鞘边缘膜质，叶耳向上伸展，长 0.5 ~ 1 cm。雌雄花序远离，雄花序长 3 ~ 8 cm，花序轴无毛，基部具 1 叶状苞片，长 4 ~ 6 cm，宽 4 ~ 6 mm，花后脱落；雌花序长 1.6 ~ 4.5 cm，叶状苞片明显宽于叶片；雄花无花被，雄蕊通常单生，有时 2 ~ 3 合生，基部具短柄，长约 0.5 mm，向下渐宽，花药长 1.5 mm，花粉粒成四合体，纹饰颗粒状；雌花具小苞片；孕性雌花柱头条形，长约 0.5 mm，花柱长约 0.5 mm，子房长 0.8 ~ 1 mm，纺锤形，子房柄长约 4 mm，纤细，不孕雌花子

房长 1 ~ 1.3 mm，倒圆锥形；白色丝状毛先端膨大成圆形，着生于子房柄基部，或向上延伸，与不孕雌花及小苞片近等长，均短于柱头。小坚果椭圆形，纵裂，果皮膜质；种子黄褐色，椭圆形。花果期 5 ~ 8 月。

| **生境分布** | 生于池塘、水沟边浅水处等，亦常见于一些水体干枯后的湿地及低洼处。分布于河北滦平、平泉等。

| **资源情况** | 野生资源一般。药材主要来源于野生。

| **采收加工** | 夏季采收蒲棒上部的黄色雄花序，晒干后碾轧，筛取花粉。

| **药材性状** | 本品为黄色粉末。体轻，放在水中则漂浮于水面。手捻有滑腻感，易附着于手指上。气微，味淡。

| **功能主治** | 甘，平。归肝、心包经。止血，化瘀，通淋。用于吐血，衄血，咯血，崩漏，外伤出血，经闭痛经，胸腹刺痛，跌扑肿痛，血淋涩痛。

| **用法用量** | 内服煎汤，5 ~ 10 g，包煎；或入丸、散剂。外用适量，研末撒；或调敷。散瘀止痛多生用；止血多炒用；治疗血瘀出血，生熟各半。

莎草科 Cyperaceae 藨草属 Scirpus

藨草
Scirpus triqueter L.

| **药 材 名** | 藨草（药用部位：全草）。

| **形态特征** | 多年生草本，高 20 ～ 100 cm。匍匐根茎细长。秆散生，三棱形，较粗壮，近基部有 2 ～ 3 叶鞘，先端叶鞘有叶片。叶片扁平，长 1 ～ 5 cm，宽 1.5 ～ 2 mm；苞片 1，为秆的延长，三棱形，长 1.5 ～ 6 cm。聚伞花序假侧生，有 1 小穗或 2 ～ 8 簇生小穗；小穗卵形或长圆形，长 6 ～ 14 mm，宽 3 ～ 7 mm，密生多数花；鳞片长圆形或椭圆形，长 3 ～ 4 mm，膜质，黄棕色，具 1 脉，边缘疏生缘毛，先端微凹或圆形；下位刚毛 3 ～ 5，有倒刺，与小坚果近等长；雄蕊 3，花药线形；花柱短，柱头 2，细长。小坚果卵形，长 2 ～ 3 mm，平凸状，成熟时黑褐色，平滑，具光泽。花果期 6 ～ 10 月。

| **生境分布** | 生于海拔 2 000 m 以下的水沟、水塘、山溪边或沼泽地。分布于河北滦平等。

| **资源情况** | 野生资源丰富。药材主要来源于野生。

| **采收加工** | 秋季采收，洗净，切段，晒干。

| **功能主治** | 开胃消食，清热利湿。用于饮食积滞，胃纳不佳，呃逆饱胀，热淋，小便不利。

| **用法用量** | 内服煎汤，15 ～ 30 g。

莎草科 Cyperaceae 三棱草属 Bolboschoenus

扁秆荆三棱
Bolboschoenus planiculmis (F. Schmidt) T. V. Egorova

| **植物别名** | 扁秆藨草。

| **药 材 名** | 扁秆藨草（药用部位：块茎）。

| **形态特征** | 具匍匐根茎和块茎。秆高 60 ~ 100 cm，一般较细，三棱形，平滑，靠近花序部分粗糙，基部膨大，具秆生叶。叶扁平，宽 2 ~ 5 mm，向顶部渐狭，具长叶鞘。叶状苞片 1 ~ 3，常长于花序，边缘粗糙；长侧枝聚伞花序短缩成头状，或有时具少数辐射枝，通常具 1 ~ 6 小穗；小穗卵形或长圆状卵形，锈褐色，长 10 ~ 16 mm，宽 4 ~ 8 mm，具多数花；鳞片膜质，长圆形或椭圆形，长 6 ~ 8 mm，褐色或深褐色，外面被稀少的柔毛，背面具一稍宽的中肋，先端或多或少缺刻状撕裂，具芒；下位刚毛 4 ~ 6，上生倒刺，长为

小坚果的 1/2 ~ 2/3；雄蕊 3，花药线形，长约 3 mm，药隔稍凸出花药先端；花柱长，柱头 2。小坚果宽倒卵形或倒卵形，扁，两面稍凹或稍凸，长 3 ~ 3.5 mm。花期 5 ~ 6 月，果期 7 ~ 9 月。

| **生境分布** | 生于海拔 2 ~ 1 600 m 的湖边、河边近水处。分布于河北昌黎、平泉、永年等。

| **资源情况** | 野生资源丰富。药材主要来源于野生。

| **采收加工** | 夏、秋季采收，除去茎叶及根茎，洗净，晒干。

| **功能主治** | 苦，平。归肺、胃、肝经。祛瘀通经，行气消积。用于闭经，痛经，产后瘀阻腹痛，癥瘕积聚，胸腹胁痛，消化不良。

| **用法用量** | 内服煎汤，15 ~ 30 g。

莎草科 Cyperaceae 水葱属 Schoenoplectus

水葱
Schoenoplectus tabernaemontani (C. C. Gmelin) Palla

| **植物别名** | 南水葱。

| **药 材 名** | 水葱（药用部位：地上部分）。

| **形态特征** | 匍匐根茎粗壮，具多数须根。秆高大，圆柱状，高 1 ~ 2 m，平滑，基部具 3 ~ 4 叶鞘，鞘长可达 38 cm，管状，膜质，最上面 1 叶鞘具叶片。叶片线形。苞片 1，为秆的延长，直立，钻状，常短于花序，极少数稍长于花序；长侧枝聚伞花序简单或复出，假侧生，具 4 ~ 13 或更多辐射枝；辐射枝长可达 5 cm，一面凸，一面凹，边缘有锯齿；小穗单生或 2 ~ 3 簇生于辐射枝先端，卵形或长圆形，先端急尖或钝圆，长 5 ~ 10 mm，宽 2 ~ 3.5 mm，具多数花；鳞片椭圆形或宽卵形，先端稍凹，具短尖，膜质，长约 3 mm，棕色或紫褐色，有时

基部色淡，背面有铁锈色凸起小点，脉 1，边缘具缘毛；下位刚毛 6，与小坚果等长，红棕色，有倒刺；雄蕊 3，花药线形，药隔凸出；花柱中等长短，柱头 2，稀 3，长于花柱。小坚果倒卵形或椭圆形，双凸状，少有三棱形，长约 2 mm。花果期 6 ～ 9 月。

| **生境分布** | 生于湖边或浅水塘中。分布于河北昌黎等。

| **资源情况** | 野生资源丰富。药材主要来源于野生。

| **采收加工** | 7 ～ 9 月采收，切段，晒干。

| **药材性状** | 干燥茎呈扁圆柱形或扁平长条形，长 60 ～ 100 cm，直径 4 ～ 9 mm，或更粗。表面淡黄棕色或枯绿色，有光泽，具纵沟纹，节少，稍隆起，可见膜质叶鞘。质轻而韧，不易折断，断面类白色，有许多细孔，似海绵状。有的可见淡黄色的花序。气微，味淡。

| **功能主治** | 甘、淡，平。归膀胱经。利水消肿。用于水肿胀满，小便不利。

| **用法用量** | 内服煎汤，5 ～ 10 g。

风车草

Cyperus involucratus Rottboll

| 植物别名 |

旱伞草。

| 药 材 名 |

伞莎草（药用部位：茎叶）。

| 形态特征 |

根茎短，粗大，须根坚硬。秆稍粗壮，高
30 ~ 150 cm，近圆柱状，上部稍粗糙，基
部包裹以无叶的鞘，鞘棕色。苞片20，长
几相等，较花序长约2倍，宽2 ~ 11 mm，
向四周展开，平展；多次复出长侧枝聚伞
花序具多数第一次辐射枝，辐射枝最长达
7 cm，每个第一次辐射枝具4 ~ 10 第二次
辐射枝，最长达15 cm；小穗密集生于第二
次辐射枝上端，椭圆形或长圆状披针形，长
3 ~ 8 mm，宽1.5 ~ 3 mm，压扁，具6 ~ 26
花；小穗轴不具翅；鳞片呈紧密覆瓦状排
列，膜质，卵形，先端渐尖，长约2 mm，
苍白色，具锈色斑点，或为黄褐色，具3 ~ 5
脉；雄蕊3，花药线形，先端具刚毛状附
属物；花柱短，柱头3。小坚果椭圆形或近
三棱形，长为鳞片的1/3，褐色。

| **生境分布** | 生于森林、草原地区的湖泊、河流边缘的沼泽中。分布于河北抚宁、平山、青龙等。

| **资源情况** | 野生资源丰富。药材主要来源于野生。

| **采收加工** | 全年均可采收，洗净，鲜用或晒干。

| **功能主治** | 酸、甘、苦，凉。行气活血，解毒。用于瘀血肿痛，蛇虫咬伤。

| **用法用量** | 内服煎汤，9 ~ 15 g。外用适量，浸酒擦。

莎草科 Cyperaceae 莎草属 Cyperus

水莎草

Cyperus serotinus Rottb.

| 药 材 名 | 水莎草（药用部位：全草）。

| 形态特征 | 多年生草本，散生。根茎长。秆高 35 ~ 100 cm，粗壮，扁三棱形，平滑。叶片少，短于秆或有时长于秆，宽 3 ~ 10 mm，平滑，基部折合，上面平张，背面中肋呈龙骨状凸起。苞片常 3，少 4，叶状，较花序长 1 倍多，最宽至 8 mm；复出长侧枝聚伞花序具 4 ~ 7 第一次辐射枝；辐射枝向外展开，长短不等，最长达 16 cm；每一辐射枝上具 1 ~ 3 穗状花序，每一穗状花序具 5 ~ 17 小穗；花序轴被疏短硬毛；小穗排列稍松，近平展，披针形或线状披针形，长 8 ~ 20 mm，宽约 3 mm，具 10 ~ 34 花；小穗轴具白色透明的翅；鳞片初期排列紧密，后期较松，纸质，宽卵形，先端钝或圆，有时微缺，长约 2.5 mm，背面中肋绿色，两侧红褐色或暗红褐色，边缘黄白色

透明，具 5 ～ 7 脉；雄蕊 3，花药线形，药隔暗红色；花柱很短，柱头 2，细长，具暗红色斑纹。小坚果椭圆形或倒卵形，平凸状，长约为鳞片的 4/5，棕色，稍有光泽，具凸起的细点。花果期 7 ～ 10 月。

| **生境分布** | 生于浅水中、水边沙土上，有时亦见于路旁。分布于河北沙河等。

| **资源情况** | 野生资源丰富。药材主要来源于野生。

| **采收加工** | 夏、秋季采收，洗净，晒干。

| **功能主治** | 止咳化痰。用于慢性支气管炎。

| **用法用量** | 内服煎汤，15 ～ 30 g。

碎米莎草 *Cyperus iria* L.

| 药 材 名 | 三楞草（药用部位：全草）。

| 形态特征 | 一年生草本。无根茎，具须根。秆丛生，细弱或稍粗壮，高 8 ～ 85 cm，扁三棱形，基部具少数叶。叶短于秆，宽 2 ～ 5 mm，平张或折合，叶鞘红棕色或棕紫色。叶状苞片 3 ～ 5，下面的 2 ～ 3 常较花序长；长侧枝聚伞花序复出，很少为简单的，具 4 ～ 9 辐射枝，辐射枝最长达 12 cm，每个辐射枝具 5 ～ 10 穗状花序，或有时更多；穗状花序卵形或长圆状卵形，长 1 ～ 4 cm，具 5 ～ 22 小穗；小穗排列松散，斜展开，长圆形、披针形或线状披针形，压扁，长 4 ～ 10 mm，宽约 2 mm，具 6 ～ 22 花；小穗轴上近无翅；鳞片排列疏松，膜质，宽倒卵形，先端微缺，具极短的短尖，不凸出鳞片的先端，背面具龙骨状突起，绿色，有 3 ～ 5 脉，两侧呈黄色或麦秆黄色，上端具

白色透明的边缘；雄蕊 3，花丝着生在环形的胼胝体上，花药短，椭圆形，药隔不凸出花药先端；花柱短，柱头 3。小坚果倒卵形、椭圆形或三棱形，与鳞片等长，褐色，具密集的微凸起细点。花果期 6 ~ 10 月。

| **生境分布** | 生于田间、山坡、路旁阴湿处。分布于河北滦平、迁安、赞皇等。

| **资源情况** | 野生资源丰富。药材主要来源于野生。

| **采收加工** | 8 ~ 9 月抽穗时采收，洗净，晒干。

| **功能主治** | 辛，微温。归肝经。祛风除湿，活血调经。用于风湿筋骨疼痛，瘫痪，月经不调，闭经，痛经，跌打损伤。

| **用法用量** | 内服煎汤，10 ~ 30 g；或浸酒。

莎草科 Cyperaceae 莎草属 Cyperus

头状穗莎草 *Cyperus glomeratus* L.

| **植物别名** | 三轮草、状元花、喂香壶。

| **药 材 名** | 水莎草（药用部位：全草）。

| **形态特征** | 一年生草本。具须根。秆散生，粗壮，高 50 ~ 95 cm，钝三棱形，平滑，基部稍膨大，具少数叶。叶短于秆，宽 4 ~ 8 mm，边缘不粗糙；叶鞘长，红棕色。叶状苞片 3 ~ 4，较花序长，边缘粗糙；复出长侧枝聚伞花序具 3 ~ 8 辐射枝，辐射枝长短不等，最长达 12 cm；穗状花序无总花梗，近圆形、椭圆形或长圆形，长 1 ~ 3 cm，宽 6 ~ 17 mm，具极多数小穗；小穗多列，排列极密，线状披针形或线形，稍扁平，长 5 ~ 10 mm，宽 1.5 ~ 2 mm，具 8 ~ 16 花；小穗轴具白色透明的翅；鳞片排列疏松，膜质，近长圆形，先端钝，

长约 2 mm，棕红色，背面无龙骨状突起，脉极不明显，边缘内卷；雄蕊 3，花药短，长圆形，暗血红色，药隔凸出花药先端；花柱长，柱头 3，较短。小坚果长圆形、三棱形，长为鳞片的 1/2，灰色，具明显的网纹。花果期 6 ~ 10 月。

| 生境分布 | 生于水边沙土上或路旁阴湿的草丛中。分布于河北行唐、乐亭、永年等。

| 资源情况 | 野生资源丰富。药材主要来源于野生。

| 采收加工 | 夏、秋季采收，洗净，晒干。

| 功能主治 | 辛、苦，平。止咳化痰。用于慢性支气管炎。

| 用法用量 | 内服煎汤，15 ~ 30 g。

美人蕉科 Cannaceae 美人蕉属 Canna

美人蕉
Canna indica L.

| 植物别名 | 蕉芋。

| 药 材 名 | 美人蕉根（药用部位：根、茎。别名：观音姜、小芭蕉头、白姜）、美人蕉花（药用部位：花）。

| 形态特征 | 植株全部绿色，高可达 1.5 m。叶片卵状长圆形，长 10 ~ 30 cm，宽达 10 cm。总状花序疏花；略超出叶片之上；花红色，单生；苞片卵形，绿色，长约 1.2 cm；萼片 3，披针形，长约 1 cm，绿色而有时染红色；花冠管长不及 1 cm，花冠裂片披针形，长 3 ~ 3.5 cm，绿色或红色；外轮退化雄蕊 2 ~ 3，鲜红色，其中 2 倒披针形，长 3.5 ~ 4 cm，宽 5 ~ 7 mm，另一枚如存在则特别小，长约 1.5 cm，宽仅 1 mm；唇瓣披针形，长约 3 cm，弯曲；发育雄蕊长约 2.5 cm，

花药室长约 6 mm；花柱扁平，长约 3 cm，一半和发育雄蕊的花丝联合。蒴果绿色，长卵形，有软刺，长 1.2 ～ 1.8 cm。花果期 3 ～ 12 月。

| 生境分布 | 生于海拔 100 ～ 2 400 m 的阴湿处，在沟边、路边、田埂、荒地、宅旁墙角、山坡及林缘草丛中均常见。分布于河北阜平、武安等。

| 资源情况 | 栽培资源丰富。药材主要来源于栽培。

| 采收加工 | 美人蕉根：全年均可采挖，除去茎叶，洗净，切片，晒干或鲜用。
美人蕉花：花开时采收，阴干。

| 功能主治 | 美人蕉根：甘、微苦、涩，凉。清热解毒，调经，利水。用于月经不调，带下，黄疸，痢疾，疮疡肿毒。
美人蕉花：甘、淡，凉。凉血止血。用于吐血，衄血，外伤出血。

| 用法用量 | 美人蕉根：内服煎汤，6 ～ 15 g，鲜品 30 ～ 120 g。外用适量，捣敷。
美人蕉花：内服煎汤，6 ～ 15 g。

兰科 Orchidaceae 兜被兰属 Neottianthe

二叶兜被兰
Neottianthe cucullata (L.) Schltr.

| 植物别名 | 兜被兰。

| 药 材 名 | 百步还阳丹（药用部位：带根全草）。

| 形态特征 | 植株高 4 ~ 24 cm。块茎圆球形或卵形，长 1 ~ 2 cm。茎直立或近直立，基部具 1 ~ 2 圆筒状鞘，其上具 2 近对生的叶，在叶之上常具 1 ~ 4 披针形、渐尖的小不育苞片。叶近平展或直立伸展，卵形、卵状披针形或椭圆形，长 4 ~ 6 cm，宽 1.5 ~ 3.5 cm，先端急尖或渐尖，基部骤狭成抱茎的短鞘，叶上面有时具少数或多而密的紫红色斑点。总状花序具几朵至 10 余花，常偏向一侧；花苞片披针形，直立伸展，先端渐尖，最下面的长于子房或长于花；花紫红色或粉红色；萼片彼此紧密靠合成兜，兜长 5 ~ 7 mm，宽 3 ~ 4 mm；中萼片长

5 ~ 6 mm，宽约 1.5 mm，先端急尖，具 1 脉；侧萼片斜镰状披针形，长 6 ~ 7 mm，基部宽约 1.8 mm，先端急尖，具 1 脉；花瓣披针状线形，长约 5 mm，宽约 0.5 mm，先端急尖，具 1 脉，与萼片贴生；唇瓣向前伸展，长 7 ~ 9 mm，上面和边缘具细乳突，基部楔形，中部 3 裂，侧裂片线形，先端急尖，具 1 脉，中裂片较侧裂片长而稍宽，宽约 0.8 mm，向先端渐狭，钝，具 3 脉；距细圆筒状圆锥形，长 4 ~ 5 mm，中部向前弯曲，近呈 "U" 字形；子房圆柱状纺锤形，长 5 ~ 6 mm，扭转，稍弧曲，无毛。花期 8 ~ 9 月。

| 生境分布 | 生于海拔 400 ~ 4 100 m 的山坡林下或草地。分布于河北怀安、涉县、兴隆等。

| 资源情况 | 野生资源丰富。药材主要来源于野生。

| 采收加工 | 夏、秋季采收，鲜用或晒干。

| 功能主治 | 甘，平。归心、肝经。活血散瘀，接骨生肌。用于跌打损伤，骨折。

| 用法用量 | 内服研末，1.5 ~ 3 g。外用适量，研末调敷；或捣敷。

兰科 Orchidaceae 角盘兰属 Herminium

角盘兰
Herminium monorchis (L.) R. Br.

| 药 材 名 | 人头七（药用部位：带根茎全草。别名：人参果）。

| 形态特征 | 植株高 5.5 ~ 35 cm。块茎球形，直径 6 ~ 10 mm，肉质。茎直立，无毛，基部具 2 筒状鞘，下部具 2 ~ 3 叶，在叶上具 1 ~ 2 苞片状小叶。叶片狭椭圆状披针形或狭椭圆形，直立伸展，长 2.8 ~ 10 cm，宽 8 ~ 25 mm，先端急尖，基部渐狭并略抱茎。总状花序具多数花，圆柱状，长达 15 cm；苞片线状披针形，长约 2.5 mm，宽约 1 mm，先端长渐尖，尾状，直立伸展；花小，黄绿色，垂头，萼片近等长，具 1 脉；中萼片椭圆形或长圆状披针形，长约 2.2 mm，宽约 1.2 mm，先端钝；侧萼片长圆状披针形，宽约 1 mm，较中萼片稍狭，先端稍尖；花瓣近菱形，上部肉质增厚，较萼片稍长，向先端渐狭，或在中部多少 3 裂，中裂片线形，先端钝，具 1 脉；唇瓣与花瓣等

长，肉质增厚，基部凹陷成浅囊状，近中部 3 裂，中裂片线形，长约 1.5 mm，侧裂片三角形，较中裂片短很多；蕊柱粗短，长不及 1 mm；药室并行；花粉团近圆球形，具极短的花粉团柄和黏盘，黏盘较大，卷成角状；蕊喙矮而阔；子房圆柱状纺锤形，扭转，顶部明显钩曲，无毛，连花梗长 4 ～ 5 mm；柱头 2，隆起，叉开，位于蕊喙之下；退化雄蕊 2，近三角形，先端钝，显著。花期 6 ～ 7（～ 8）月。

| 生境分布 | 生于海拔 600 ～ 4 500 m 的山坡阔叶林至针叶林下、灌丛下、山坡草地或河滩沼泽草地中。分布于河北涉县、涞源、平泉等。

| 资源情况 | 野生资源一般，栽培资源丰富。药材主要来源于栽培。

| 采收加工 | 秋季采挖，晒干。

| 功能主治 | 甘，温。滋阴补肾，养胃，调经。用于神经衰弱，头晕失眠，烦躁口渴，食欲不振，须发早白，月经不调。

| 用法用量 | 内服煎汤，9 ～ 12 g；或浸酒。

兰科 Orchidaceae 舌唇兰属 *Platanthera*

二叶舌唇兰 *Platanthera chlorantha* Cust. ex Rchb.

| 植物别名 | 土白芨。

| 药 材 名 | 土白芨（药用部位：块茎。别名：欧白及、蛇儿参）。

| 形态特征 | 植株高 30 ~ 50 cm。块茎卵状纺锤形，肉质，长 3 ~ 4 cm，基部直径约 1 cm，上部收狭成细圆柱形，细长。茎直立，无毛，近基部具 2 彼此紧靠、近对生的大叶，在大叶之上具 2 ~ 4 变小的披针形苞片状小叶。基部大叶片椭圆形或倒披针状椭圆形，长 10 ~ 20 cm，宽 4 ~ 8 cm，先端钝或急尖，基部收狭成抱茎的鞘状柄。总状花序具 12 ~ 32 花，长 13 ~ 23 cm；苞片披针形，先端渐尖，最下部的长于子房；花较大，绿白色或白色；中萼片直立，舟状或圆状心形，长 6 ~ 7 mm，宽 5 ~ 6 mm，先端钝，基部具 5 脉；侧萼片张开，

斜卵形，长 7.5 ～ 8 mm，宽 4 ～ 4.5 mm，先端急尖，具 5 脉；花瓣直立，偏斜，狭披针形，长 5 ～ 6 mm，基部宽 2.5 ～ 3 mm，不等侧，弯曲，逐渐收狭成线形，宽约 1 mm，具 1 ～ 3 脉，与中萼片靠合成兜状；唇瓣向前伸，舌状，肉质，长 8 ～ 13 mm，宽约 2 mm，先端钝；距棒状圆筒形，长 25 ～ 36 mm，水平或斜向下伸展，稍微钩曲或弯曲，向末端明显增粗，末端钝，明显长于子房，长为子房长度的 1.5 ～ 2 倍；蕊柱粗，药室明显叉开；药隔颇宽，顶部宽约 1.5 mm，下部宽近 4 mm；花粉团椭圆形，具细长的柄和近圆形的黏盘；退化雄蕊显著；蕊喙宽，带状；子房圆柱状，上部钩曲，连花梗长 1.6 ～ 1.8 cm，柱头 1，凹陷，位于蕊喙下穴内。花期 6 ～ 7（～ 8）月。

| **生境分布** | 生于海拔 400 ～ 3 300 m 的山坡林下或草丛中。分布于河北遵化、涉县、武安等。

| **资源情况** | 野生资源一般，栽培资源一般。药材主要来源于栽培。

| **采收加工** | 秋季采挖，洗净，晒干。

| **药材性状** | 本品呈椭圆形、卵圆形或类圆形。大小不等，长 1 ～ 3.5 cm，宽 0.8 ～ 5 cm，厚 0.5 ～ 1.8 cm。质致密而坚实，角质状；表面灰白色至淡黄白色，微显半透明，有凹凸不平的皱缩纹，有时为强皱缩纹。质坚硬，不易破碎，破碎面角质样，略具光泽，浅黄白色。本品湿润时呈黏液性。气微，味淡。

| **功能主治** | 苦，平。补肺生肌，化瘀止血。用于肺痨咯血，吐血，衄血，创伤，烫火伤，痈肿。

| **用法用量** | 内服煎汤，3 ～ 9 g。外用适量，捣敷。

兰科 Orchidaceae 手参属 Gymnadenia

手参
Gymnadenia conopsea (L.) R. Br.

| 药 材 名 | 手参（药用部位：块根）。

| 形态特征 | 植株高 20 ~ 60 cm。块茎椭圆形，长 1 ~ 3.5 cm，肉质，下部掌状分裂，裂片细长。茎直立，圆柱形，基部具 2 ~ 3 筒状鞘，其上具 4 ~ 5 叶，上部具 1 至数枚苞片状小叶。叶片线状披针形、狭长圆形或带形，长 5.5 ~ 15 cm，宽 1 ~ 2（~ 2.5）cm，先端渐尖或稍钝，基部收狭成抱茎的鞘。总状花序具多数密生的花，圆柱形，长 5.5 ~ 15 cm；苞片披针形，直立伸展，先端长渐尖成尾状，长于或等长于花；花粉红色，罕为粉白色；中萼片宽椭圆形或宽卵状椭圆形，长 3.5 ~ 5 mm，宽 3 ~ 4 mm，先端急尖，略呈兜状，具 3 脉；侧萼片斜卵形，反折，边缘向外卷，较中萼片稍长或几等长，先端急尖，具 3 脉，前面的 1 脉常具支脉；花瓣直立，斜卵状三角形，

与中萼片等长，与侧萼片近等宽，边缘具细锯齿，先端急尖，具 3 脉，前面的 1 条脉常具支脉，与中萼片相靠；唇瓣向前伸展，宽倒卵形，长 4 ~ 5 mm，前部 3 裂，中裂片较侧裂片大，三角形，先端钝或急尖；距细而长，狭圆筒形，下垂，长约 1 cm，稍向前弯，向末端略增粗或略渐狭，长于子房；花粉团卵球形，具细长的柄和黏盘，黏盘线状披针形；子房纺锤形，顶部稍弧曲，连花梗长约 8 mm。花期 6 ~ 8 月。

| **生境分布** | 生于海拔 265 ~ 4 700 m 的山坡林下、草地或砾石滩草丛中。分布于河北沽源、蔚县、武安等。

| **资源情况** | 野生资源一般，栽培资源一般。药材主要来源于栽培。

| **采收加工** | 夏、秋季采收，除去须根及泥沙，晒干；或置沸水中烫或煮至内无白心，晒干。

| **药材性状** | 本品略呈手状，长 1 ~ 4 cm，直径 1 ~ 3 cm。表面浅黄色至褐色，有细皱纹，先端有茎的残基或残痕，周围有点状痕。下部有 3 ~ 12 指状分枝，长约 2.5 cm，直径 0.2 ~ 0.8 cm。质坚硬，不易折断，断面黄白色，角质样。无臭，味淡，嚼之发黏。

| **功能主治** | 甘，平。归肺、脾、胃经。滋阴生津，理气止痛，补肾健脾。用于久病体虚，神经衰弱，腰腿酸软，肺虚咳嗽，失血，久泻，阳痿，滑精，遗尿，带下，跌打损伤，积血不行。

| **用法用量** | 内服煎汤，9 ~ 15 g；或研末；或浸酒。

| **附　　注** | 本种为蒙药、藏药，民间亦用，中医少用。

金粟兰科 Chloranthaceae 金粟兰属 Chloranthus

银线草
Chloranthus japonicus Sieb.

| 植物别名 | 灯笼花、四叶七、白毛七。

| 药 材 名 | 银线草（药用部位：全草或根及根茎。别名：四叶草）。

| 形态特征 | 多年生草本，高 20 ～ 49 cm。根茎具多节，横走，分枝，生多数细长须根，有香气。茎直立，单生或数个丛生，不分枝，下部节上对生 2 鳞状叶。叶对生，通常 4 生于茎顶，呈假轮生，纸质，宽椭圆形或倒卵形，长 8 ～ 14 cm，宽 5 ～ 8 cm，先端急尖，基部宽楔形，边缘有牙齿状锐锯齿，齿尖有 1 腺体，近基部或 1/4 以下全缘，腹面有光泽，两面无毛，侧脉 6 ～ 8 对，网脉明显，叶柄长 8 ～ 18 mm；鳞状叶膜质，三角形或宽卵形，长 4 ～ 5 mm。穗状花序单一，顶生，连总花梗长 3 ～ 5 cm；苞片三角形或近半圆形；花白色；雄

蕊 3，药隔基部联合，着生于子房上部外侧，中央药隔无花药，两侧药隔各有 1一室的花药，药隔延伸成线形，长约 5 mm，水平伸展或向上弯，药室在药隔的基部；子房卵形，无花柱，柱头截平。核果近球形或倒卵形，长 2.5 ～ 3 mm，具长 1 ～ 1.5 mm 的柄，绿色。花期 4 ～ 5 月，果期 5 ～ 7 月。

| 生境分布 | 生于海拔 500 ～ 2 300 m 的山坡或山谷杂木林下阴湿处或沟边草丛中。分布于河北阜平、武安等。

| 资源情况 | 野生资源一般。药材主要来源于野生。

| 采收加工 | 夏、秋季采收，洗净，鲜用或晒干。

| 药材性状 | 本品根茎节间较疏，表面暗绿色。根须状，细长圆柱形，稍弯曲，长 5 ～ 20 cm，直径 0.1 ～ 1.5 mm；表面土黄色或灰白色，平滑。质脆，易折断，断面较平整，皮部灰白色，木部黄白色，皮部发达，易与木部分离。气微香，味微苦。

| 功能主治 | 辛、苦，温；有毒。活血化瘀，祛风除湿，解毒。用于跌打损伤，风湿痹痛，风寒感冒，肿毒疮疡，毒蛇咬伤。

| 用法用量 | 内服煎汤，3 ～ 6 g；或浸酒。外用适量，捣敷。

中文拼音索引

《中国中药资源大典·河北卷》1 ~ 4 册共用同一索引，为方便读者检索，
该索引在每个药用植物名后均标注了其所在册数（如"[1]"）及页码。

拉丁学名索引

《中国中药资源大典·河北卷》1 ~ 4 册共用同一索引，为方便读者检索，
该索引在每个药用植物名后均标注了其所在册数（如 "[1]" ）及页码。

Q

T